50 VERSÕES
DE AMOR E PRAZER

50 VERSÕES DE AMOR E PRAZER

50 CONTOS ERÓTICOS POR 13 AUTORAS BRASILEIRAS

Organização
Rinaldo de Fernandes

Copyright © 2012 by Organizador Rinaldo de Fernandes

1ª edição — Novembro de 2012

Grafia atualizada segundo o Acordo Ortográfico da Língua Portuguesa de 1990, que entrou em vigor no Brasil em 2009

Editor e Publisher
Luiz Fernando Emediato (licenciado)

Diretora Editorial
Fernanda Emediato

Produtor Editorial
Paulo Schmidt

Assistente Editorial
Erika Neves

Capa
Raul Fernandes

Projeto Gráfico
Futura

Diagramação
Kauê Andrade

Revisão do próprio autor

**DADOS INTERNACIONAIS DE CATALOGAÇÃO NA PUBLICAÇÃO (CIP)
(Câmara Brasileira do Livro, SP, Brasil)**

50 versões de amor e prazer : 50 contos eróticos por 13 autoras brasileiras / organização Rinaldo de Fernandes. -- São Paulo : Geração Editorial, 2012. -- (Coleção muito prazer)

Várias autoras.
ISBN 978-85-8130-122-8

1. Contos eróticos brasileiros I. Fernandes, Rinaldo de. II. Série.

12-13463   CDD-869.9303538

Índices para catálogo sistemático:

1. Contos eróticos : Literatura brasileira   869.9303538

GERAÇÃO EDITORIAL

Rua Gomes Freire, 225 – Lapa
CEP: 05075-010 – São Paulo – SP
Telefax: (+ 55 11) 3256-4444
E-mail: geracaoeditorial@geracaoeditorial.com.br
www.geracaoeditorial.com.br
twitter: @geracaobooks

2012
Impresso no Brasil
Printed in Brazil

Sumário

Állex Leilla
Hot dog..9
Epiceno..23
Souvenir..29
Três elefantes...36

Ana Ferreira
Enquanto seu lobo não vem..............................57
A dona da casa...64
Julieta prateada..68

Ana Miranda
A sesta..73
Estátuas..76
Instrumentos...78
As joias de Jeanne...80

Ana Paula Maia
Danado..83
Perversão..89
Fome...95
Tarantino...99

Andréa del Fuego
O amante de mamãe 103
Trama apertada 104
Pináculo da tentação 106
Quarto minguante 108

Cecilia Prada
Insólita flor do sexo 111
A chave na fechadura 125
Sílvia 133
Nuit d'amour (ou "Noite de amor") 140

Juliana Frank
A viúva de quatro 147
Romance de calçada 150
Você é tão simples e eu gozei 155
Pinga e reza 160

Heloisa Seixas
As moscas 165
Viagem a Armac 171
A porta 184
Pérolas absolutas 188

Leila Guenther
Avalanche 193
Romã 196
Viagem a um lugar comum 203
Contra a natureza 209

Luisa Geisler
Penugem 217
Você vai me ver 227
Foi assim que começou 232
A melhor amiga (ou "White lies") 238

Márcia Denser
Relatório final 245
Adriano.com 254
O diário de Juliah 263
O animal dos motéis 274

Marilia Arnaud
Os inocentes 281
Senhorita Bruna 291
A passageira 304

Tércia Montenegro
Curiosidade 315
Sessão das seis 317
Dois em um 320
Um caso familiar 326

E por falar em antologias 339
Rinaldo de Fernandes

Sobre o Organizador 355

ÁLLEX LEILLA

Autora de *Urbanos* (contos — Salvador: Fundação Casa de Jorge Amado, 1997 — prêmio de literatura para autores inéditos da Brasken), *Obscuros* (contos — Salvador: Oiti, 2000), *Henrique* (romance — Salvador: Domínio Públicco, 2001), *O sol que a chuva apagou* (novela — Salvador: P55, 2009) e *Primavera nos ossos* (romance — São Paulo: Casarão do Verbo, 2010 — obra selecionada pelo Programa Petrobras Cultural). Integrou a antologia *25 mulheres que estão fazendo a nova literatura brasileira* (org. Luiz Ruffato — Rio de Janeiro: Record, 2004). Vencedora, em 2010, do 20º Concurso de Contos Luiz Vilela, com o texto "Felicidade não se conta", publicado em antologia pela Fundação Cultural de Ituiutaba (MG). Doutora em Estudos Literários pela Universidade Federal de Minas Gerais (UFMG). Professora de Literatura Portuguesa na Universidade Estadual de Feira de Santana (UEFS). Nasceu em Bom Jesus da Lapa (BA).

HOT DOG

Nada, jamais, substituirá o companheiro perdido.
Antoine de Saint-Exupéry

Então, no automático, ela abaixou o vidro do carro e chamou por ele, esquecendo-se de que se tratava de um amigo morto. Mais precisamente: o idiota do amigo que cometeu infanticídio. Excesso de "i", reconheceu. Quando perderia a tendência por frases recheadas de assonâncias, trocadilhos, aliterações? No meio do trânsito, não haveria por que dar cabimento a tais detalhes — em casa, rodeada de dicionários, talvez? Mania de copidescar o pensamento. Ossos do ofício. Não era de todo mal, posto que necessário a uma tradutora. De resto, desimportava o estilo, a questão era, em tese, risível, mas quando vivida imitava ninho de cobras: ela o chamou sem pensar, ela gritou o nome dele na rua; em seguida, deu-se conta do fora, constrangeu-se.

Por vontade dos deuses, ele não ouviu a voz dela pronunciar seu nome, não voltou o rosto cínico a procurar por quem o chamava na rua. Menos mal. Acanhamento privado e intransferível. Ainda assim, irritante. Decerto, os deuses se divertiam com a cena, desempregados que estão desde a queda de Roma. Que lhe restava fazer? Restava sumir dali, antes que o cretino a descobrisse, estancada atrás do volante, no Corredor da Vitória. Ele, todavia, nada percebeu: passo firme, rumo ao Largo, uma mochila nas costas, cabeça levemente inclinada, ora pro lado direito, ora pro esquerdo, pois era assim mesmo que ele caminhava, como esquecer?

Ela fechou o vidro, rapidamente. Envergonhada, ajeitou os cabelos, consertou os óculos escuros, trocou de marcha, tentando evitar ser descoberta. Saudade? Será possível sentir saudade daquele pulha caminhando a poucos metros? Naquela mochila às costas, naquela mochila, quem sabe, ele levaria os mesmos apetrechos com quê?... Não, ela balançou a cabeça tentando evitar os pensamentos, não interessa, era outra mulher, vivia outra vida, não queria saber.

Entretanto, tomando quase sempre caminho inverso ao discurso, as imagens explodiram em mil fragmentos, misturando recordações e desejos espedaçados. Que foi feito da mulher outrora decidida, a mulher escandalosamente má, ela, somente ela, a deter as rédeas de qualquer movimento executado entre eles? Logo ali, no trânsito, as imagens vinham aos borbotões, desnudando o vivido ao lado daquele... daquele... deveria dizer ex-amigo?

Tentou afastar-se do centro delas, das lembranças-pensamentos. Era preciso evitar o ponto cego dentro do qual ela seria, sem dúvidas, totalmente tragada. Diversão dos deuses vadios, arremessada prum tempo em que andava unha e carne com ele, o amigo perdido. Um tempo quando não era mulher de se constranger com facilidade. Ao contrário, ela e ele atravessavam qualquer desafio, fosse concreto, fosse mera abstração.

Bastou pensar no tempo anterior pro cheiro estranho e, ao mesmo tempo, tão familiar de virilhas alheias deslizar no ar. Saía dos pensamentos, fantasma autônomo, e se corporificava na manhã. Aquele cheiro — não apenas da pele suada, não apenas das axilas, não apenas dos pelos: o cheiro inconfundível da parte mais escura da carne, quando se adentra, perdição e fundura, um milímetro antes/depois de se tornar superfície definida. Reduzida ao olfato, ela não conseguia, por mais que tentasse, evitar o primeiro quadro a espocar: no banheiro, de pé, colados um ao outro, quatro corpos se movimentam — o dela, recheio do sanduíche formado por dois homens; o dele, de joelhos, língua a lamber a bunda de um dos dois rapazes, aquele que a comia por trás. A mão dela avança por essa última banda do sanduíche, ultrapassa-a e, com alguma dificuldade, mas nem tanto, puxa os cabelos dele, do amigo perdido, naquele tempo, um cachorrinho de joelhos, botando meio palmo de língua pra fora a fim de alcançar o rabo do segundo homem, esse que a penetrava pela frente.

Puxar os cabelos dele era uma senha. Está se divertindo, cãozinho?, ela perguntaria, se não tivesse impossibilitada de perguntar: a fala presa na garganta devido aos movimentos violentos dos corpos dos homens preenchendo-a, um na frente, outro atrás. E ela no meio, serpenteando no ritmo do suor alheio. Eva-maçã suculenta, cortada em duas partes iguais. Ela se segurava como podia, imprensada, esmagada qual miolo, ora se misturando à massa de movimentos deles, ora segurando na pia, com medo de desmaiar justamente naquele instante em que eles a rasgariam ao meio, diziam, gritavam, saliva entrando em seu ouvido, iriam rasgá-la em bandas, prometiam, é isso que você quer, sua puta?, resmungava o da frente, sempre mais rápido que o de trás. Por trás da máscara, a esquentar cada vez mais o rosto sem maquiagem, ela sussurrava *sim*, cabeça jogada prum lado, pro outro, boca roçando na boca de um dos homens, queria ser rasgada em bandas, repetia, voz falsamente rouca, claro que sim.

Desmaiar não desmaiaria, mas se vacilasse por certo podiam espirrar parte dela no chão. Ocorre quase sempre quando se abocanha um sanduíche: pedaços do recheio escapam, derramam-se melequentos. Mas não, não queria perder nenhum pedaço de si mesma. Imprensada entre os dois homens, precisava permanecer recheio inteiro, aproveitar um instante a confusão de ritmos entre uma estocada e outra, o de trás mais certeiro, o da frente mais afoito, e avançar nos cabelos dele: fiel cachorrinho, de joelhos, a cumprir seu papel previamente definido.

Madame gosta de ser recheada pelos dois ao mesmo tempo, ela o ouviu explicar aos rapazes, assim que esses chegaram ao apartamento, alugado estritamente pra tais encontros. Os contatos feitos nos sites de bate-papo, modo privado, definiam antes as condições entre os atores, mas nunca era demais repetir cara a cara, e isso o cãozinho fazia muito bem: madame usa máscara; não gosta de beijos, fotos ou gravações; a casa tem dispositivo que bloqueia celular; lubrificantes são usados apenas quando ela achar necessário; qualquer quebra de acordo, acionará nosso sistema de segurança; favor lavar as mãos antes e depois. Alto, peitoral definido por anos de malhação, voz grave, o cachorrinho não tinha nenhum tique capaz de revelar no porte altivo sinais do papel *canino* a ser desempenhado logo mais. Sua objetividade ao anunciar as regras, em geral, causavam boa impressão nos parceiros, melhor: *nos coadjuvantes*, conforme gostavam, ele e ela, de denominar os homens com quem trepavam.

Escolheram um lugar discreto, no subúrbio, dois quartos, precariamente mobiliado. Tudo era mantido limpo, exceto pela mancha de sangue que forjavam na porta da cozinha, *simples descuido*, a fim de sugerir a triste consequência de alguma quebra de pacto entre os atores anteriores. Servia tão somente pra desestimular ladrõezinhos de plantão, michês mal resolvidos e demais curiosos interessados noutra coisa que não fosse sexo. Sexo intenso, anônimo, sem novelo social ou afetivo, sem qualquer conexão com a rotina diária que levavam a quilômetros dali.

Duas, três vezes ao mês, escolhiam *os coadjuvantes* e iam. O lugar do abate, ele e ela chamavam entre si, meio sorriso, cúmplices. No apartamento havia comida na geladeira; toalhas limpas no banheiro; no quarto principal, álcool em gel, lenços umedecidos, gim com limão e gelo, e cerveja em lata. Ela: a madame, ele: o cachorrinho que recepcionava e acertava todos os detalhes, depois, riso cínico, enfiava um fio dental na bunda e vinha participar da cena. Quando os *coadjuvantes* saiam, ele se punha de quatro pra lamber o esperma generosamente deixado pelos outros homens, atrás, na frente dela. Mas era justamente aí que o quadro podia perder sua sequência exata, embaralhar-se a outros, posteriores ou antigos. Ocorria naquele instante em que ela, constrangida por ter, num impulso, chamado-o na rua, tentava evitar mais lembranças, concentrada numa manobra brusca, a fim de retornar ao Campo Grande.

Naquele momento, o que menos queria era sentir a obsessão com que a mente decide, de repente, perder a visibilidade do *flash* com que espocou, inicialmente, a cena dos dois homens comendo-a, de pé, no banheiro, e emendar noutro, provavelmente mais antigo: ela de chicote na mão, cinta liga e sutiã vermelhos, castigando o cachorrinho, antes de obrigá-lo a se sentar num vibrador-crustáceo, comprado por ambos num *sex-shop* em São Paulo, na Praça da República — um dos melhores, admitiram, riscando o nome de outro estabelecimento que ocupava o segundo lugar na lista dos *sex-shops* visitados por eles até então. No foco, ela estala o chicote na carne dele, riscando-a, concentrada em não perder um segundo do esforço tamanho que ele faz pra enfiar todo o objeto. Dói?, ela pergunta, excitada, agitando a chibata — trança negra e viçosa cobrejando o ar. Ele nega e ela aumenta a pressão: por que demora tanto? Enfie tudo, vá, ordena, impiedosa, diante do contorcionismo demorado dele. Lembra perfeitamente a sensação molhada e fulgurante entre as coxas: apertava-as, úmida, latejando, frente a imagem dele — bonequinho, escravo, cãozinho a seu dispor.

Seu papel de cachorrinho, durante e depois do sexo — *selvagem* e *anônimo*, eles gostavam de adjetivar entre si, aos risos —, foi estabelecido de comum acordo: fantasia principal dele, complemento divertido pra dela. Com o tempo, porém, os papéis iam se modificando, deveria dizer... aperfeiçoando? Camadas e mais camadas, quereres revelando outros quereres, novas/velhas obsessões. Personagens escondidos em si mesmos, mal realizavam uma brincadeira, queriam outra, por vezes parecida à anterior, porém, de intensidade distinta, de pormenor diverso, qual casca de cebola: quanto mais descascavam, mais precisavam descascar. Aonde chegariam?

Durante anos, ela se viu imersa na contradição: queria machucá-lo, tripudiá-lo, surrá-lo à exaustão, mas, curiosamente, também se pegava com saudades dele, acordava de madrugada querendo notícias suas. Subitamente, ia visitá-lo; comprava-lhe presentes; marcava encontros sociais — no cinema, no *shopping*, em restaurantes chiques. A amizade, inicialmente restrita aos encontros sexuais no apartamento do subúrbio, depois de alguns meses, se estendeu também à vida profissional: proprietária e única funcionária de um curso de redação e tradução, cujo nome já era referência em Salvador, ela rompeu suas próprias regras de jamais ter sociedade com outrem, e cedeu às sugestões dele. Ampliaram o espaço, contrataram secretária, investiram em publicidade, triplicaram o lucro. Ela traduzia, ele revisava. Ela dava aula, ele administrava. Passavam quase todo o tempo juntos, mas prometeram evitar qualquer tentação de falar acerca do *segredinho sujo* — *sexo selvagem e anônimo*, repetiam, deliciados.

Antes, durante ou depois das *transações* com outros parceiros, ela cuspia na cara dele, sugeria posições dolorosas, dava-lhe com o salto do sapato na bunda. Em close não a inteireza do vivido, posto que não poderia, deitada, pernas bem abertas, ter ângulo propício pra ver toda a extensão entre o ânus e a vulva, encharcados do esperma dos *coadjuvantes*. Em close, os pormenores das imagens confundindo fato e fantasia. Não a nitidez perfeita delas, mas justamente o recorte preferido, misturado àquilo que deve ser da ordem do imaginado. Melhor: aquilo capaz de ser visto em parte e complementado com a imaginação. E era, sem dúvida, a passagem que ela mais apreciava: a cara de sujeição dele, já cansado, de quatro, e a insistência dela estendendo a mão entre os seus cabelos, puxando-os, até que ele uivasse de dor. E quando ele uivava, ela largava um *psiuuuuu* proibitivo: nada de faniquitos, dizia, não gosto de cachorro desobediente, enquanto empurrava sua cabeça em direção à boceta raspada, empapada: trate de lamber tudo, mandava.

O vivido vindo aos borbotões. Medo de cair, mas onde? Derrapar atrás do volante. Pior: ser descoberta. Por quem? Ela sacudia os ombros, fingindo não se importar: autocensura nos nervos. Não fazia mal a perseguição das imagens, não fazia mal que, diante da sucessão delas, começasse a salivar de novo: a calcinha encharcando, o sexo inchando, o cheiro infestando. Embora surpresa com os caminhos do corpo, da carne até então aquietada, bancou a madura, deu de ombros, novamente. Seria mesmo possível? Voltara a se sentir excitada, tanto tempo escorrido? Ou estava somente saudosa? Impressionada era o termo?

Que graça! Ora, deixasse arder. Cortaria as imagens falando alto e em bom som: não aconteceu nada, apenas chamou sem querer o idiota do amigo que cometeu infanticídio. O cãozinho morto. Perdido, vazando no lixo mental. Que fazer se as lembranças fedem, se o passado é carnificina a céu aberto? Faria uma faxina, é claro. Trataria de esquecer. Certas coisas não se discutem. Pior, bem pior que o gesto de abaixar o vidro do carro, chamá-lo no meio da rua e envergonhar-se em seguida, há de ser o retorno da velha pergunta: por que sentir falta de um cão desleal, de um amigo devidamente riscado da agenda? Por que se deixar excitar ao pensar no passado unha e carne com ele?

Num ponto esfarinhado da mente, ele resistia à destruição dos laços: emergia, riso franco, dando-lhe presentes engraçados; abraçava-a, falando coisas bobas; telefonava-lhe, exatamente no momento em que ela precisava ouvir a voz de alguém. Bem sabe: é sempre mais difícil lidar com o desamor. A percepção embaçada liga pedacinhos do ontem ao cotidiano-hoje: o rosto dele num pedaço de torta de morango; a voz dele sussurrando a legenda de um filme pornô; o desajeito dele dançando As tear go by, versão de Nancy Sinatra, confundindo o ritmo, declarando achar certo trecho da canção parecido com samba, bossa nova, ele afirmou, isso é bossa nova, cantou com Nancy Sinatra, mesmo sem saber cantar.

A tragicidade cômica da vida: como desligar? O rosto do amigo que cometeu infanticídio, o rosto do amigo, antes engraçado, irônico, aparecia apodrecido, despido de toda a significância que outrora ostentou. Rodeado de vermes, não provoca mais conforto, familiaridade, prazer. É um rosto que vai se tornando, Cristo! — ela se assusta como se vítima de uma fisgada, um beliscão —, indiferente. Como se jamais tivesse sido o rosto daquele amigo de quem tanto se gostou. Chegará o tempo de se trombar com ele na rua e sequer percebê-lo? Ela não crê, mas desconfia, lógico, é bem possível, no ritmo em que as coisas andam no mundo, como duvidar?

Voltou a balançar os cabelos, a mexer nos óculos escuros. Escolheu entrar numa rua sem saída, mesmo antevendo as dificuldades que teria ao fazer a manobra pra sair de lá, afinal, seu carrinho modelo 97 não ajudava muito — sem direção hidráulica, sem ar condicionado, tampouco trava elétrica, tampouco DVD e demais luxos com que ela, há tempos, estava acostumada. Trocar o carro do ano por um modelo mais velho foi uma das primeiras atitudes que precisou tomar quando se descobriu à beira da falência, depois que ele, espertamente, tirou-lhe toda a grana da sociedade. O cachorrinho depenou-a, e ela teve de buscar outras formas de sustento. O modelo 97 era duro de manobrar, porém, não deixava de ser útil no atendimento domiciliar aos novos clientes: pré-vestibulandos, adolescentes com dificuldade de dominar a norma culta, candidatos a concursos públicos, intercambistas que precisavam, urgentemente, passar no Toefl. Justamente o que ela acreditou precisar: ocupações, nova rotina, dificuldades a serem vencidas.

Contudo, nenhum compromisso, nenhuma jornada, por mais estafante que fosse, seria suficiente pra prever e, sobretudo, evitar o fluxo da mente, a descontrolada mania da mente que, diante da imagem abrupta do ex-amigo andando na rua, resolve brincar de *flashback* em plena luz do dia.

    O passado vivido ao lado dele era um perigoso mosaico a brilhar entre os pensamentos: ela está sentada na cama, vendo-o iniciar a primeira *apresentação pessoal* — era como denominavam certos joguinhos que, uma vez por mês, se permitiam. Ele abre a mochila e dispõe os apetrechos a fim de que ela escolha o que usarão: bolinhas tailandesas, algemas, gel anestésico, caneta pra escrever no corpo, *smell balls* especificamente feitos pra vagina, mas podiam usar *noutros cômodos*, ele acentuou, maldoso. Clipes pra beliscar o bico dos seios. São os melhores, ressalta, comprara num site holandês, não ferem, e beliscam mais que unha afiada. Ela quer experimentar: dois nela, dois nele. A agulhada dos clipes é boa, posto que se bifurca: uma parte eletriza o couro cabeludo e a nuca, a outra parte dá um nó gostoso no ventre. Ela aprova. Bebe um longo gole de gim e se masturba de frente pra ele. Que mais?, pergunta, falsamente rouca, que mais o cãozinho trouxe? *Cornbrator*, ele anuncia, enquanto abre a embalagem: *boku no sexual harassment*. Devo usar, madame? Ela acha graça: vibrador em forma de milho. Não parece grande coisa depois de terem usado o modelo crustáceo, mas ela ri, e quando ela ri, ele ganha, naturalmente, um pontinho na caderneta. Redutor vaginal e anal, ele continua. Presilhas pra pentelhos. Pouco útil, ela critica, estamos sempre raspadinhos. Calcinhas tipo fio dental. Outros modelos de caneta pra escrever no corpo. Madame estende a mão e toma uma delas. Rosa-chiclete. Escreve no rosto dele *hot dog*. Ele confere no espelho a alcunha, dá gargalhadas, e volta a esvaziar a mochila. Outro modelo bastante interessante: *Purple thunder*, vibrador picante, cheio de espinhos de borracha, qual mandacaru. *Create storm in your the bedroom*, anuncia a embalagem. *Uaaauuuu*, ela diz, interessadíssima, adoro objetos ásperos. Riem, histéricos. Madame quer usar. Fica em sua posição preferida — frango assado — e enfia direto na frente, posto que já estava por demais úmida. Mas não experimenta tempestade alguma. Tira. Usa atrás. Até a metade. Para. Sente uma quentura inicial, como se a massageassem por dentro. Animada, enfia mais um pouco. Percebe umas agulhadas iniciais, que logo cessam. Insiste, enfia tudo, até o talo, grita. Mexe e remexe com o bicho dentro: não acontece nada. Tira-o. Joga pra ele: não gostou. Manda que ele experimente. Ele obedece, de quatro. Ela o ajuda. O cachorrinho geme, parece gostar. Rebola com o vibrador metade dentro, metade fora, enquanto se masturba. Típico cãozinho a se contentar facilmente.

Foi exatamente neste dia que começou a se enfastiar? Ou foi na semana seguinte, quando um dos *coadjuvantes* faltou ao encontro e ela, desinteressada, deixou o cachorrinho no quarto a se entender com o outro rapaz, preferindo ir pra cozinha fazer espaguete com gorgonzola? Houve o momento crucial, o corte definitivo, ou foi naquele passo a passo moroso da vida, a ponto de nem mesmo ela perceber?

Um ser humano espantado pela mudança, desimporta se brusca, desimporta se gradual. A transformação... deveria dizer... velhice? Tédio? Cansaço? Depressão? A transformação veio e foi doloroso entender: ela não sentia prazer algum, nem com ele, nem com os outros. Temporariamente, suspensa. Foi perdendo o jeito bom de se entregar e se amassar noutros corpos, fundir-se até não se perceber mais uma estrutura viva, independente. Foi se enojando, sobretudo, do jeito servil dele, afastando-se da matéria e imergindo numa nuvem a que chamou, após alguns meses, *a desvontade*. Era isso: estava numa desvontade de sexo, de brincadeiras, de fusão. E não se sentia de todo mal, ao contrário, sentia-se dispersa, mas ótima: menos demanda, mais leveza. Passou a evitá-lo, tirou férias, fez pequenas viagens, sozinha.

Ele, no entanto, se chateou com a mudança, descompreendido total dos repentes dela. Retraiu-se, ameaçou cortar relações.

Buscou imediato consolo nos braços de uma estrangeira de voz melíflua, declaradamente perversa, que apareceu na empresa deles, atrás dos serviços de um intérprete. A estrangeira, provável títere improvisado pelos deuses, veio na hora exata em que ele não suportava mais as desculpas, as fugas, os silêncios de madame. O pacto, outrora produtivo, tornou-se um calo, um problema: ele deveras desconfiado, ela por demais entojada, a reclamar de qualquer desleixo dele no ambiente de trabalho. Grávida?, ele ainda perguntou, numa das últimas conversas que tiveram, a cara não escondia a decepção frente a nova mulher que ela ensaiava ser. Quase isso, ela explicou, entediada era a palavra, na entressafra, talvez? Precisava de tempo, a fim de descobrir se queria continuar ou não com as sessões de *sexo selvagem e anônimo*, ainda brincou.

Paralelamente ao tempo solicitado, viu-se perdendo dinheiro, patrimônio, *status*, e, por fim, a cumplicidade dele. Tudo interligado, sucessão cansativa de ações-cebolas: descascando a morte do amigo-vivo, caía na camada da morte de si mesma, debastando essa, encontrava veias abertas, em pus... Deveria dizer autodestruição? Metamorfose, talvez? A complicada e incompleta alteração na pele da serpente: é preciso arrancar a couraça, deixar o veneno minar. Mas aquela mulher de outrora, de repente não mais unha e carne com ele, de repente fantasma a regurgitar no presente, aquela mulher resistia, negando-se a aceitar o próprio funeral.

A confusão é compreensível, ela se consolava, deve acontecer às melhores famílias. Quando o amigo morre não de morte-morte — a real, que visitará a todos uma única vez e levará qualquer aprendizado, rios e paisagens visitados, pactos, cenas, laços, quiçá, desejos, projeções —, quando o amigo morre de outra morte — ausência de lealdade? Excesso de pequenez? —, ah!, como cansa entender. Ela dormia dias inteiros. Porque, miseravelmente, não havia corpo, elo a ser pranteado. A memória bonita do vivido, eis o pior, a memória começava a ser infiltrada por picuinhas que, naquele tempo, quando se vivia o bonito, não estavam postas. Então, ela percebeu, estarrecida: viveu ao lado de um idiota crescido. Pior: um vira-latas. Morte ralé. Diferente da perda verdadeira, quando, ao contrário, o ser querido desaparece e, no vazio por ele deixado, tudo fica mais intenso, por vezes quem sobrevive se torna um ser humano melhor, generosamente, a transformar quem partiu num amigo mil vezes acima do que ele pudera ser em vida. Mas esta morte de saber que do outro lado não havia de todo uma amizade — somente conveniência —, esta morte de saber que aqueles gestos, aquelas falcatruas tantas vezes desculpadas não eram apenas bobagens — precisamente: estupidez —, que palavra usar então?

Rebobinar o tempo, extrair de lá, dos dias límpidos, a fusão mais rara: ela desliza pelas costas untadas de óleo dele, de cima pra baixo, de baixo pra cima, roça os bicos dos seios, roça o sexo. Derrama gotas de cera fervendo nele. Ele estremece, ela morde, lambe, massageia. Derrama outra gota, crava as unhas até o vermelho mais denso vir à tona, espalhar-se. Ele explode, xingando sabe-se lá quantos nomes, posto que só sabia gozar escandaloso, entre berros e palavrões, enquanto ela o belisca, bate de mão aberta nele, enfia dois dedos da outra mão em si mesma, gozando aos gritos também. Rebobinar, chegar a um milímetro do coração da cena, antes do desmoronamento, dizer: queridíssimo... O quê? O que diria a ele se naquele ponto da mente só houvesse limpidez e eles estivessem frente a frente? Sobrou alguma palavra, um termo mágico a ser agora burilado e finalmente dito? Seu lugar de algoz, outrora tão bem definido, latejava na condição estranha de vítima: roupa por demais justa, subitamente arrebentando botões e costura.

Queridíssimo, ela refez o percurso pelo Corredor da Vitória, a fim de encontrá-lo outra vez. Estava decidida: casca trocada, brilhando de tão nova. Repare, se viu explicando, sozinha, o vidro do carro aberto até a metade: não fica bem vestir um número menor. Se um ser humano nasceu pra ser algoz, por que passar de repente a vítima? Sim, havia perdido temporariamente as rédeas. Está claro isso? Nenhum drama, no entanto, nenhum desespero. Faz parte, não? Sorriu, satisfeita: as palavras como que encarnadas, soprando uma nova realidade.

Não estava mais confusa, tampouco constrangida... Renascida seria o termo? Reabastecida, talvez? Uma transformação leva tanto tempo pra se concluir. É preciso calma, capacidade de espera. Trocar de pele. Gostou disso. Aproveitaria armas antigas: um *segredinho sujo ao lado dele*. Por que não? Explicaria devagar, sem mágoas, como se explica qualquer coisa a uma criança de cinco anos de idade: queridíssimo, pensando bem... meteu a terceira, soltou o volante, quase borboleta de tão leve. Jamais seria vítima, tinha coragem suficiente pra puxar outra vez as rédeas, impor-se na cavalgadura. Ou ele iria preferir que ela usasse um alto-falante? Trio elétrico? *Outdoor*? Quem sabe faixa colorida sacudida por um avião?

Lá estava ele, ela avistou: a mochilinha nas costas, avançando no segundo posto de gasolina da Rua da Graça. Madame sorriu. As palavras, realmente, têm seu tempo, reconheceu. Faz bem quem sabe esperar. O momento-banquete. Sorver o sumo ácido após o longo aprendizado de engorda, um longo intervalo em que esteve marinando, em silêncio. Não assim, num canto pequeno da mente, escolhendo, descartando, copidescando termos e expressões. Não assim, liberta e, ao mesmo tempo, ocupada, porque a poucos metros dele: ela gira todo o volante pra direita, carro velho, duro de obedecer, engata a primeira, acelera, diminui, mais um pouquinho, dá ré pra não perder a linha redonda do retorno pra Graça. Os carros vindos da Ladeira da Barra buzinam, indignados, frente àquela barberada. Ela não se importa, faz a curva e segue, tempo nenhum pra pensar no trânsito naquele momento. O mundo gira demasiado veloz, a Lusitânia roda deveras trágica, e as crianças crescidas, ah!, as crianças crescidas, ela quase grita quando chega mais perto: mereciam novas palmadas?

Gargalhada boa. Nem alegria nem raiva, um jato de vida somente. Pra fixarem, pra se misturarem à natureza das coisas findas e, curiosamente, renascidas, os pensamentos precisam de um empurrãozinho. Tudo não passara de um grande equívoco, queridíssimo, qual ser humano não se engana, vez ou outra? Pra que virasse um pensamento automático, um equívoco trazido pelo vento, era preciso descascar outra camada, ir mais fundo, permitir-se. Ademais, sempre soube: o vento se renova depois de ter espalhado lembranças, formas perdidas, afetos em frangalhos, pelo caminho. Mas quem iria se engolfar até perder todas as forças com a tempestade que chegava não era ela, isso estava mais que certo, baixou o vidro do carro, quase a meio fio, e assobiou uma, duas, três vezes pra ele. Assustado, ele se voltou a tempo de vê-la estalar os dedos: venha cá, cachorrinho, *fiufiu*, assobiou, e, em seguida, cumprimentou-o, falsamente rouca, dentes à mostra, enquanto, divertida, via-o estancar na calçada, alternando a cara... deveria dizer de medo? Vergonha? A cara de pânico dele. Terror seria o termo, mas, em verdade, ela preferia *hot dog*, afinal, madame é tradutora das antigas, sabe bem: por vezes, uma simples metáfora é capaz de resolver o pior impasse, qual conto de fadas, finalmente possível.

EPICENO

porém sempre o branco/ mais agudo/ a dar contorno/ ao que não grito./ Leio sua letra úmida, a tal flor estrita, e carnívoro machuco o que só merece gozo./ E gozo não é dor?/ Amanhecemos pálpebra queimando e já não chove.

João Filho

DAS FORMAS PROVÁVEIS DA CHUVA, ele disse, me apertando entre as pernas num abraço-domínio, coxas fechando o cerco. A mais sinuosa, a mais dissonante será a do vento amanhecido. O vento pérola caindo e erguendo do chão folhas descartadas, sacos de lixo, areia, fuligem. Esse vento, ele se autointerrompia a fim de me morder na nuca, me lamber o pescoço, inventar mais apertos com as mãos. É um presente, um sopro que elaboro e te mando, lá no amanhã, em que não estaremos juntos.

Porque precisava estar ausente. Você entende? Pegou no meu queixo como se faz com uma menina, eu abaixando os olhos, no centro do palco, mais lugar-comum impossível, morrendo de saber que não sou menina alguma. Parto, mas deixarei programado um vento amanhecido e uma chuva secreta, porque brilhante e inconcebível. Ambos te farão companhia.

Duas semanas longe. A chuva e o vento me consolariam. Do vazio, da permanência-ausência cheia de cenas a acontecer. Música do amanhã, disse ele, perceba, vivemos como num roteiro pra dispersar o engano dos dias distantes. As cenas que iríamos, ora se!, viver logo mais, em seu retorno.

Tive medo. O fantasma da diluição. O coração batendo, amiudado. Você vai é me abandonar, tanta gente interessante por aí, me vi dizendo. Que besteira é essa de abandono?, ele rebateu, porra nenhuma. Para com isso. Você é meu xodó, afirmou. Deixa estar que eu volto. Esfomeado, frisou, tonto, pra ti. Enquanto não, me espere na companhia secreta da chuva e do vento.

Lembrei que naquelas horas me chamava de xodó, mas na cama era de puta pra baixo (ou pra cima?), puxando meus cabelos, pressionando, marcando-me nas costas.

Então tá, eu disse, mansamente, olhos suaves (de menina?), como se diz numa tela, num teatro em que teu papel já foi desenhado, decidido. Tá certo, concordei, te espero, faz mal não.

Fala de mim em algum canto do planeta, por onde andem nessa hora teus passos de poeta faminto. Porque falando de mim, eu volto imediatamente a te pertencer. De noite fico sempre a lembrar de como você passa, quando a falar comigo, de neutro pra masculino, de masculino pra feminino, assim, cheio de pausas, como quem procura o jeito certo de, no meio da chuva, do vento, riscar um fósforo, acender o cigarro, ganhar tempo. Começa sempre paternal: *neném, anjo, amor*. Depois, ensaia o tipo camarada, clima de mesa de bar ou fim de baba: *velho, cara, rapaz*. Quando acaba a luz do dia, já está tudo erotizado, tudo em riste outra vez, aí é *minha putinha, gostosa, safada*.

Enquanto te espero, abro revistas: políticas, pornográficas, esotéricas. Revistas de moda e cultura popular. Tarde de chuva fina e muito vento, enroscando na cama, ora me acaricio, pensando em você, ora me canso e volto a ler as bobagens do mundo. E pode crer, há aos milhares. Nesta de agora, por exemplo, leio dicas de beleza. Assim: 1. Cumprimente o porteiro; 2. Dê passagem no trânsito; 3. Faça elogios (mas só os sinceros!); 4. Tenha paciência na fila; 5. Agradeça ao garçom e ao motorista do ônibus; 6. Olhe nos olhos quando falar com as pessoas; 7. Vista roupas confortáveis; 8. Coma três porções diárias de frutas; 9. Leia mais; 10. Sorria sempre.

E no cuzinho não vai nada?, ironizaria você, se aqui estivesse/chegasse de repente/instantâneo/mágico com aquele teu cheiro espinhento de barba malfeita. Mania tem o mundo de fazer revistas inúteis. Mania minha de comprá-las na ilusão de que, ao me encher do vazio delas, não pensarei na tua ausência. Carma, dirão os mais espiritualizados. Carma, direi eu, dentro do tédio. Que se danem todos os carmas, dirá você.

Traria uma chuva inclinadinha, chegando a ser morna de tão secreta, pra me aconchegar na cama, feito lençóis limpos mas que ainda guardam um pouco do cheiro dos prazeres atravessados. Cheiro de suor, cheiro de cavidades, cheiro de lubrificante, umedecendo o quarto. Uma chuva música ininterrupta no telhado, pra me consolar a cada madrugada perdida em que não estivéssemos trepando, ele disse. Arranhando meu pescoço, descendo a mão e me apalpando o sexo, como se eu fosse uma menina apaixonada — eu, obediente, aceitando o domínio, careca de saber que o gênero, em todo caso, está errado.

Porque precisava viajar prum encontro de merda, ele praguejou, arrumando a mochila, sujando o quarto todo de cigarro e mau-humor, viajar com um bando de zé bundinhas a quem normalmente chamam *poetas*. Encontro de bardos latino-americanos. Brasileiros. Argentinos. Chilenos. Paraguaios. Cubanos. *Calientes, muy hermanos*. Todos com dificuldade de sobrevivência, reconhecimento, distribuição. Tipo um congresso. Onde se falam tontices prum monte de tontos que ficam fingindo te admirar. Tua poesia é importante pro mundo, dizem, resista. Tua linguagem é única, mentem, de cara limpa. Tanto holofote, tanta massagem no ego, tanto globo brilhante. Ninguém ousa falar dos pés inchados, do estômago fodido, de quando falta comida em casa, do quão rato se vive, a catar moedas pra um mísero analgésico, vendido a retalho na banca de frutas e legumes da esquina.

Ah, aqueles dias inteiros de ânsia e medo, dinheiro mal havia pra comprar água mineral e cartão telefônico — o celular já havia vendido há meses. Aquelas tardes de pé no orelhão da esquina ligando pra todos os números conhecidos, pedindo, implorando, humilhando-se, por favor, estou completamente sem grana, você pode receber, indicar, mandar meu currículo? Não era nem emprego o que pedia, mas uma porcaria qualquer de trabalho, e ninguém, ninguém atendia nem levava a sério o famigerado poeta.

Que sentido havia então na insanidade daqueles congressos? Como esquecer dessa vida real-realíssima o aguardando lá fora logo depois que a rodinha de meninas pseudoleitoras e rapazes que se julgavam escritores se desfazia? A TV local ia embora, o suplemento literário encerrava suas perguntas, o secretário municipal de cultura te pedia pra posar com ele na última foto, o pessoal de apoio te entregava um pacote de livros de brinde. Sobre tua vida de rato, nada. Sobre tua azia, nada. Sobre tuas contas vencidas, nada. Uma hora de massagem e suspiros. Sessenta minutos mentindo e partilhando o indivisível.

Depois, o ar concreto da vida: voltar ao hotel, faminto, comer um frango inteiro com as mãos. Igual a Lispector confessou a Fagundes Telles que costumava fazer após esses eventos. *Os acadêmicos*, ela disse, com aquele sotaque que queríamos ucraniano, mas era tão somente língua presa, *os acadêmicos dão fome na gente, Lyginha*.

E os poetas ruins irritam, ela se esqueceu de dizer. Só se reúnem pra produzir atritos. Poetas não, ele se autoconsertou, escrevinhadores, escarneceu. Talento mesmo, ele não disse, mas entendi perfeitamente, só havia o dele. O bardo verdadeiro, querendo-se ainda preservado, desejando-se ao menos intacto, digno daquele círculo luminoso-cristão sobre a cabeça, pois aquilo sim dava um charme, ele riu, gostoso, melhora a porcaria da vida. Afinal, confessou, o bom é ser superior, qual Camões, qual Dante, delirou, de que adiantam esses zé ruelas abarrotando as revistas, se nem um alexandrino sabem pôr de pé?

Às vezes, pagavam bem. Nos congressos, nas universidades, nos eventos literários, nos programas de rádio. No Ocidente, muito de vez em quando, periga se pagar até bem quando o assunto é merda, você entende? Prefiro mil vezes ficar contigo, ele disse, enfiando a mão em cheio na minha bunda. Mas o diabo é que preciso dessa grana, lamentou, estava tão duro ultimamente, preciso de qualquer dinheirinho indecente que me oferecerem. Pro café nosso de todo dia. Pros livros. Pro fumo. Pra faxineira. Pra vaselina, disse, malicioso. Terminou de arrumar a mochila. E foi.

O não-pertencimento me cega sempre às 6h50 da manhã. Abro os olhos e dou conta de que ele, ali, não existe. Não posso mais tomar café sem ele e saio pelas ruas vestindo o ontem. Sapato de ontem. Cabelo descuidado. Longe, bem longe, de ser o par perfeito que ele, vez em quando, descreve nos sonetos.

Próxima madrugada, no entanto, haverá chuva, promete meu amor ao telefone. Pra me compensar a espera. Uma chuva de se curtir na cama. Uma chuva que irá desenhar nos telhados, nos muros, formas prováveis de ainda sermos carne da carne do outro, isto é, amantes.

Porque ele gosta de percorrer caminhos diferentes em prol da linguagem. Arrumar atalhos, podar saliências. Enfatizar certos termos. É carma de poeta, eu sei. Nessas horas, é preciso ficar imóvel, ouvindo-o ensimesmar-se, e, em seguida, enrijecer-se. Vou ouvindo e guardando uma pilha delas: compensamento, chuva secreta, neném. Como quem embrulha o improvável em papel celofane, vou ouvindo e aprisionando: vento azul amanhecido. Diluição, esquecimento. Depois, vou desembrulhando, quando ele se ausenta: caralho de vida. Vento pérola caindo. Brilhante. Inconcebível.

Só assim é possível vê-lo voltando, pro centro delas, das palavras que roubei ontem: safada, minha putinha. É exatamente assim que ele vem, me pegando pela cintura, machucando-me a pele com a barba espinhenta, enquanto força a passagem lá embaixo, sedento, descuidado. Eu me dobrando, obediente, respirando fundo, segurando o choro, relaxando. Como se fosse uma menina, a cara enfiada nos lençóis, ora enroscando nas pernas suadas dele, ora escorregando ou tentando o recuo impossível. Fugir no intervalo de um avanço e outro, cair de corpo e alma naquela chuva inclinada, aquela chuva secreta onde eu não sentiria qualquer dificuldade em me escancarar até o limite. Pra ele. Somente pra ele. Lá, no amanhã, quando estivermos novamente colados ao outro, indivisíveis.

SOUVENIR

Quando você viajou e me deixou uma foto no espelho,/ respirando lembranças, como quem conta estrelas./ Partir um arco-íris ao meio, te dar dois colares de amor./ Chuva criança, na saudade somos um oceano vazio.

Renato Pedrecal Jr.

Lembro com clareza dos faróis dos carros: eles ameaçavam tirar tuas cores e formas de mim. O lugar que você ocupa nestes olhos de poeira que trago comigo e me fazem enveredar pelos trilhos do mundo, tentando domar, entender, explicar o que não tem freio, entendimento, explicação. Que brigamos, e logo eu estava andando sozinha na Paulista, tua voz presa em meus ouvidos dizia algo sobre minha blusa, modelo feminino, você comentou, divertindo-se, eu quase me desculpando: presente de minha mãe.

Que brigamos, brigamos muito, irremediavelmente. Retalhamos a manhã com gritos, e estar dentro de uma manhã de gritos me levou a esmo pelas ruas. Não pude acreditar quando o relógio na entrada da Augusta marcou 17h45/15°C, 19h50/14°C, como se estivesse com defeito, não fosse real. Mas, sim, estava corretíssima aquela contagem veloz de tempo alternando com a exibição da temperatura, o que não podia estar certa era a vida se desfazendo entre os dedos, dolorosa, sem sentido.

Meu corpo continuou, entretanto, dançando pelas vitrines. Cor de madeira pegando fogo por dentro, pálido sem graça por fora, empertigado, meu corpo em cima do teu, explorando cada centímetro, colhendo teus gemidos, estabelecendo o ritmo, agora, agora, você avisava quando estava perto do gozo, não pare, pedia, gostosa, sem limites.

Poderia comprar aquela chinesa de porcelana. O bonequinho corinthiano. Ímãs pra fixar recados na geladeira. Você gosta, eu sei. Um chapéu escuro. Uma echarpe estampada. Um café expresso com menta. Um café com licor. Fumo importado. Cesta de morangos. Ameixas em carne viva. Um trecho de *A century of fakers* roubado do carro de uma moça de olhar-cinzento que estacionou naquele exato instante em que tentei abrir o guarda-chuva na entrada da Frei Caneca e o vento, bruto, não deixou.

Por que não vendem um cruzamento da Paulista, um cruzamento qualquer dos Jardins, Bela Cintra, Oscar Freire, Alameda Lorena, Alameda Santos? São Paulo chuvosa, São Paulo amanhecendo sem luz, São Paulo cheia de pombos e gente perdida na Praça da República, São Paulo em miniatura, limpinha, sem tristeza, embrulhada em papel de seda, São Paulo em preto e branco, só com você?

Antes de tudo ruir, você desenhou um cavalo marinho das cinzas do cigarro. Disse que era uma recordação abstrata pra mim.

— Igual àquele romance.

— Romance? Qual romance?

— Do casal carioca. Que lemos juntas. O Victor desenha uma borboleta pro Henrique — explicou.

— Das cinzas do cigarro também?

— Exato. Trata-se de um souvenir de depois do amor. Serve pra guardar a eternidade de um instante. Quando um parceiro é fumante, e o outro não.

— E o que o Henrique disse pro Victor?

— Não lembro mais não.

O gosto estranho do inacessível toma o céu da boca. É possível perder e, ao mesmo tempo, continuar a possuir teus olhos, essa tua forma plena de ver, mensurar as coisas no mundo? É possível esconder nos nervos machucados a imagem perfeita de teu corpo nu, você de costas pra mim, meus dedos molhados abrindo passagem por tuas nádegas, enquanto você se contorcia, serpente voluptuosa em meus braços?

Os segredos do corpo. A dança das mãos. Quase nada pode se apreender. Um cinzeiro de cerâmica emitindo raios azuis, pra você pensar que quebraram cristais dentro dele, pra você ter medo de passar o dedo nos vidrinhos azuis tão vivos que parecem querer te cortar. É cerâmica sobre vidro, a vendedora explica, fique à vontade, qualquer coisa, é só me chamar.

Trufas de nozes. Cestinha de figos. Um tablete de menta pra derreter no expresso. A delicada postura das xícaras à espera do chá. Brancas, rosadas, escuras, pintadas com florzinhas, bichos, riscos multicores. Jeff Beck dedilhando *Greensleeves*. Tua voz pergunta por que não se transpõe pra escrita a visão do líquido caindo pleno nas xícaras ou o contato morno da voz amada no labirinto dos ouvidos. A dor do impossível. É disso que você quer falar. Não basta ter rompido os laços, não basta eu ter de carregar este coração desencontrado na manhã. É pouco. Você insiste. Vai e vem na mente, truncando os caminhos, piorando os nós.

A atmosfera dos parques. Trianon, Aclimação. Dois patos passam na lagoa. *Goodbye*, São Paulo, digo-lhes, e tua mão passeia entre meus cabelos no ritmo de uma folha que a árvore permite ir ao chão. Lá, ainda quando não estávamos brigadas, quando tua mão vinha assim, leve, em meus cabelos. Tuas mãos me desabotoavam a blusa, sem pressa, inventando jogos, confessando desejos. Dentes na pele, língua na orelha. Teu nariz deslizava em minha nuca, ali onde nascem os arrepios, que, em seguida, vão tornar duros os bicos dos seios — meus, teus. As minhas mãos alcançavam tua cintura perfeita, conferindo, apertando: a polpa de tua bunda escondida no vestido, a densidade de teu sexo cabendo inteiro na minha palma. Eu me sentava na cadeira, você vinha, por cima, e se encaixava. O ritmo, sabíamos, era lento, mas vigoroso, e na prática concentrada dele, eu era toda tua, você só a mim pertencia.

Bastaria realmente um beijo e a manhã seria nova outra vez. Uma manhã sem brigas, sem rompimentos, uma manhã sem mortes, tampouco a desorientação dos passos a esmo ou o estancar qual idiota frente a relógios, pessoas, semáforos, souvenires.

Quando der meia-noite, será preciso se esconder dentro da bolsa marrom. Um adeus que precisarei esticar até você. No aeroporto, fila do *check-in*, onde estarei em breve, fecharei os olhos e ouvirei as vozes metálicas anunciando chegadas e partidas: bolhinhas negras desmanchando na atmosfera. Dentro da bolsa não haverá chicletes nem dropes de hortelã. Uma bolsa vazia de coisas doces, uma bolsa onde só cabe o necessário: cartão de crédito, cédula de identidade, lenços de papel, celular, MP4, máquina fotográfica, bloco de notas. E canetas, várias. Respirarei mal dentro dela. Será preciso, no entanto, aceitar os fatos, evitar lamentos vãos.

Hora de esquecer seus olhos, abrindo-se, espantados: o jogo da garrafa?, exclamou, entre curiosa e decepcionada, você já praticou? Hora de esquecer minha resposta, fingindo não perceber seu espanto: várias vezes, com um grupo de amigas, em Salvador. Éramos seis e alternávamo-nos: um dia condutora, outro, conduzida. Qual era teu papel preferido?, perguntou você, num fio de voz, enquanto a imagem da garrafa verde-escuro voltava perfeita em minha cabeça, girando entre os corpos das seis mulheres em círculo. O cheiro lânguido de algumas de nós invade os poros da memória e, em vez de singularizar a origem de cada fonte, iguala-nos: odores de bocetas abertas no ar. Aquosas. Inchadas. À espera. Naquele tempo, eu te respondi sem titubear, tratava tão somente de aumentar minha coleção preferida: extrair da outra, em poucos minutos, o gozo mais intenso, a umidade mais profícua. E eu era boa nisto.

Não andarei mais contigo, de mãos dadas, você gritou. Os relógios na Paulista exibirão, impassíveis, as horas, os minutos, a temperatura. Não estarei contigo, divertindo-me com a cara de alguns pedestres, talvez a nos adivinhar além de amigas, amantes.

Sexo em grupo, você decretou, é a prova cabal da decadência. Começávamos num círculo, me apressei em responder, mas a prática era secreta, somente entre as duas que a garrafa selecionou. O declínio, você disse, pouco convencida, costuma variar seu jeito de acontecer. Mais uma entre tantas brigas que tivemos, essa é, também, repleta de sentenças pura idiotice. Pensamos diferente, concluímos ao mesmo tempo, quando o cansaço nos venceu. Sentido algum importa quando nos descolamos assim: poeira de nós mesmas, ciscos voando na tarde-manhã.

Protelo: ainda falta muito pra meia-noite. Protelo: à deriva. O gosto de teu grelo, doce-ácido, friccionado, aumentando minha saliva. É longe deste outro lado do mundo, é longe e vazio não te ter. Por isso, paro em qualquer canto, bebo. Dei de beber tanto, querida, por que brigamos, por que brigamos? Simplesmente: não sei.

Vou passando e encaixando na retina objetos das vitrines, das bancas de revista, dos ambulantes. Num segundo, quero-os, noutro, desprezo-os, não compro, vou deixando pedacinhos de encantos pairando sobre a atmosfera, tapete de miudezas a se despedir de São Paulo, de você: brincos de porcelana, prendedor de cabelos, enfeite de flores, lua esculpida em pedra-sabão, aparador pra vinhos, blusa de pano indiano, anel de prata com desenhos de girassóis, anel de prata com detalhes em marrom, anéis aos milhares, dourados, negros, vermelhos, de marfim — você cuidadosamente os tirava, antes de molhar o dedo na boca e enfiar em mim.

Frutas reluzentes, arranjos de folhas desidratadas. Uma minicoluna de mármore, carrinhos antigos que cabem no bolso. Uma maria-fumaça lembrando o estado de Minas, quando Minas e São Paulo faziam a dobradinha café-com-leite-sim-cana-de-açúcar-não, você sabe, você se lembra, você entende quando falo entrecortada de soluços assim? Continuo a gostar de ti, mesmo sabendo do nosso caso naufragado. Um dia tive você entre os seios, recostada, os cabelos cheirando a macadâmia, quietinha depois do amor. Ontem, após a briga, você bateu a porta e partiu.

Quem sabe meu fantasma envelheça à tua espera, todo início de inverno, entre a Augusta e a Paulista, vendo os relógios marcarem 22h, 22h40, feito uma canção sem sentido, enquanto a noite cai enevoada, estarei andando e me lembrando de restos de frases, tuas, minhas, tão longe de casa, eu lhe dizia, isso não vai dar certo, você me atalhou, com raiva, pensa que serei outra de suas mulherzinhas-souvenir? Pois se engana.

Quando você me apalpava os seios. Quando eu te sugava até você se esquecer. Quando você colava o sexo no meu. Quando eu me colava a você. Quando te sentia úmida. Quando nos lambíamos juntas, 69, você declarava, sempre foi meu número preferido. Saudade amarelando os dedos. Adeus suplicando freio, adeus não querendo ser adeus não. Você escapa à imobilidade dos objetos. Não se encaixa na mala, nem na frasqueira. Não fica bem entre os livros, CDs e revistas. Também não caberá entre as recordações destinadas às estantes da sala. É este o teu jeito de restar impossível: me assombrar de segundo em segundo, qual vaga-lume maldito.

No aeroporto, ouvem-se nomes e sobrenomes de gente desconhecida. Chamadas pra felicidade, chamadas pra embarque imediato com destino a um lugar sem ontens, nem amanhãs. Lugar eterno presente: teu corpo moreno entre os meus contornos claros, se ajustando, se misturando, suado, indecente, me fode, você pedia, mais forte, nasci pra ser tua — incômodo souvenir.

Antes de ser de fato briga, insultos, juras de nunca mais, eu pensei em algum tipo de pacto capaz de te convencer a me seguir.

Não haveria partida nem horários, nenhuma conversa desgovernada, nenhum redemoinho de palavras más. Não haveria passos sozinhos na Paulista, nem o isolamento da bolsa marrom. Mas não, não houve escape, tudo ruiu daquele jeito pontiagudo, difícil de aceitar. Estou lembrando os faróis dos carros confundindo, incomodando, tentando tirar teus olhos de mim. Estou me desgarrando sem querer deles, de teus olhos, perdendo tuas cores, teu jeito próprio de pôr luz sobre os objetos, a cabeça levemente inclinada, mensurando tudo ao redor.

    Sim, eu sei, é muito tarde. Te deixarei numa São Paulo vazia. Uma São Paulo onde você, provavelmente, recomeçará a velha busca: ser feliz. Te apalpo no bolso: estranho torpor. Você determinada, sem riso. Você na manhã enevoada. Misterioso souvenir que eu possuo, abro, enfio a língua, sugo, mas, na hora H, justo quando mais preciso, me surpreende fugindo pra longe dos meus lábios. Tua voz do outro lado, cortando meu domínio, tua voz indo e voltando, impondo o inevitável: nunca mais andarei de mãos dadas contigo. Hora de compreender teu jeito encantador de pôr fim em tudo, querida. Aceito. Entendo. Que seja assim pra sempre, adeus.

TRÊS ELEFANTES

Por vezes, viver é tão somente um milagre: acontecer de a música que tocam lá fora ser, magicamente, a mesma que toca a gente entre quatro paredes.
José Luís Franco

ELA ACABA DE VIR À PORTA: camiseta verde-exército, pernas à mostra. Abre o carro, liga o som. Mas tão baixinho que daqui só se pode ouvir uma distante harmonia, não se sabe se órgão, piano ou teclados. Ultimamente, os instrumentos deram de imitar uns aos outros. Por vezes nem instrumento, mas um simulacro qualquer de música. Leve, dir-se-ia um véu sobre a noite. À minha volta, os relógios todos exibem: meia-noite e quinze. Ela sai do automóvel e se senta no batente, no espaço entre a soleira e o carro estacionado. Fica difícil ver seu rosto, e a maior parte do corpo também se perde, um pouco pela ausência de luz, um pouco pelo excesso de outros objetos tomando o ângulo — o carro estacionado no pátio-jardim, as roseiras mais altas, os cobogós da murada, o portão.

Passa minutos lá, quieta, depois se levanta. Anda pelo jardim. Vem até o portão, acende um cigarro enquanto olha a rua. Ergo o binóculo e enquadro, no primeiro andar, o namorado dela abrindo a janela do quarto. Ele consulta as horas no pulso. Gira a cabeça de um lado pro outro, por certo medindo a intensidade da chuva fina, começando a cair. Outro som surge, um pouco acima do normal. Mas é sábado, e aos sábados, dizem, pode-se extrapolar o bom senso. Leonard Cohen, ele põe. *A thoussand kisses deep*, reconheço. Da janela, ele mexe com ela. Dança de peito nu no parapeito. Ela ri. De pés nus, ele desce as escadas. Some no escuro da sala, reaparece na porta da rua. Veio gritando algo — a letra da canção? Embaixo da janela do quarto, no espaço entre a soleira e o carro estacionado, ele também se senta. Doce intimidade: ele pega uma mecha do cabelo dela, leva aos lábios, beija; ela fala qualquer coisa em seu ouvido.

A chuva engrossa. Deve estar respigando em ambos. Mas não tenho certeza, há uma espécie de toldo entre a porta da rua e o início do jardim que serve, à esquerda, de garagem. Trata-se de uma extensão transparente sob o telhado antigo da casa, bem capaz de evitar pingos de chuva na soleira. De vez em quando, ela mexe os ombros, ele, idem. E riem, sabe o demônio de quê. Fecho os olhos. Querendo e não querendo ficar excitado. Nada mais lascivo aos meus olhos do que esse beijinho aqui, aquela mãozinha acolá, dos amantes. Não posso ver casal algum estender a intimidade além da cama, pois imediatamente levo-os de volta às quatro paredes, ao não presenciado, quando estavam nus, que mordidas deram, que posição tomaram, que alternância dos corpos o mundo deixou de flagrar. Eis o meu intento: captar a inteireza dessa intimidade. Treparão debaixo da chuva? Nunca se sabe, é século XXI, e o cinema já existe há décadas pra nos suprir tal demanda. Rejeito-a, contudo: raramente vou ao cinema e não tenho TV em casa.

Confesso que ainda estou me acostumando com a presença dela em frente. É coisa de meses apenas. Antes, o vizinho morava com as irmãs; depois, essas foram embora pro interior; ele próprio juntou e se separou de alguns homens; viajou, alugou a casa pra estrangeiros; voltou, fez reforma, sumiu por outros tempos; retornou, abriu um bazar, fechou-o, dividiu o espaço com amigos; viajou outra vez, e, novamente, eis o vizinho, mais magro, mais velho, cabeça raspada, de namoro, embrecho, caso, união estável, casamento, qualquer coisa equivalente, com uma bela menina mais nova que ele. Ângela, ela se chama. Abro os olhos: a mão dele entre as coxas dela. Busco mais recursos com a luneta. Passeio o foco ora no corpo dele, ora no dela. Recorto umas manchas espalhando-se no tórax. Gosto disso. Aumento o *zoom* e tiro uma foto: mas, que droga!, a visibilidade foi estragada pela chuva que, infelizmente, está mais forte.

Tia Mariinha dissera no almoço: essa menina é louca, aonde pensa que chegará com esse namoro se o rapaz está com AIDS? O cara está com AIDS, repeti, sozinho e cansado, pele e músculos pra abastecer: o cara está com AIDS, coitado, logo irá morrer. Eu: idem. Desde pequeno, acolho a certeza de que em breve morrerei. Contudo, o tempo passa e cá estou eu, três décadas e meia, vivo. Não é má ideia morrermos próximos um do outro. As flores podem ser as mesmas: copos de leite, cravos ou antúrios. A missa de enterro de um emendada na de sétimo dia do outro. Talvez a namorada dele também se anime a fechar os olhos e nos acompanhar. É interessante, decerto. Um elefante incomoda muita gente. Dois elefantes incomodam muito mais. Três elefantes incomodam o mundo inteiro, mortos, entretanto, creio que não. O padre há de fazer um pacote econômico, as famílias, condoídas, aprovarão.

Miséria de mundo! Por que o pensamento teima em ecoar sem sentido assim? Qualquer ser humano está sujeito à morte, eis o único princípio da vida. Rebobinar, congelar a ideia burra, enovelando-se, como se independente de mim. Congelar e jogar ladeira abaixo, isto é, refazer. Nem mesmo sei se o vizinho de fato tem AIDS. Pode ser outra fofoca da tia. Não gosto que ela ande ciscando por aqui. A tia Mariinha guarda entre os dentes uma metralhadora giratória, ninguém lhe escapa. Há anos, ouço-a ruminar pelos cantos que ele é gilete, esse rapaz que se mudou aí pra frente, afirma, serve a Deus e ao Diabo, e se benze, injuriada. Como é o caso, minha tia?, pergunto, às vezes, por achar engraçado: o nosso vizinho é pastor?, finjo desentendimento. Não, ela explica, corta dos dois lados, menino, um horror! Na escola, meus colegas também diziam, à boca pequena: o Beto, teu vizinho, é um topa tudo. Vai com homens e mulheres, já foi até flagrado em ação, no banheiro do Clube. Coisa de gente drogada, declara tia Mariinha, viados nojentos, fazer isso em público, quem quer ver? Várias vezes me escondi no banheiro do Clube: drogados, viados, nojentos — naquela época eu daria tudo pra ver, mas nunca havia ninguém. Enquanto isso, o Beto passava por mim, simpático e distante: fala, Julián, tudo certinho? Eu, olhos no chão, respondia: tudo em paz, cara. Agora, ele namora uma menina que prefere fumar no jardim, ouvindo canções em volume mínimo, enquanto ele, exagerado, usa o volume no máximo, anda de pés descalços, dança de peito nu, bolina-a na soleira da porta.

A chuva diminui. Miro o espaço entre as pernas dela. Imagino o cheiro daquele rechonchudinho dentro do tecido. Não vejo, mas desejo que ela esteja usando calcinhas brancas, preferencialmente, de algodão. Ontem, no centro, vi um *outdoor* com meninas belíssimas vestindo *langerie* amarelo-ouro. Mas não, quero imaginá-la usando algodão branco. Se houvesse menos opacidade, talvez pudesse ver com mais clareza os bicos dos seios. Ele meteu a mão na camisa dela e os tirou pra fora. Arrepiados, sim, mas não sei se realmente castanhos, como ora aparecem, afinal, ela não é exatamente morena pra ter os bicos marrons. Só com a luz do poste não é possível averiguar. Precisaria de mais luminosidade pra flagrá-los duros e perfeitos. Ela os roça no braço, no queixo dele. Contudo, o poste feio, de fios baixos, não dá luz suficiente pra eu captar qual reação a pele dele oferece. Até a eletricidade é problema neste país. Poderiam ser menos esdrúxulos, postes em forma de espada ou de lampião, não essa coisa amarfanhada, troncha, como se a cidade toda estivesse à espera da conclusão de uma reforma.

Ela estica-se no canto direito, pernas abertas, entrega-se toda à pressão da mão dele, essa, qual pincel, move os dedos pra cima e pra baixo, às vezes devagar, às vezes mais rápido. Excelente. Posso passar meus dias assim: vendo-os. Os dedos dele abandonam a pintura sobre a calcinha e resolvem dar acabamento também lá dentro. Adentram o tecido. Demoram-se, sem pressa, enquanto ela se contorce, olhos fechados, cabeça contra a lateral da porta. Deve estar gemendo indecências pra ele. Desejo-a puta, gritando palavrões. Mas ainda é preliminar o filme deles. Tocam-se, murmuram segredos, beijam-se: adolescentes em tempo de descoberta. Depois se erguem, bruscos, e entram, cerrando a porta, roubando dos meus olhos o poder de vê-los em ação. Abandono a janela. Passo pro *laptop* a foto deles, amplio-a, eliminando arestas de objetos sem valia. Não está tão nítida quanto devia, mas serve de horizonte enquanto encharco a mão de óleo vegetal e fricciono a cabeça do pau, ora imaginando que meto na bunda dele, ora no rechonchudinho dela.

Às vezes, penso, deveríamos morar em Ouro Preto. As casas são mais próximas, as serras, as árvores, o vento constante. Veria os dois tomando café, dormindo, fazendo amor, lendo. E não somente em momentos fugidios: ele de peito nu na janela, ela fumando; ele chegando da rua, ela dormindo; ela saindo, ele bebendo ou caído no sofá, ela de... toalha! Às 17h30, 17h40, ela sempre passa do banheiro pro quarto, de toalha, cabelos presos ou soltos-molhados, e ele jamais a agarra no meio da sala, como nas propagandas de iogurte, geladeira, máquina de lavar roupas ou sandálias de tiras, caindo ambos na cama, girando, excesso de risos e beijos, cena assim nunca vejo, decepcionado por eles serem tão incivilizados, incapazes de me presentear com uma boa trepada: ela em cima, ele embaixo, no melhor estilo mulher-amazona, eis o que definitivamente não vejo, quieto no meu canto, dia a dia a perscrutar, vontade por demais controlada de atravessar a rua, tocar a sineta da casa deles e perguntar por quê.

Deveríamos morar os três em Ouro Preto. As ruas de pedras seculares aguentariam melhor nossas patas. Templo antigo, a velha cidade encravada nas serras. O vento de lá veio comigo. Quando tudo se faz esquisito, penso no sobe e desce das ruas, o rumor constante das serras esfriando a pele, as caras e sotaques de estudantes, o clima dos cafés, das ruas. Perfeito abrigo pros elefantes. As passagens estão sempre livres e há flores. Um elefante constantemente precisa de flores. Dois elefantes necessitam muito mais. Impaciência correndo a espinha. Avançando milímetro por milímetro. Meu jeito de sobreviver: avançar até o limite da ira-abismo, compreender que, hora dessas, hei de me desintegrar no lodo dela, caso não consiga, enfim, ultrapassá-la. A raiva-petróleo. O resto é banal. Saio de casa sem querer sair. Posso passar meses sem pôr a fuça na rua. É quase uma hora. Vou à Leopoldina cortar o cabelo. Há dois clientes no salão e três manicures tagarelando na porta. Horário de almoço, sabe?, me diz uma delas, todo mundo foi pro *self-service*, aponta com o queixo o restaurante na quadra seguinte, ficou apenas o Tonico. O senhor tem paciência de aguardar? Problema não, respondo, eu só corto com o Tonico mesmo.

Espero. Passo e repasso imagens no *Ipad*. Lembrando-esquecendo o meio das pernas dela, os pelos do braço dele. Quando chega minha vez, o Tonico pergunta como vai ser, se não quero tentar algo novo. Minha geração, segundo ele, adora uma novidade. É todo mundo tão *clean*, tão descolado, todo mundo resolvido, ninguém sofre, ninguém tem problemas. Finjo não entender a ironia. Respondo: até onde sabemos, nasceu, fodeu, meu amigo, seja jovem, seja velho, seja pobre, seja rico, a vida não perdoa. Ele, no entanto, continua: um novo *look*, então? Pra dar um *upgrade*, ressalta, tirando sarro com meu hábito de manter o mesmo corte anos a fio — topete médio, repicado, raspado nas laterais. Já trepamos umas quinhentas vezes, talvez menos, talvez mais. A lenga-lenga se repete a cada dois, três meses, quando apareço no salão: ele pega no meu pé enquanto estamos sendo observados pelas manicures, depois, se faz de distante, assobiando canções ridículas, e, por fim, mete um bilhetinho no meu bolso. Desconto, entretanto, nunca me deu, o safado, rápido a responder que *uma coisa é uma coisa, outra coisa é outra coisa*, quando queixo menos 15% no pagamento do corte. Mas qual! O cara faz ouvidos moucos às minhas cantadas, não libera um real do serviço, desconversa, inventa tolices — diferença de geração, por exemplo, é o papo preferido dele, uma conversa sem qualquer sentido, afinal, ele tem no máximo dez anos a mais que eu. Nem eu sou tão jovem, nem você é tão velho assim, Tonico, atalho-o, enquanto ele disfarça e põe no meu bolso o papelzinho com hora, dia e lugar da putaria.

Marca à noite, depois das 19h, mas em vez de dizer onde, escreve numa letra de criança: pode ser em sua casa?, e pede abaixo confirmação, o que me parece, enfim, uma mudança, pois sempre optou por moteizinhos na Rio de Janeiro ou no Estoril. Gosto disso: mudança, embora não chegue a ser significativa, pois, independentemente do cenário, com ele tudo é preto no branco, quem dá, quem come, afetividade somente no durante. Depois, no máximo, uma água mineral com gás, uma cerveja, e nos despedimos sem qualquer compromisso ou laço no porvir. Mas quem quer chateações pós--gozo? Não eu. Volto, descongelo o rango, almoço, lavo a louça, varro a cozinha. Verifico o estoque de camisinha e K-Y, troco os lençóis, tomo banho e me entrego ao trabalho, depois de passar uma mensagem pro celular do Tonico, confirmando endereço e horário.

Todavia, falava das flores. As flores roxas de Ouro Preto. Se por lá vivêssemos, arrancaria algumas pra jogar sobre o casal da frente, quando os dois estivessem descalços, fumando, molhando os corpos na chuva. Uma chuvarada de pétalas sobre os cabelos. Algumas deveriam cair direto no chão, outras dançariam lentas, um instante a mais. Uma pétala minúscula grudar-se-ia nos cílios de um deles, seria preciso piscar os olhos pra fazê-la rolar. Quadro simples. Cópia descarada de Jean Genet, dirão, ou, mais precisamente, *This charming man*, o videoclipe — imagem-simulacro do tempo em que eu era obcecado por certos vídeos, dentro deles sonhava viver. Mundo naftalinizado: o sol forte o levou. Não tem problema. Que venham os narizes alheios, as piadinhas, os dedos em riste, que poderão me dizer? Absolutamente, nada. Dentro do casulo, há séculos, estou. Flores imaginárias. Quero ter coisas belas atravessando o cérebro, pra evitar tamanha tristeza, imensurável medo, quietinho no meu canto, espiando, fazendo nada útil da vida, ou melhor, ao contrário, é a vida quem me inutiliza.

Quase 20h. Venci a inércia do começo da tarde e consegui finalizar o site de uma empresa que vende embalagens recicladas. Há duas semanas estava empacado. Ficou show de bola, me diz o supervisor de marketing da firma, via *Ipad*. Mais animado pela falsa sensação de ter tido uma tarde produtiva, desarmo o tripé e escondo-o, junto com a luneta e o binóculo, no armário. Tomo meu segundo banho, o tempo está quente e seco, meus lábios racham com facilidade. Mal saio do boxe, o Tonico toca. Trouxe sanduíches naturais e cerveja preta, diz. Entra como se não fosse a primeira vez em meu apê, nem olha pro sofá escandalosamente colorido, capturador da maioria dos olhares de quem chega. Passa rente, reclamando do movimento intenso no salão justamente quando é hora de fechar. Mulher é foda, desabafa, umas têm radares específicos pra acabar com nossa festa. Imagina: a bruxa chega no último momento e quer fazer pé, mão, sobrancelha, progressiva, hidratação, afff! Só Jesus! Segue direto pro balcão da cozinha e deposita as sacolas de compras, perguntando se tenho fome. Do teu rabinho, digo, uma fome de quarenta, setenta, se brincar, noventa dias. Ele aprova: resolveremos isso já, lindo! Vai ao banheiro e em poucos minutos está de volta, de cueca *boxer* e camiseta. Encaixo-o desde a entrada do quarto, ele joga a cabeça pra trás, me estende a língua e vamos nesse grude até a cama.

Nos despimos, atirando as roupas pelos cantos. Ele pergunta se moro sozinho. Eu e Deus, respondo. Senta na beirada da cama e puxa meu pau em direção à boca, preliminar da qual poucas vezes abre mão. Mas, dessa vez, não se demora muito, abocanhando quase até o talo, tirando e olhando pra mim, enquanto faz voltas com a ponta da língua. Pergunto se está com pressa, ele confirma, num gemido. Pego na gaveta lubrificante e camisinha. Trepamos, ele de quatro na cama, eu de pé, atrás. Condensar a energia toda nisso. Gosto de tudo no Tonico: o corpo, os pelos, o cheiro, o ritmo, as bobagens que ele fala durante o sexo — às vezes me pede palmadas, às vezes grita que vai morrer empalado em minha pica. Agarro-o pela cintura, sua bunda bate e volta, qual bumerangue em minha virilha, a cada estocada. Gozamos, ele segundos depois de mim. Um pouco antes, cerrei as cortinas, pois uma coisa é gostar de ver, outra, querer ser visto.

    Ele vai ao banheiro, volta já vestido, dizendo que precisa voar pro aniversário de uma *meeeega*-amiga, no São Pedro. Mega--amiga?, estranho, que vem a ser isso? Vai à cozinha, rasga o plástico-filme de um dos sanduíches que trouxe e morde, enquanto bebe cerveja *long-neck* pelo gargalo. Mega-amiga, explica, é uma pessoa do Bem, maaaaravilhosa, que nos apoia em tudo e mora em nosso coração sem pagar um mísero real. Entendi. Ele dá mais algumas mordidas, mastiga com pressa, e joga fora uma parte do sanduíche, desaprovando o milho, mania que mineiro tem de meter milho em tudo. De onde você é, Tonico?, indago. Do Espírito Santo, ele responde, mas vivo aqui há séculos. Engole o resto da cerveja, larga a garrafa no balcão e segue pra porta de saída. Bacana sua casa, comenta, apertando, impaciente, o botão do elevador. A cor do sofá é coisa sua?, quer saber. Não, herança de casamento, meu ex-companheiro escolheu, quando rompemos, ele não quis levar. O Tonico respira fundo: ex-companheiro? *Noss'enhora*!, você é tão menino e já foi casado e mora só e é independente! Povo precoce! Pois a bicha velha aqui ainda mora com a santa mãezinha... Cadê seus pais, lindo? No cemitério, digo. Ele faz uma cara de espanto engraçadíssima. Pensei que você soubesse, continuo, sou órfão desde os 10 anos. Ele parece sentido: tadinho! Não, não sabia. Pede desculpas, enquanto continua a apertar o botão infinitas vezes. Tanto faz você chamar uma ou cem vezes, aviso, esse botão não tem função de apressar o elevador. Pois é, ele rebate, bem diferente do morador, que funciona maravilhosamente bem à pressão. Sensível a elogios espontâneos, respondo que fazemos a gosto do cliente e agradecemos a preferência. Ele dá gargalhadas: me mande as promoções então, lindo, sou *doida* por uma liquidação, ainda mais se for de Natal. Ah, você gosta de liquidação?, brinco, isso é novidade. Mas é claro, meu bem, bicha consumista se amarra num preço baixo! E por que no teu salão você nunca me dá um desconto?, questiono. Ele faz um muxoxo: lá vem ele! *Uma coisa é uma coisa, outra coisa é outra coisa.* Não, senhor, protesto, tudo é serviço, estamos falando de consumo e consumidor. Ele balança a cabeça, afetadíssimo: não, não e não, se começarmos a misturar as estações, vai tudo por água abaixo, vá por mim, sou catedrático nisso. Entendo, finalmente, o raciocínio dele, mas, ainda assim, teimo, pra não perder o prazer de contrariá-lo: se todo mundo gosta de desconto, também tenho direito, afinal, sou filho de Deus. Ele reclama que estou ficando *abusaaado*, feito aqueles meninos chatos, pidões, acusa. Depois, cruza os braços me medindo: você é bicha, por acaso? Pergunto por quê. Ele esclarece: é típico de bicha encasquetar uma ideia e não largar mais. Dou de ombros: pode ser, tanto faz. Ele se diverte: pode see-er? Tanto faaaaaz? Nããão, lindo! Uma bicha *jaaaaamais* responderia *pode ser* e *tanto faz*! E ri, ri espalhafatoso, remexendo-se todo. Aprenda: *uma bicha é*, percebe? Completa e inteira, sem meio termo. Ponto. Entendeu? Acho-o uma graça assim, rindo de corpo inteiro. Seu excelente humor o faz mais bonito. Não sei se prefiro sua mania de dividir as sílabas enquanto fala ou os chavões hilários na ponta da língua ou, ainda, as gargalhadas acompanhadas das teatrais sacudidelas físicas. Infelizmente, o elevador chega, me tirando o prazer de observá-lo. Ele pisca os olhos: não suma, diz, e vai embora dando tchauzinho com os dedos.

    Reinstalo o tripé e a luneta. Coloco Elvis Costelo em volume só-pra-mim. Abro uma fresta da cortina. A casa deles está quieta. Escura. Vem um barulho de um ônibus, apressado pra alcançar a Mar de Espanha. Continuo na mente seu percurso rumo ao fim de linha, na Praça Cairo, que, daqui, não posso ver. Não tendo nada a captar na vida concreta, volto o foco pro céu claro de janeiro. Observo, sem grande interesse, o brilho intenso de certas estrelas cujos nomes jamais quis saber. A Lua também está magnífica de tão cheia. Observo o mundo, e nisso me cerquei de boas ferramentas: binóculo Nikon 7X50, encomendado a meu primo, quando esse foi vadiar nos EUA, e uma Celestron 14X, com câmara digital, paga em suaves-longas prestações. Posso amanhecer atrás das lentes. O sentido, talvez, de toda uma vida sem sentido. Mas o longínquo cósmico não me fascina, sou caçador da intimidade alheia, essa abstração que não se fixa, embora todos acreditem piamente em meu imenso interesse pela astronomia.

É fim de tarde, e ela bebe. De toalha, recostada no sofá. Uma lentidão harmoniosa em seus movimentos. Ela traz, com a mão esquerda, a taça de vinho à boca, dá um gole, deixando escorrer gotas da bebida pelo queixo, entre os seios e na barriga. Com a mão direita, vai esfregando o vinho em si mesma, enquanto se livra da toalha. Desce até o sexo, abre os grandes lábios, faz círculos com o dedo maior, depois traz o dedo à boca, provando o próprio gosto. Mecanismo interessantíssimo, até então desconhecido por mim. Tiro várias fotos. Um recorte que se repete, ela, autofagicizada, enfia outra vez o dedo na boceta, depois, na boca. Busco meu melhor ângulo, escondido atrás das cortinas, direciono a câmara e filmo o prazer solitário dela, o jeito de putinha bêbada que ela encarna, no sofá da sala, quando ele não está. Repete não sei quantas vezes o mesmo gesto, aumentando a fricção embaixo e diminuindo as vindas dos dedos à boca. Depois, se aquieta, recostando-se no braço do sofá. Tenho ganas de escancarar a janela e gritar por bis: bravo, Ângela, de novo, *please*!

Quando não há nada pra se ver do outro lado, não costumo buscar outros casais, outras intimidades. Por enquanto, me especializo neles. Prefiro ficar à toa. O trabalho se acumulando no computador. Escutar músicas, reler poetas. Sei que nos aproximamos nessa coisa de música e palavras, vejo as capas de livros e CDs que eles dois espalham pela casa, às vezes, compro uns iguaizinhos ou da mesma estirpe, mas isso, por si, não basta. Hora dessas, sei: atravessarei a rua e estarei lado a lado com eles. Fora da vida e, devo dizer, preso a ela. Mas quando isso ocorrer, também sei: perderei todo o fascínio de contemplá-los em segredo e precisarei investir noutra obsessão. Um tiro na cabeça, estou esperando a minha coragem de meter um tiro na cabeça. Há tempos espero. No entanto, olho meu rosto no espelho e, loucura ou não, me acho gostoso. Tiro a roupa, me masturbo, bebo, cantarolo, até que a alegria, já instalada, sorrateiramente, vira agulha. Mas o que se pode esperar da alegria com sua natureza fugaz? Foi realmente feita pra ser vivida enquanto repente que, logo mais, dará passagem à tristeza, à dor. Faz parte do cenário, eu diria, ser alegre, depois, triste, caso contrário, quem suportaria seres humanos borboleteando sem limites pela vida afora? Seria, no mínimo, deselegante.

Ligo pro meu ex-companheiro. Ainda chamo-o de *meu amor*, porque não absorvi nosso desenlace abrupto. *Amor meu grande amor*, canto baixinho, quem botou este bicho espinhento dentro de mim? Ele se assusta: que papo é esse, cara? O Luciano é de Brasília, daí a oscilação do sotaque entre expressões tipicamente nordestinas e um forte acento carioca. Uma enxurrada de perguntas ele faz. Quer saber por que desisti de ir embora de Belo Horizonte, que tenho feito da vida, por que nunca mais o procurei. Se tenho raiva dele. Se tenho saudades. Se é verdade que fui demitido devido a uma tendinite crônica. Responderei por partes, aviso, qual Jack *the Ripper*. Que pode ter sido uma mulher, ele atalha, você sabia? De jeito nenhum, me espanto, não era um médico polonês, depois, um operário, e, por fim, um pintor? Novas pesquisas apontam Lizzie Williams, garante o Luciano, a esposa de um ginecologista da realeza britânica, que retirou o útero de duas das vítimas, motivada por vingança — *a fofa* não podia ser mãe. Isso é por demais freudiano, reclamo, beira a telenovelice, sobretudo, estraga a narrativa. Contista com quatro livros publicados por uma editora local, ele dá gargalhadas, enquanto me explica: se escrevesse tal história, por certo cairia no lugar-comum, a vida, entretanto, pode ser inverossímil e clicherosa até doer, quem não aguentar, não invente.

    Expressões adoradas por ele: *até doer* e *não invente*. Por vezes, alterna a primeira com *até não poder*, e a segunda com *nem tente*. Seus personagens constantemente usam-nas frente às mais variadas situações. Disseco pra ele a monotonia da minha vida, deserta de grandes ações: fui demitido, processei a empresa, ganhei uma grana decente, parte usada, parte aplicada; viajei muito, todavia, não consegui me enxergar morando em nenhum outro lugar, por isso, permaneço no Santo Antônio; ainda sou vizinho daquele cara de quem você sentia ciúmes, ressalto; estou trabalhando em casa, é mais conveniente, estabeleço meu próprio horário e ninguém me enche o saco; tenho saudades de ti, é claro; não, não guardo raiva, como poderia se sequer consigo entender por que você partiu? Ele continua a rir do outro lado. Imagino aquele sorriso enchendo o rosto de covinhas, os olhos de brilho. Tem gente que brilha demais quando sorri, um exagero. É o que mais me atrai nalgumas criaturas: a singularidade de cada risada, a sonoridade, a perfeita fusão do corpo com a alma. O Luciano pergunta se o vizinho ainda vive com o rapaz de traços orientais. Não, respondo, agora o Beto namora uma menina. Uma menina?, estranha, você tem certeza? Absoluta, eles se agarram, se esfregam, se beijam, andam de mãos dadas pelas ruas. Uai, então, mudou de time?!, murmura o Luciano, decepcionado. Ela se chama Ângela, digo, e atualmente vai e vem na casa da frente. Deve ter sido o HIV, resmunga com maldade. A face normatizadora do vírus, que é capaz de devolver os pecadores à heterossexualidade, debocha. Não corria um boato por aí que o Beto é soropositivo? Ninguém sabe direito, pondero, pode ser mero boato. O Luciano logo esquece o vizinho e muda de assunto: quer saber por que falo que nem doente, se sou um cara saudável. Porque me sinto mergulhado, explico, sem oxigênio, ou, pra ser mais exato, vazio. Quem pôs este bicho cheio de agulhas dentro do meu peito deveria me ensinar um jeito de amenizar. Estou falando pra você, que trepou comigo dois anos e meio e jamais me conheceu, talvez nunca tenha desejado me conhecer de fato e, a essas alturas, pouco quererá saber de mim. Não faz mal: não sou mesmo ninguém. Um babaca que entende tudo de computação gráfica e nada da vida. Que não se envolve a sério com ninguém, há muito tempo, nem faz questão, passa dias sem sair de casa e prefere mil vezes não sair. Gosta de olhar o amor dos outros: ela bela, ele, quiçá, aidético, ela triste, ele impenetrável. Tampouco sei se me faço entender. Ter este bicho maltratando dentro de mim é dose, não dá pra raciocinar.

Mas de que bicho você está falando?, ele insiste, ignorando as demais respostas e concentrando-se, como é de seu costume, no foco do problema. Eu, no entanto, fujo, não me interessa a análise dele se delineando do outro lado. Pergunto se ele foi ao Japão, como havia planejado antes de nosso desenlace. O Luciano se chateia com meu desvio, aumenta a voz: quer saber por que rompemos?, desabafa, vou te explicar, terminamos porque você não tinha espaço pra mim em tua vida, acusa. Porque me cansei de tuas esmolas de atenção. Porque, na tua cartilha, perscrutar astros e estrelas é mais importante do que compartilhar. Soa até engraçado: todo mundo crê em meu interesse pelos corpos celestiais. A sinceridade dele. Serventia nenhuma pra mim. O tempo voa enquanto ele fala. O telefone esquenta a orelha. Até gostaria de te ajudar, confessa, se soubesse *como*. Meu silêncio cerrando as portas, as janelas, escarafunchando a mente atrás de uma palavra capaz de exprimir corretamente meu desejo sim, meu desejo não, meu desejo talvez, de vez em quando e nem sempre, pela atenção alheia. Os ombros doem, tenho sede e sono. Um dragão invisível, eu diria, que ao acordar sapeca de fogo todas as flores da casa. Sendo o dragão minha própria pessoa, e as flores, a delicadeza necessária da vida. Mas, ai de mim! O Luciano logo acusaria: roubando daquele escritor gaúcho? Que coisa feia! E eu teria de ser óbvio: pra que servem os que amamos senão pra nos apoiarem nessas horas? É cansativo, entretanto, respirar entrecortado de pensamentos bons e pensamentos ruins. *Crio um cachorro vivo no estômago, e, por vezes, ele escava as paredes de dentro, tentando sair*, cito-o, num conto em que ele homenageava um dos nossos roqueiros preferidos, morto em 1996. Se lembra dessa história?, indago, querendo, com a citação, liquidar o assunto. Ele confirma, mas não aprova a materialização do personagem em mim. Ouço sua voz macia me dizer que não guarda mágoa alguma, que quer me ajudar, que ainda gosta de mim, que podemos ser grandes amigos. Um ex-amor, entendo, de repente, qual ser vivo frente à obviedade do sol: nossa história, há anos, acabou. Neste instante, o passado é amorfo, inexiste. As pessoas, de fato, vêm e vão. Outra verdade atravessando a rua: separar o vivido do agora e separar ambos do tempo que há de vir.

Quando amanhece, escrevo um bilhete pra Ângela. Polpa delicada deve estar sua vida, agora: 9h40 da manhã. Algumas visitas chegam em frente, tocando a sineta várias vezes. Ele passou mal ontem, chamaram uma ambulância, depois, trouxeram-no de novo, ainda era madrugada. Ela sempre ao lado: vestida de esperança. *Quando tudo estiver muito vago, cuide de sentir algum aroma na pele das coisas. E se precisar de ajuda, grite, estou em frente, a seu dispor.* É o que escrevo. Tanto na mensagem quanto no espírito. Não grito, mas tenho vontade de pronunciar bem alto, quando ela aparece mais leve no parapeito da janela da sala, balançando devagar a cabeça, ouvindo, cantando *Uns dias*. Canto também do lado de cá, porque estou ficando meio dormente e, não sei por qual demônio, surgiram vários cabelos brancos em meu topete. Notei hoje pela manhã. Bem na frente. O Tonico não comentou nada acerca deles. Arranquei-os, assustado. Um elefante envelhece rápido. Três elefantes envelhecem muito mais. Canto junto com ela, que deve saber dessas coisas melhor do que eu, porque ri e me acena. Mas não vá embora, fique aí, de cabelos molhados, balançando a cabeça e cantando, cantarei contigo todas as outras músicas desse disco. E viver não é somente isso: *acontecer de a música que tocam lá fora ser, magicamente, a mesma que toca a gente entre quatro paredes?* É preciso, princesa, uma sintonia qualquer, ainda que fiquemos cada qual entre suas próprias paredes, contudo, ligados por alguma sinuosidade, alguma aresta, penso, enquanto respondo a seu aceno.

A brancura do céu de BH em janeiro. Meus prazos, o horário certinho de comer, beber, sentir dor, receber atenção. Atenções fisiológicas, atenções sanguíneas, controle de ameaças. O bicho escarafunchando meu pé esquerdo: vamos embora, tudo isso já deu. Nos encontramos na rua, perto de casa. Cada um dos três traz compras nas mãos. Pergunto se eles sabem o nome daquele bicho que vive entre as rochas da praia e, quando subimos nelas, ele vem, sorrateiro, e nos ataca os pés. Os espinhos se quebram na pele da vítima, é preciso tirar com agulha esterelizada, me disseram, e, vez em quando, mesmo com agulha, eles não saem não. Ouriço, esclarece o Beto, de fato, os espinhos dão trabalho. No Nordeste, chamam-no de pinaúma, acrescenta ela. Surpreso, reparo que eles são um tanto feios assim, de perto. Dá vontade de fugir, mas me contenho. Ele me aconselha a não ficar muito tempo sentado frente ao computador, deveria caminhar mais, eles dois andam muito, podemos marcar boas caminhadas na Barragem de Santa Lúcia, propõe. Num ato suicida, quero confessar que os espio, quero perguntar se ele é mesmo soropositivo, declarar o meu segredo: eu sou *voyeur*, sabiam? Ela sorriria, compreensiva. Ele daria de ombros ou diria *pouco importa*. Em vez disso, falo do tempo, pergunto pelas irmãs dele, que nunca mais vi. Estão bem, casadas, criando os filhos, lindas e loiras, em Barbacena, ele responde. Apareça pra um café, uma cerveja, um vinho, qualquer madrugada dessas, tarde ou manhã, convidam. Não temos rotina certa, vivemos de bicos, ela revela, herdei uma pensão do meu pai, que era militar, e o Beto, você sabe, dá aula na Escola de Teatro.

De perto, é preciso reconhecer, os olhares nada têm de fascinante, não sabemos onde pôr as mãos, que palavra usar. Sem graça, nos despedimos com beijinhos, ela prometendo me adicionar no *Face*, ele me passando o celular, como se fôssemos apenas bons vizinhos e não gente do mesmo molde, com a mesma doença no olhar. Três elefantes empacados com o descortinamento inevitável da vida. Isso pode matar, decerto. À noite, casa da frente está fechada. Espreito a esquina. Me dói espreitar. Ligo, toco a campainha, busco frestas: não há. Os hospitais que tratam pacientes com AIDS não são muitos. Mesmo sem nenhuma certeza da real doença dele, procuro-o no Hospital das Clínicas, na Santa Casa de Misericórdia e no Eduardo de Menezes, mas retorno sem um único sinal de onde eles se meteram. Uma semana evapora. A casa da frente está congelada, fechada no tempo. Afogado em prazos e má vontade, tenho dificuldade em me concentrar no trabalho. De repente, uma mensagem dela avisa: foram pra Barbacena visitar os parentes dele, depois, pra Cataguases e Tiradentes, a fim de conhecer certos rituais sagrados. Uma rota esotérica, onde experimentaram um tratamento místico-homeopático, ela explica, postando cerca de dez fotos em cenários paradisíacos, ao lado dele. Soa tão hilário seu *post* que só me resta brincar: que vem a ser isso de místico-homeopático? Você está parecendo um personagem de desenho animado. Aqueles pinguins?, ela pergunta, minutos depois, no bate-papo. Aqueles pinguins, confirmo. São fofos, ela declara, tenho todos em DVD.

Desgraça de dor nas têmporas, mal me deixa enxergar. No estômago, uma fermentação incômoda impera há dois dias, enquanto os músculos se entregam a uma canseira sem fim. Ontem, tia Mariinha trouxe frutas, queijo de coalho e doce de cidra ralado. Ficou horas a desfiar as fofocas do interior. Eu: o interlocutor desinteressado. O dia inteiro me senti pequeno, acachapado, enquanto minha tia trazia caldos, chás e vitaminas, e passeava com o telefone pela casa, a repetir, sabe-se lá pra qual demônio, o Julián está com uma virose danada, menina, o Julián não está nada bem. Dormi um sono intermitente de dor e cansaço, quando abria os olhos, tudo me machucava os sentidos, quando fechava, a dor escapava pro estômago, roendo pelo fígado. Manhã alta, ela saiu de fininho, deixando um desejo por melhoras e beijos de amor no ímã da geladeira, além de comida pronta e café fresco.

Sapos invadindo as lentes do sono, sapos se multiplicando. Acordo tonto, ligo o ar condicionado no máximo, um calor demoníaco assola o mundo. Tomo banho, na ânsia de despistá-los. Caio em nova letargia, a voz de tia Mariinha entrando no circuito dos nervos: quando começar a suar, é porque a virose está cedendo. Milhões de sapos fazem os ossos doerem. Sonho que perco minhas ferramentas, que vou ficando cego lentamente enquanto lá fora tudo se embaralha: mulher vira homem, homem vira mulher, depois, cometas, crateras, sapos. Acordo de novo, não quero comer frutas, quem poderá ir à esquina comprar pão pra mim? De repente, quero tanto comer pão que meu pau, há dias quieto, se levanta sob o tecido do pijama. Mas não há maneira de sair, não me garanto até a padaria. Opto por café puro e ovos mexidos, tonto, grito comigo: cadê os comprimidos, seu puto, cadê os comprimidos que coloquei aqui? Insanidade, é claro, e das brabas, quando começamos a gritar conosco é sinal de fim de linha.

Ele chega. Pálido, está mais pálido do que antes, saindo do carro com pacotes e falando alto com mais dois rapazes. Aceno e penso: hora dessas nos batemos nalgum hospital. Mas não, não convém pensar futuros assim. Me espraio na *chaise longue* a fim de ler um novo escritor argentino que me indicaram semana passada. O tempo escorre e tia Mariinha volta a ligar, ainda preocupada com minha saúde, com a disciplina dos remédios, não suspenda o antibiótico antes de completar o prazo prescrito pelo médico, insiste, três, quatro, quinhentas vezes. E não beba uma gota de álcool, Julián, você já esqueceu aquela mania horrorosa de beber conhaque com limão pra garganta, né? Pelo amor de Deus, isso é coisa de gente ignorante, menino! Se exalta: todo mundo sabe que álcool só piora a saúde, nem parece que você é um rapaz esclarecido, que fez faculdade. Promete que não vai beber? Prometo tudo, desde que ela me deixe em paz, todavia, em vez de desligar, minha tia emenda noutro assunto, e o jeito é ouvi-la sem de fato ouvir, respondendo *sei, sei, entendo*, de segundo a segundo, mas sem dar qualquer cabimento, enquanto reconheço música por música do CD do Nick Cave que está a tocar na vizinhança. Posiciono minha luneta e sou surpreendido pela cena rara na casa de frente: ele agarrado com um cara, um dos amigos com quem chegou há horas. Ele sem camisa, o cara idem, roçando as cinturas, virilha com virilha, boca com boca, soltam-se, falam um com o outro... O quê? Agarram-se de novo, a língua de um adentrando na orelha do outro, a mão cheia de pelos de um apertando as costas do outro, descendo até a bunda, apalpando-a toda. Livram-se das calças, rápidos, parecem realmente apressados. Os dois estão eretos. Ela surge na cena, totalmente pelada, e se integra à dupla. Agacham-se, ela e ele, e chupam o pau do mesmo cara. Tia Mariinha, interrompo quase sem fôlego, excitado até o último fio de cabelo, tenho de desligar a-g-o-r-a mesmo, tchau!

A língua dele e a dela passeiam no pau do sujeito mais sortudo do planeta, depois, grudam-se num beijo demorado. Enquanto se beijam, o rapaz esfrega a virilha ora no rosto da Ângela, ora no do Beto. Os dois voltam a chupá-lo juntos, e o cara impulsiona o corpo pra frente e pra trás, como se estivesse trepando, lentamente, com a boca de ambos. Outro rapaz entra e mexe com a Ângela. Ela se levanta e atraca-se com ele, dançam, grudados, rumo ao quarto, e são seguidos pelos outros dois. Corro atrás do binóculo, e enquadro-os na cama: ela está de costas pra minha lente, sentada no pau do segundo cara, que está recostado na cabeceira da cama. O Beto está de pé, no outro extremo, onde o primeiro rapaz, sentado, devolve-lhe a gentileza oral. É fascinante ver o perfil dele segurando o membro do anfitrião com uma mão, abocanhando-o até o meio, soltando, engolindo de novo, olhos fechados, concentradíssimo e, ao mesmo tempo, se masturbando com a outra mão, numa sincronicidade rara, será baterista profissional, o cidadão? Só pode ser. Me atrapalha, no entanto, ter dois quadros paralelos pra observar.

Não vejo os seios dela, não sei qual expressão terá seu rosto enquanto é comida por outro homem debaixo dos olhos do namorado. Vejo suas costas e parte das pernas e da bunda totalmente encaixada na cintura do cara. A tão esperada Amazona, ela encarna, mas noutro tronco. Vejo o Beto esporrar no rosto do outro, aparar um pouco com a mão e aproximar-se dela, esfregando a mão melada em sua bunda, até sumirem todos os dedos por baixo dela. Ela rebola, em cima dos dedos do Beto, no pau do segundo rapaz. Desatracam-se, deitam na cama, os quatro agarrados, viram-se de um lado pro outro. Ainda não estão satisfeitos, percebo. Não vejo os rostos, só oito pernas e oito braços entrelaçando-se, polvos inquietos tomando o foco. Respiro fundo, trago o tripé com a luneta pra varanda, ligo a câmara e volto a buscá-los. Parecem descansar embolados na cama. Brincam entre si: ele com o corpo dela, ela com o corpo do primeiro amigo, esse com o corpo do segundo. Mas logo a coreografia muda, e o Beto se põe de quatro, enquanto um dos rapazes o possui. Ângela fica de pé na cama, colando o sexo na boca do Beto, e, ao mesmo tempo, inclinando o traseiro pro outro rapaz, esse cospe na mão e mete nela, mordendo-lhe, insistentemente, o pescoço. Só então lembro: ninguém está usando preservativo do lado de lá. *Barebackistas*, os quatro? Espanto e fascínio invadindo as lentes. Li sobre isso numa revista, há alguns anos. Festa de Roleta Russa: muitos ainda cultivam tal hábito. Por rebeldia. Por fetiche. Por gostar do desafio. Explicava a reportagem. Mas, de repente, lembro: não sei quase nada sobre eles. A doença pode ser puro boato, cortesia maldosa da tia Mariinha, da vizinhança. Quem pode ter certeza de conhecer os segredos, as miudezas alheias? Meu pau lateja, minhas mãos suam, mas deixo o *sole mio* pra mais tarde, pois é preciso segurar com firmeza as lentes mágicas, manter a câmera devidamente posicionada, a fim de não perder nenhuma cena do filme, cuja trilha sonora — *Henry Lee*, com PJ Harvey e Nick Cave, reconheço — é, simplesmente, perfeita.

ANA FERREIRA

Autora dos romances *Amadora* (São Paulo: Geração Editorial, 2001) e *Carne crua* (Rio de Janeiro: Objetiva, 2004) e de peças de teatro como *As Priscillas de Elvis* e *Dueto do Ciúme*. Já escreveu roteiros para televisão. Estudou Arquitetura e Urbanismo, curso logo trocado pelo teatro e pela literatura. Atualmente prepara um novo romance e estuda Letras na Universidade de São Paulo (USP). Nasceu em Ribeirão Preto (SP).

ENQUANTO SEU LOBO NÃO VEM

> *"eu penso que vou cortar todos esses pelos aí*
> *que me escaldam eu podia ficar parecendo*
> *uma garota novinha será que ele*
> *não ia ficar de boca aberta"*
> **James Joyce**

Túlio,

a casa caiu. Se quiser salvar sua pele, vá embora agora. Fuja para bem longe e não mande notícias. É lógico que você sabe do que estou falando. Só não denunciei você por amor à Bianca; ela não precisa saber, ninguém precisa saber. Porque não quero a minha filha excluída no colégio, preterida pelas amigas, a nossa casa pichada, foto sua nos jornais, nas redes sociais, não quero nada disso, então suma imediatamente. Já fiz suas malas, estão na área de serviço, seu passaporte está em dia, você tem suas reservas de dinheiro, venda o carro, a câmera, as calças, e desapareça. O resto das suas tralhas depois eu doo ou queimo numa grande fogueira até o fim da lua minguante, que é boa para fazer limpeza, terminar relacionamentos e cortar vícios. Adianto que ninguém me contou nada, apenas descobri sua caixa verde na última prateleira da garagem, ponto. Ao ver aquelas imagens, relembrei nossa relação, do primeiro olhar ao último beijo, hoje de manhã. Nada de nostalgia, absolutamente, só fiz o encaixe dos fatos nas lacunas do passado e inseri o resíduo final nas brechas indetectáveis do cotidiano. Faço questão de dizer que não verti uma única lágrima, a decepção me ressecou; só lamento minha ingenuidade e não me perdoo por tanta dedicação a uma relação inóspita. Hoje mesmo a trouxa passou o dia no salão se embelezando para o lobo mau: cortei a franja, pintei as unhas de cor-de--rosa e fiz o pequeno sacrifício de me depilar inteira, como você gosta. Porque pareço uma menina, não é, Tio Tu? Rosto infantil, corpo magro, seios pequenos, sexo sem pelos; na penumbra do quarto passo fácil por adolescente e você praticamente só me aborda quando durmo como um anjo, o que me intrigava deveras, embora eu adorasse demais. Entendi por que você nunca se deita comigo e sempre inventa alguma coisa para fazer no escritório ou na garagem — pode dormir, bebê, eu já vou... — Sim, vem, porém só quando já estou no vigésimo sétimo sono; entra na ponta dos pés, me descobre, me despe, alisa meu corpo sem pressa, lambe a xoxota depilada, esfrega o pau na minha boca entreaberta; só depois de longas preliminares Tio Tu me penetra sussurrando diminutas sacanagens: "que delícia a sua xoxotinha doce, a barriguinha, boquinha" — tudo no diminutivo —, pescocinho, umbiguinho, peitinho, cuzinho. E os meus epítetos: garota esperta, pequena sereia, bela adormecida, gata borralheira, menina superpoderosa, bebê, neném... Apelidinhos carinhosos, diria qualquer esposa ou namorada; tratamentos carinhosos, usuais, normais, singelos, banais. Todavia, no seu caso, tudo tem um subtexto obscuro, e agora, descoberto o seu segredo, estou lendo as entrelinhas sombrias; tudo o que você faz e diz carrega um duplo sentido, um significado velado, a começar pelo nosso sexo: um *show* de preliminares. Como eu adorava suas carícias prolongadas, sentia-me tão amada e desejada pelo marido perfeito e sexualmente altruísta, a quem só importava o meu prazer. Sim, nosso sexo é um *show* de preliminares, quase todas as noites eu gozo na sua boca ou nos seus dedos, contudo você nunca foi muito dado à penetração; nada a ver com impotência, seu pau fica duro, sim, duríssimo, mas Tio Tu gosta mesmo é de tocar, apalpar, bolinar, lamber, chupar, invadir, roubar... E não é por se dedicar essencialmente ao meu prazer, que nada, só faz comigo o que faria a alguma impúbere. "Depila tudo, bebê, adoro a sua xoxotinha toda peladinha." Assim estou agora, Tio Tu, toda depilada. E como me sinto ridícula! Eu depilo a boceta para o meu marido lamber imaginando alguma pré-adolescente. Trouxa. Dói meu útero pensar que nunca traí você. Quanto tempo perdido, quantas histórias reais eu deixei de viver, quantos amores de verdade eu dispensei, vendada pela sua farsa! Em quinze anos de relação, a trouxa só fez sexo com você! Será que você jamais me amou? Dane-se. Fichas caem. Minha cabeça é uma confusão, uma profusão de assimilações, constatações, indagações, encaixes. Encontrei a interseção de tudo, e de repente o que era indetectável fez-se evidente. Até ao terapeuta eu teria vergonha de contar o que, por acaso, descobri sobre o meu marido. Além dos seus vídeos caseiros, encontrei quatro calcinhas minúsculas e temo descobrir outras coisas. Ideal seria botar fogo na casa para não achar mais nada e queimar logo de uma vez todo meu passado partilhado com você tão irreal. Era uma vez a pequena sereia, a bela adormecida, fada sininho, pequena pocahontas, garota esperta, moleca marota, guria sapeca, pequeno príncipe, menina superpoderosa, delícia cremosa, penélope charmosa, branca de neve, três porquinhas... Contei vinte e quatro vítimas, entre as quais, suas sobrinhas gêmeas e a minha irmã caçula. Não constam imagens da Bianca, donde deduzo que, pelo menos, a sua filha você poupou, não sei se por amor, respeito, superstição... Não vi a Bianca entre os seus registros, analisei cada vídeo, tremendo de medo de encontrar a minha filha no meio da lambança; pelo menos isso, meu Deus! De qualquer forma, com esse extenso rol de vítimas, imagino que o competente e prevenido criminalista já tenha todo o seu discurso de defesa cuidadosamente elaborado e ensaiado, embasado nos heróis, nos mitos, nos gênios da história, em personagens da literatura, artes plásticas, em nossos antepassados... Edgar Allan Poe casou-se com sua prima Virgília, de treze anos, minha própria bisavó se casou adolescente, a atração por crianças é milenar, está nas esculturas gregas, nas fotografias de Lewis Carroll, nos quadros de Balthus; o problema é que a sociedade ocidental atual não aceita a pedofilia, né, Tio Tu? Vladimir Nabokov também é excelente argumento, visto que o belo *Lolita* trata o desejo de um adulto por uma menina de doze anos. — Ganhei o livro da Deia no meu aniversário de vinte e nove anos, presente casualmente sugestivo, grifo; não foi uma indireta dela, minha "amiga insuportável" jamais insinuou que meu marido fosse um *Humbert*, apenas quis fazer uma brincadeira: além de *Lolita*, ela me deu *A Mulher de Trinta Anos*, ou seja, a *ninfeta* que fui e a *balzaca* que me tornaria no aniversário seguinte. Coisas de Deia... Em tempo, alerto, Dr. Túlio, não apele para Nabokov, antes de ogro, *Humbert Humbert* é um homem apaixonado, a pedofilia dele não se resume a perversão ou fetiche, já que Lolita é o "eco de Annabel", seu primeiro amor. Talvez jamais existisse *Lolita* se, em um "certo verão", *H.H.* não houvesse amado a tal "menina primordial". Adiante a perversão, *Lolita* é a <u>mulher</u> de sua vida; ele sofre ao perdê-la e, depois de procurá-la obstinadamente durante anos, ao reencontrá-la adulta e grávida de outro, ainda assim a deseja e qualquer coisa faria por ela. O romance vai muito além da mera perversão, é uma história de um amor atormentado pelo tempo implacável, e, por fim, *Humbert* reconhece a perversidade desse amor e todo mal causado à pequena *Lo*, cujos "olhos de cinza lavado" refletiram o romance deles "como uma crosta de lama seca recobrindo-lhe a infância". Chega, não resenharei o livro que você deve saber de cor, embora negue ter lido. *Lolita* ficou duas semanas na cabeceira, ao lado da sua *Bíblia*;

inúmeras vezes tentei comentá-lo com você, tão conhecedor da alma humana e defensor dos criminosos, mas Dr. Túlio não deu a mínima. Apenas mais um livro polêmico, foi seu breve parecer, banalizando a obra-prima de Nabokov, e ainda disse que não perderia seu tempo com esse autor pretensioso que teve a insolência de falar mal de Dostoievski. Só pra fechar: se for para compará-lo a algum personagem de Nabokov, digo que Dr. Túlio Pietro Reis está mais para *Clare Quilty* que para *Humbert Humbert*. Grande livro, recomendo! Leve para ler ou reler no seu refúgio ou cárcere, junto à Bíblia que você mantém na cabeceira com o terço e a Virgem Maria. Quanta hipocrisia. A Bíblia. Será o seu desvio ancorado em distorções de frases bíblicas? "Cristo disse: Vinde a mim as criancinhas". Tio Tu diz: vinde a mim as criancinhas, de preferência meninas de 7 a 12 anos, vinde ao Tio Tu, que é tão divertido, atencioso, carinhoso, generoso; vinde, vinde, criancinhas! E, sim, elas vêm alegres e confiantes, porque pedófilo não tem cara de lobo mau, molestador geralmente é super legal, e pode ser de qualquer nível social e cultural, e, em geral, começam a agir antes dos trinta anos. Confirmando as estatísticas, quando nos conhecemos você já era assim, como provam as imagens datadas. A primeira vítima registrada foi atacada dois anos antes, uma menina morena, uns 10 anos de idade, franja curta sobre as grossas sobrancelhas, ombros magros, pernas finas, joelhos ossudos, unhas sujas, sem seios, impúbere, nua sobre uma cama de solteiro, deixando-se acariciar por Tio Tu, sob o olhar lacônico de Nossa Senhora. Maldigo o dia em que conheci você, de camisa branca e óculos escuros, na lanchonete em frente ao meu colégio. Como eu queria anular esse dia, eximi-lo do calendário. Eu tinha 18 anos, já era uma idosa, por que Tio Tu se interessou por mim? O tipo *mignon* ajudou, o rosto infantil; contudo não foram os meus atributos físicos que atraíram sua atenção, você se interessou porque eu tinha uma irmã de 12 anos, e de bônus ainda vinha Ritinha, a caçulinha, só 8 aninhos;

ou seja, ficando comigo, Tio Tu garantia uns cinco anos de molestação. Cretino. Quanto à Bianca, lírio dessa lama, pode deixar que eu invento uma boa desculpa para o seu desaparecimento repentino. Não quero que ela saiba quem é você, prefiro que minha filha venere o pai desaparecido, que fique a boa imagem de um homem honesto, incorruptível, amoroso, sensível, católico, bem nascido e criado na cidade de São Paulo, bonito, elegante, inteligente, responsável, advogado bem sucedido, bom filho, ótimo marido e pai ímpar. Até duas horas atrás, você era o meu mundo, Túlio, como amei você! E a convivência só fez aumentar o meu amor, o respeito, admiração, devoção, a estupidez, a cegueira. Quebradas as lentes róseas do amor e os filtros da ilusão, vejo tudo muito claro e altamente definido: as mordidas nos lábios, o aperto nos olhos, sua respiração ofegante, os suspiros escapados, a exasperação solene que me era o silêncio do amor; agora entendo todas as suas expressões, agora é tudo tão nítido e evidente! Aos meus olhos somente, sublinho; a sua imagem pública segue intacta, invicta. Prezemos a discrição. Então, pela Bianca, simplesmente evapore. Ninguém vai saber, ninguém desconfia, eu nunca desconfiei... Nos conhecemos há quase quinze anos e a *garota esperta* jamais sequer conjecturou a sua dupla vida. Quem desconfiaria de você? Como é possível tamanha dissimulação? Só não entendo bem por que deixou rastros e o que pretendia com esses registros; não acredito que você compartilhe ou comercialize suas produções caseiras com pedófilos internautas, você não é desses; então pensei: se registrou as meninas, decerto deixou pistas para ser descoberto, e por mim, sim, claro, sua esposa, companheira, amante e amiga, sua garota esperta, sua Roberta, eu, a trouxa que amá-lo-ia na alegria e na tristeza, na riqueza e na pobreza, na saúde e na doença; na doença, sim, eu jurei, e é especialmente na doença que você conta com o meu amparo, minha compreensão, meu ombro amigo, minha boceta depilada, você intimamente conta comigo e deixou provas do crime porque eu teria tato e discernimento para tomar as atitudes corretas e necessárias, eu o protegeria, o apoiaria e cuidaria de você, incondicionalmente amado, até que a morte nos separasse. Quantas mulheres vivem como eu, na ignorância, acreditando ter ao lado um grande companheiro? Poucas, a maioria tem conhecimento da dupla vida do marido e fecha os olhos por medo ou por amor. Sim, há esposas que perdoam, outras atuam e até colaboram com o parceiro na caça às criancinhas. Tudo por amor. O que é a vida sem amor? Lá fora a noite é uma criança e a lua minguante ri de mim, *éclatante de silence*. Estará feliz, comemorando o nosso fim? Testemunha do meu desatino, a amiga do céu haverá de me ajudar; segundo a astróloga do jornal, minguante é uma fase ótima para se abandonar situações insatisfatórias porque tudo se minimiza. O período é de corte, míngua, morte, então aproveitemos a sinistra fase lunar para cortar tudo o que seja indesejado ou desnecessário. Minguante favorece a conclusão de trabalhos inacabados, resolução de assuntos pendentes e de problemas ligados ao passado; é excelente para cortar despesas e rever orçamento, encerrar dívidas, revisar textos, checar cálculos, planejamentos, trabalhos de pesquisa; também propícia à limpeza em geral, é a lua ideal para faxina doméstica e arrumação de papéis, assim como é indicada para iniciar dietas de emagrecimento, tratamentos de saúde, de rejuvenescimento, limpeza de pele, depilação e, sobretudo, é perfeita para cortar hábitos e vícios, afastar doenças, más energias, quebrar feitiços e finalizar relacionamentos. Por fim, deduzo que seja a fase apropriada para se fugir ou desaparecer, então não perca tempo, faça o que tem de ser feito e sejamos grato à risonha e providente lua minguante pela cumplicidade e discrição. Não quero ver você nem ouvir a sua voz nunca mais. Volto amanhã cedo e vou trocar todas as fechaduras. Chega. Queime esta carta e desapareça. Nossa história acaba aqui, fim, era uma vez.

    R.

A DONA DA CASA

DALI ELA NÃO SAIRIA. A tal peça deixada pelo ex-proprietário da casa. Jaqueline esperava uma mesa colonial ou um quadro renascentista, um tapete persa voador, um espelho mágico, esperava tudo, menos aquilo. Aquela. Ela não é linda?, indagaria Gustavo ao entrar na sala com os homens da mudança que concordaram prontamente. Linda. Uma onda morna de ciúme insólito baqueou Jaqueline ao pensar que seu marido estivera sozinho na casa, orientando pintor, eletricista, encanador, estivera sozinho com ela, a peça deixada pelo ex-proprietário, a peça pesada, a peça pregada, alta, alva, nua, olhos sem pupilas. Sobre *ela* Gustavo nada sabia. Não era uma obra assinada. Mármore barato, foi o breve parecer de Jaqueline.

Os sete homens da "Confiança Mudanças" eram rápidos e Jaqueline indicava com precisão onde colocar cada móvel ou caixa; o sofá foi a última peça descarregada e, oportunamente, ocorreu-lhe transferir a estátua para o jardim, entre as roseiras. Gustavo franziu a testa, mas não se opôs. A dona da casa mostrou o canteiro e os homens não demonstraram desânimo. Assim, amparada por seis mãos brutas, a estátua foi lentamente deitada e

Jaqueline notou que os carregadores gostavam do serviço, bem viu quando o mais jovem alisou os seios duros, iniciando a orgia fria e silenciosa. O carregador de bigode logo entendeu a brincadeira e deslizou a mão na bunda redonda em movimentos circulares, enquanto o homem negro, ventre abaixo, acariciava o sexo sem pelos, como se ali houvesse um clitóris, o que acabou por excitar o colega mais jovem. Então, entre bolinações e risos presos, a estátua atravessou a sala, carregada pelos três homens fortes, passo a passo, toque a toque, no entanto, apesar do cuidado, já quase na saída o braço da estátua bateu no batente e um longo urro de dor reverberou na grande sala. Era o carregador mais jovem com o pênis ereto e o pé esmagado pela estátua que suas mãos suadas perderam no impacto. Jaqueline fechou os olhos e o rapaz ferido saiu carregado por dois colegas, que o acomodaram na carroceria do caminhão, enquanto os outros recolhiam ferramentas e cobertores. Ao ver a estátua caída e sem o braço direito, o chefe deles pediu desculpas pelo "estrago na peça", que então foi levantada mas não levada ao jardim, conforme desejava a dona da casa. Gustavo os acompanhou até o portão e Jaqueline chorou pelo pé do rapaz e pelo braço da estátua, que não quis sair dali. E lá ficou *ela*, nua e bela, bem na entrada da sala, decidida a fazer parte da história da família. Para as crianças, foi fantasma, fada, feiticeira, rainha, e, secretamente, a primeira namorada do Betinho, que não perdia uma oportunidade de ficar em casa sozinho só para beijar e acariciar aquele corpo gelado, falando doces obscenidades. A caçula também gostava de deslizar as mãozinhas no mármore frio e sonhava um dia ter um corpo igualzinho ao dela, só que com os dois braços, claro. Até mesmo Jaqueline a beijou algumas vezes. Gustavo nunca, um homem tão sério não beijaria uma pedra. Apesar de inerte e calada, a estátua participava ativamente de festas e reuniões; além de receber os convidados, era frequentemente incluída em piadas, jogos e brincadeiras. Num aniversário de Jaqueline, ela foi elegantemente vestida e maquilada pelo estilista Fabrício Barros, que a adornou até com cílios postiços. Noutra festa, ao contrário, ela foi despida peça a peça.

Vinte anos voaram e, numa terça-feira à toa, a voz nasalada ao interfone avisa que Sr. José Paulo está no portão. Ao apresentar-se como "aquele rapaz da *Confiança Mudanças*", Jaqueline imediatamente deduz que o senhor seria o jovem acidentado que quebrara o braço da estátua. Por que resolveu aparecer? Estremece ao ver o homem grisalho, robusto, bem vestido, e sem o pé esquerdo. O mutilado estende-lhe a mão e sorri. Jaqueline retribui o sorriso, o aperto de mão, e enfrenta os olhos negros do homem que, para seu alívio, apoia-se na muleta e vai diretamente ao assunto: "Se não for inconveniente, a senhora me desculpe, é que eu preciso ver *ela* de novo." Jaqueline entende exatamente o que ele quer dizer com aquela frase mal construída e o conduz à sala, onde *ela* o aguarda paciente e eterna como toda pedra. A sala é praticamente a mesma, acrescida de alguns novos objetos, dois ou três quadros, os candelabros, e nada disso faz a menor diferença, *ela* está ali e é só o que o homem enxerga, boquiaberto. O silêncio obtuso incomoda e Jaqueline entende que deve deixá-los a sós. Eles precisam se entender. "Fica à vontade, só vou dar uma olhada nas panelas, se quiser beber alguma coisa, pode se servir."

Ao entrar na cozinha, Jaqueline pensa que o pobre perneta intenta tocar os seios dela, como fizera da outra vez. Abre a geladeira imaginando o beijo deles, entre outras carícias proteladas e, para desviar a imaginação do que estaria se passando entre as paredes mudas de sua sala, Jaqueline conta azulejos, rega as violetas, ferve um litro de leite, e espera ainda mais um pouco, espera o tempo necessário para um esperado reencontro, então retorna, pisando pesado e tossindo, a fim de ser ouvida pela visita. Encontra o caro amputado na mesma posição contemplativa em que fora deixado. "Mesmo sem o braço ela é muito bonita", ele comenta com a voz grossa, um sorriso conformado e o zíper da calça entreaberto, qual os olhos da estátua. Satisfeito com o breve reencontro, Sr. João Paulo agradece. Ao despedir-se, aperta a mão de Jaqueline e sai mancando, apoiado na muleta. Jaqueline tranca a porta, lava as mãos, e, sem entender o que sente, decide que não quer mais viver no mesmo espaço que a estátua. Com os filhos já casados não seria difícil convencer Gustavo a trocar a casa enorme por um apartamento aconchegante. E assim foi.

Venderam a casa para uma jovem família de Campinas. Bom negócio. Jaqueline não contratou a "Confiança Mudanças", mas os carregadores da "Transportadora Atual" eram igualmente eficientes. O sofá foi a última peça a sair. Um dos carregadores perguntou se era para levar a estátua, ao que Jaqueline declinou, explicando que ela era a dona da casa. O caminhão partiu e Jaqueline foi fechar as janelas dos quartos, a porta dos fundos. Ao sair da sala, percebeu quando Gustavo tocou a estátua, despedindo-se.

JULIETA PRATEADA

O GENTIL HOMEM ROBUSTO de terno escuro abre a porta traseira e a ajuda a sair do carro. É a vida, ele murmura com descabida voz opaca, e despedem-se com um abraço longo, forte e mudo. Dona Laura abre o portão de casa, acena para a moça loira que o acompanha, e contempla o carro preto indo embora para sempre. É a vida, exclama, ao acender a luz da varanda, da sala, dos quartos, cozinha, banheiro, o abajur, luminárias, todas as lâmpadas da casa, é a vida, é a vida! Música não, nem as vozes da televisão; em silêncio pode ouvir um coro celestial ao longe ou tão perto que dentro, coro interior. Anda vagarosa pela casa iluminada e abaixa-se para pegar a caneta no chão caída desde a noite passada, quando soube da morte de Glória Gama e anotou o endereço do teatro onde a atriz seria velada. Não soube pela televisão nem pelo jornal como todo mundo, Laura Bastos foi avisada pelo próprio filho de Glória, que ligou aos prantos, o homem gordo do carro preto. Tem a beleza da mãe, mas é a cara do pai, diz Dona Laura, apoiando-se na cadeira que tira dois pés do chão. O coro interior entoa: Glória morreu. Glória morreu! Glória! Tantos amigos se foram, Laura Bastos comenta com o espelho do armário. Chegou a hora de

Glória. Glória Gama. Ou Nair Hanz Maia, nome de batismo, a Nairzinha, como se apresentou ao elenco a jovem gaúcha. Na ocasião, Laura Bastos era uma atriz em ascensão, já havia atuado em cinco peças e protagonizaria *Romeu e Julieta*, na qual Glória Gama — ainda Nairzinha — faria parte do coro formado por sete jovens estreantes. Nairzinha era a mais bela, sem dúvida, "e tinha um frescor, um magnetismo", como dizia João Alberto, o produtor da companhia. Em duas semanas de ensaios ele se convenceu, e em dois minutos de reunião convenceu a equipe de que Nairzinha nascera para interpretar *Julieta*. Coro interior: Vamos testar outra atriz! Ele não disse o nome da atriz, mas o elenco todo já o sabia. Laura percorreu todos os pares de olhos e em nenhum notou qualquer sombra de indignação. Sem apoio ou consolo, inspirou profundamente, recolheu seus pertences, e saiu do teatro chorando. Laura Bastos não desceria a coro. Mas Glória Gama subiria a protagonista. Duas semanas antes da memorável estreia, João Alberto decidiu que Nairzinha se chamaria Glória Gama, e no final da temporada estavam casados.

O que é? Quem me chama?, balbucia Laura Bastos, a primeira fala de *Julieta*, e solta os longos cabelos brancos. Abre o armário e retira o figurino envolto num cobertor: um vestido de veludo azul, há décadas guardado. *Tu sabes que a máscara da noite vela o meu rosto, pois, se assim não fosse, verias um rubor virginal tingir-me as faces...* Despindo-se para o espelho, lembra a peça de cor e o velho vestido lhe cai perfeitamente, como se ao longo dos anos seu corpo se houvesse talhado para vesti-lo. Laura Bastos não desceria a coro e recusou-se a participar daquela montagem. Somente depois de dezesseis anos afastada da companhia — e dos palcos —, Laura voltou, enfim, convidada pelo próprio João Alberto, e interpretou *Stella* em *Um Bonde Chamado Desejo*, "numa atuação ofuscada, mas que não compromete o andamento do espetáculo, nem afeta o brilho de Glória Gama encarnando *Blanche Dubois*", segundo o crítico José Marques. A primorosa montagem deu a Glória quase todos os prêmios de melhor atriz, enquanto Laura Bastos recebeu uma única indicação como coadjuvante, perdendo para uma estreante, cujo nome me foge. O que ninguém sabe é que João Alberto fez sexo com Laura Bastos na coxia, enquanto Glória estava no palco, exatamente na cena em que *Stanley* violenta *Blanche*, quase no fim da peça. Laura não queria, não previa o gigante ali, bem na sua última troca de figurino. A única saída era exatamente o palco, então, depois de alguns segundos de resistência, para não atrapalhar a cena dos colegas, para não comprometer o espetáculo, Laura acabou por ceder às carícias do homem grande que a encurralou no canto escuro, entre duas tapadeiras. E ele fez o que quis, a começar pelo par de seios fartos que apalpou com gosto e depois beijou sem pressa enquanto tocava o sexo úmido, os orifícios, um, dois. Em silêncio absoluto, Laura Bastos deixou-se penetrar, pouco antes de *Blanche Dubois* quebrar a garrafa em ameaça a *Stanley*. Ao contrário da cena tensa no palco, o sexo na coxia foi calmo e silencioso. De onde estava, Laura via os atores em cena, mas não era por eles vista, apesar do estranho olhar de *Blanche* para aquele exato ponto, o que estimulou movimentos mais intensos no gigante, que gozou quase no fim da cena, quando *Stanley* imobiliza *Blanche* e a leva para a cama.

Glória Gama sabia que seria muito melhor sem João Alberto, ela era *Blanche Dubois*, seria quem quisesse, fora *Julieta*. E o destino colaborou levando-o logo depois da temporada de *Um Bonde*, atropelado por uma ambulância. O cadáver fedia a gim. Sua última fotografia, com o diretor e todo elenco, fora tirada pouco depois do sexo na coxia: Laura Bastos parece muito mais bonita que Glória Gama, e João Alberto até parece decente, de terno e gravata, olhos baixos, no canto esquerdo da fotografia, longe da estrela sorridente à frente do elenco.

Com a morte de João Alberto, a companhia cansada se desfez, mas Glória já era primeira dama dos tablados e a sua sólida carreira não seria abalada. Nas quatro montagens seguintes e independentes, a grata Glória deu um jeito de encaixar Laura Bastos no elenco, o que faria enquanto estivesse na ativa, como se pagasse uma dívida vitalícia. "Laura Bastos é a sombra de Glória", diria a classe teatral até que a sombra se cansasse, o que não demorou. No entanto, sem talento para outras áreas, Laura acabou voltando para o teatro, porém como camareira e depois bilheteira. Também fui contra-regra, lembra a ex-atriz ao espelho. A propósito, sempre fui contra regras em geral e é muito bom ser *Julieta* aos 75 anos de idade, conclui Laura Bastos. *Então queres já partir? O dia não vai despontar! Foi o rouxinol, e não a cotovia que assustou o teu ouvido...* Tanta gente importante no velório; atores, diretores, agentes, produtores, e Laura Bastos foi a artista mais entrevistada, fotografada e até mencionada no emocionado discurso do jovem diretor, o novo *enfant terrible* que seria perfeito para dirigi-la em *Julieta, Julieta*, espetáculo dedicado à memória de Gloria Gama, que tanto a prezava e admirava. Nem carece um *Romeu*, basta-lhe o vestido de veludo azul. E as luzes e o talento do diretor, claro. Também convém falar com o filho de Glória, pondera Laura, quem sabe ele até produz o espetáculo, vislumbra animada, e diz a última fala de *Julieta*: *O quê? Barulho? Então não há tempo a perder! Oh punhal abençoado! Eis a tua bainha... Cria ferrugem no meu peito e deixa-me morrer!*

Antes tarde do que nunca ou antes nunca do que tarde, indaga Laura Bastos à *Julieta* no espelho, e trata de tirar o vestido de veludo azul que não fora feito para si e ao fundo do armário estava condenado. É a vida, lamenta Laura Bastos, prendendo os cabelos de prata. Ao fechar o armário, vê Dona Laura no espelho.

Coro interior: "Julieta morreu! Glória!"

ANA MIRANDA

Autora, entre outros, dos romances *Boca do Inferno* (1989), *A última quimera* (1995), *Desmundo* (1996), *Amrik* (1997), *Dias & Dias* (2002) e *Yuxin* (2009) e do livro de contos *Noturnos* (1999) — todos editados pela Companhia das Letras. Trabalha com a recordação do tesouro literário, revisitando obras de poetas e escritores, usados como fonte linguística. Nasceu em Fortaleza (CE).

*

"Estátuas" foi extraído de *Noturnos*. "Instrumentos" — trecho do romance *Amrik*.

A SESTA

NA CAMA EU ESTAVA FAZENDO íntimas carícias nos meus seios que gotejavam leite escorrendo na pele, e dava leite para a minha cadelinha, era a hora da sesta e eu não conseguia dormir, estava nua, talvez por isso não adormecesse, então vesti a camisola de algodão, fui até a cozinha, esquentei leite e tomei leite morno lambendo o pires, toda a cidade estava adormecida menos os cachorros vadios e os jumentos que zurravam perto do riacho na sombra das árvores, eu havia almoçado lombo de veado no tacho, palitos empanados e na sobremesa sorvete de nabo com licor, voltei para a cama, dei leite para minha cadela com o dedo gota por gota como se faz aos filhotes órfãos de gatos, fiquei de lado, de bruços, não conseguia dormir, sentia calor, tirei a camisola, abri a veneziana e olhei a rua deserta, as janelas das casas, fechadas, as portas das lojas, fechadas, a igreja fechada, a sesta nesta aldeia é sagrada, eu tinha dois bolos para confeitar naquela tarde, para uma festa de casamento e uma festa de batizado e precisava fazer minha sesta antes que chegasse o padeiro com o açúcar e os ovos, eu não conseguia fazer a sesta, o calor estava demais e peguei uma bacia de gelo na cozinha, deitei na cama, passei pedrinhas de gelo nas tetas e na língua, deitada eu estava na cama tentando fazer a sesta, ardendo na cama, passando algodão com creme e especiarias nos meus seios estufados de leite, a cadelinha mastigava a renda da camisola, eu ouvia uma cantiga ao longe no gramofone do lupanar, adormeci, e depois o sino da igreja bateu, uma da tarde, final da sesta, acordei, homens nas suas casacas pretas subiram a ladeira e nas lojas foram abrindo as portas, abriram o cartório, a prefeitura, os estorninhos vieram beber água no chafariz, tirei a camisola, lavei as tetas, vesti as anáguas, o espartilho, as anquinhas, o vestido e fui para a cozinha confeitar os bolos, terminar os doces, chegou o padeiro trazendo o açúcar e os ovos, vesti correndo a camisola, o padeiro viu a minha cadelinha comendo chocolate com cantárida, tomou leite e saiu, a boca molhada de leite, ai queridinho, levei o açúcar ao ponto, misturei manteiga e amêndoas raladas, gemas escorreram nos meus dedos, levei ao lume, deixei arrefecer a massa, umedeci as peças com claras de ovos gosmentas, passei os pescoços de freira pela calda quente e deixei secar num pau de madeira untado, lambendo nos dedos as claras em neve, lambendo o açúcar, o cachorro subiu nas minhas pernas e fornicou, bati nele com a vara de bétula e ele fugiu ganindo, correu pisando nas chicórias da minha horta na frente de casa, arrancando os pepinos, ouvi uma voz na cozinha, o tio da criança do batizado entrou com um velho que era seu pai, eles provaram as delícias da casa e lamberam os beiços, eu batia claras em neve, o velho me olhava com os olhos flamejando, o velho pediu para lamber o creme da gamela, bebeu do meu púcaro e eles foram embora levando o bolo confeitado, bandejas de barriguinhas de freira, queijinhos do céu, trouxas de ovos, doces de ovos moles, beijos de freira, um bolo do paraíso, espirrei numa desnatadeira o leite para fazer suspiros árabes e deitei fogo à frigideira, o fogo ardeu, a brisa vinda de uma claraboia refrescou minhas tetas, minha blusa estava molhada, os cachorros da casa estavam ficando gordinhos de leite, adoráveis, eu soprava as brasas do fogão para não apagarem, chupando a calda nos dedos, dei um alfenim para a minha cadelinha lamber, esfreguei gengibre nas mãos e me fiz carícias, o sino da igreja bateu, seis horas, tomei um banho demorado e me perfumei, vesti o vestido preto e me cobri com o véu preto ornando a cabeça, e o chapéu de três cornos, desceu a noite.

ESTÁTUAS

ELE QUERIA TODAS AS MULHERES, não apenas olhar ou tocar ou sentir o perfume, mas queria levar todas para um quarto, beijar suas peles seus pelos seus lábios, descobrir os segredos do corpo e da alma e entrar nelas por uma porta qualquer, as brancas como joias glaciais as negras como noites de verão, as amargas as doces as belas as negligentes as carnudas as magras as judias as mouras as felinas as maternais, aninhar-se em seus ventres, descobrir cada corpo como se buscasse sempre um, ele dizia, como se esculpisse o meu corpo na matéria ampla feminina, cada uma que ele via dava maior intensidade à mulher em sua mente, ele dizia e dizia Mas a cada uma que conheço te desconheço mais, tu és o mistério, ele queria que eu fosse capaz de não apenas perdoar, mas compreender, Sou apenas teu apenas teu nunca amei nenhuma delas meu bem meu bem, mas eu conhecia seu ímpeto, nenhuma mulher o suportaria sozinha, ficaria ferida até a morte, ele parecia trazer em seus músculos as guerras antigas, uma sede nunca saciada, uma fome interminável, eu o vi suspirar por uma passante de vestido vermelho, tropeçar por uma jovenzinha de seios empinados na blusa, sufocado ao ver os cabelos anelados de uma mulher ao sol, ele dizia Meu bem meu bem é uma maneira de te amar, como posso amar infinitamente a uma mulher sem amar a todas elas? meu bem meu benzinho elas são apenas estátuas e eu o visitante de um museu apenas as admiro e esqueço, nada mais, eu te peço compaixão pela minha fraqueza, deixa-me olhar as vênus de pedra somente olhar, mas eu sonhava que o via numa cama a se afogar em suas bocas vermelhas em seus ventres peludos em seus seios jovens em suas vulvas, urnas de veludo, a lamber seus tornozelos, entrava em seu mundo e ali encontrava todas elas, uma perambulando outra se despindo a seguinte mostrando a língua logo adiante uma oferecendo os seios outra lendo um livro de poesias para ele a seguinte apenas sorrindo um pouco além uma deitada nua ou ajoelhada a seus pés outra dizendo Sim, a seguinte beijando-o outra calçando as meias, e eu e ele nunca ficávamos a sós.

INSTRUMENTOS

SEXO QUER DIZER HOMEM quer dizer embrulhado, o mesmo nome de homem e seu instrumento, li num livro, os muitos nomes para os instrumentos dos homens pomba sineiro agarrador, hahaha eis um assunto consolidado pela noite, nos belvederes dos palácios, nas bacias de coriandro alvo feito açúcar, instrumento é aquele bem grande, engrossa quando levanta definha quando adormece, kayr ayr instrumento de ferreiro fogofoguinho fufufufu um objeto peludo dh zzzz eriçado uiuiui os pelos eriçados e se precipita na vulva vuvuvuvu pomba é o que fica deitado nos ovos e sineiro aquele que ressoa tlindlentlindlen quando entra e sai da kuss portal schrumpf o fanfarrão diz mentiras, ai amo aquela vulva quero quero e quando entra logo se sacia e com langor e pesar se afasta, o triturador entra no portal apenas para triturar e o estancador demora a se deixar impressionar, o batedor batebate com pudor e termina espera batebate uma vez mais aiaiai o torneiro gira para lá e para cá roinroinroin giragirarodaroda palaialaialaia o caolho que só tem um olho o transeunte que vai e vem dentro do conduto o nadador não fica num só lugar paraláparacá o cebola chorachora querquer chorachora o tio-felpudo dorme nos matos finos o tímido não se levanta na presença dos confrades o sacudidor o colante o voador o alternante o hipódromo da cúpula o tio-saliva o dilacerador o inspetor, o descobridor o esfregador o conhecedor insuperável o adorador o rezador o falador o comedor o trabalhador vara de bétula na rúcula aiaiai Cala a boca Tenura.

AS JOIAS DE JEANNE

Vem, meu amor, beija meus cabelos que chamas de teias de Satã, alcova obscura e abrasadora, floresta africana, perde-te na redonda imensidão da minha crina espessa, aspira o perfume do óleo de coco, do alcatrão, agora beija minha testa e meus olhos ungidos em lágrimas seráficas, beija meus olhos de pura luz que são chorosos espelhos de tuas orgias, cisternas negras de solidão, beija agora minhas faces e inunda de sangue minha pele cor de âmbar, e sussurra às minhas orelhas o ardor de tua estranha alma, teu prazer infame, sei que és atraído pelas coisas repugnantes e pelas escadas que descem aos infernos, mas isso é só poesia, eu sei, tua voz é música, sussurra-me sobre teu amor pelo seio encarquilhado das velhas rameiras, pelas negras meretrizes das ruas de lama, pelas mendigas de sardas e ruivas, pelo cadáver de mulher transpirando venenos, pelo desejo de beijar as tranças negras da judia, sopra a fumaça de teu cachimbo de abissínio sobre meus lábios, beija os meus lábios como se beijasses duas serpentes molhadas de néctar e ambrosia, teus beijos são um filtro e uma ânfora, e me embebeda de vinho, o vinho que me embriaga de mentiras, que me distende os nervos, agora beija meu pescoço minha nuca minhas omoplatas e a curva de meu ombro, lambe minhas axilas e aspira o perfume que tanto adoras, desce pelos meus braços delgados e me beija os cotovelos, os pulsos e as unhas, queres que te arranhe? beija meus seios, lambe as tetas, feitas para inspirar amor em poetas, com tuas unhas de harpia rasga-me a carne até o coração e o arranca e o come, eu te ordeno que me ames, sou tua escrava moura, flor das tuas noites, flor do mal, decifra a linguagem de meu corpo tão vasto como a noite e tão dengoso, lê o meu corpo como lês o teu amado Théophile, com sentimentos da mais profunda humildade, acaricia com amor a tua esfinge tua bruxa de ébano tua filha da meia-noite sou tua sou tua meu indócil amante, goza a saúde de meu corpo jovem, este jardim de preguiça e languidez, morde a minha carne rija e treina teus dentes na máquina do meu corpo de maldades, vil animal, sou tua morena noite, uma noite repleta de ternura, adora toda a minha nudez de puta, desce tua boca pelo meu ventre e procura as gemas do paraíso, a minha flor que exala segredos, para conheceres os tesouros íntimos, procura a joia que dorme oculta e derrama tua saliva sobre mim, como se declamasses uma poesia em frenesi, derrama teu rio de néctares sobre meus pés, tua semente e teu grão, derrama sobre meus pés a tua dor, as tuas lembranças de uma mocidade atormentada, as tuas indecências de fauno, ah vertigem, ah céus, ao final percorre as minhas pernas meigamente esguias, beija minhas coxas e meus joelhos curvos, beija meus tornozelos de aço e velhos minérios, enrosca-te aos meus pés como um gato voluptuoso, meu lindo gato, meu querido animal, e adormece à minha sombra, para sempre.

inspirado nos poemas de Baudelaire

ANA PAULA MAIA

Autora dos romances *O habitante das falhas subterrâneas* (Rio de Janeiro: 7Letras, 2003), *A guerra dos bastardos* (Rio de Janeiro: Língua Geral, 2007), *Carvão animal* (Rio de Janeiro: Record, 2011) e da novela *Entre rinhas de cachorros e porcos abatidos* (Rio de Janeiro: Record, 2009). Integrou diversas antologias, no Brasil e no exterior. Entre elas, *Geração Zero Zero* (org. Nelson de Oliveira — Rio de Janeiro: Língua Geral, 2011). O romance *A guerra dos bastardos* foi publicado na Sérvia em 2011 pela editora Rende. Nasceu em Nova Iguaçu (RJ).

DANADO

Jairo apressa-se para alcançar o elevador, mas a porta fecha diante do seu nariz. Sozinho, permanece no corredor deserto segurando uma pasta com documentos. Precisa ir ao décimo oitavo andar. Não gosta de atingir os andares altos, mas ao menos duas vezes na semana precisa ir até a repartição jurídica.

Nos andares superiores o cheiro é diferente do andar onde trabalha. É mais rarefeito e agradável. Um cheiro que indica que aquele não é seu lugar. O corredor acarpetado e as paredes pintadas com tinta óleo dão uma sensação de bem-estar, porém, é justamente por se sentir bem, que lhe pesa o coração. Jairo gosta de ser danado. As reproduções de quadros famosos nas paredes dos corredores servem de guia para que se mova nos espaços extensos e labirínticos.

Depois da reprodução de um Cézanne, vira à direita, onde se depara com Picasso, e segue o corredor até encontrar a sala que procura.

A secretária digita no computador e olha para Jairo por cima dos óculos vermelhos de moldura grossa.

— Pode deixar aí — diz a mulher.

— Bom dia, dona Márcia — diz Jairo com um sorriso submisso.
— Bom dia, Seu Jairo — responde entediada. — É só isso?
— É sim senhora.

Márcia para de digitar, retira os óculos e olha para Jairo, tentando intimidá-lo. Jairo permanece com um leve sorriso.

— Tudo bem com a senhora, dona Márcia?
— Seu Jairo, mais alguma coisa? — pergunta enfática.
— Sabe, eu... — Jairo engasga um pouco. — É que eu comprei uma coisa pra senhora.

Jairo enfia a mão no bolso do paletó cinza e tira uma caixinha de música bem pequena comprada num brechó. Ele dá corda e a coloca sobre a mesa de Márcia. Ela coloca os óculos e observa a caixinha sem tocá-la.

— Eu achei que a senhora fosse gostar. É um tipo de relíquia, bem antiga mesmo...

Márcia interrompe.

— Seu Jairo, é bonita, mas por que o senhor está me dando isso?
— É que eu tenho pensado na senhora — Jairo se anima. — Vai almoçar hoje no refeitório?
— Acho que sim — diz secamente.
— Ah, que maravilha. Nos vemos no almoço então.

A porta do escritório se abre. O chefe de dona Márcia sai e questiona os documentos levados por Jairo.

— Isso deveria ter vindo ontem no fim do dia.
— Sim senhor, mas só foi concluído ontem no início da noite. Fiz hora extra.
— Espero que não se repita.
— Sim senhor.

O homem olha para o paletó de Jairo e questiona uma mancha na altura do peito.

— Oh, sim, é mingau de aveia — Jairo diz tentando limpar a mancha.
— Que jeito desleixado, seu... seu...

— É Jairo, senhor.

— Seu chefe é o Miro, não é?

— Isso mesmo.

Jairo apanha as pastas sobre a mesa e as entrega nas mãos do homem, que se recusa a pegá-las.

— Deixa aí mesmo — ordena.

O homem se vira e pede que Márcia o acompanhe. Quando ela se levanta, esbarra na caixinha de música e a derruba no chão. Os dois entram na sala, um após o outro.

Segurando as pastas, Jairo olha a caixinha de música no chão. Deixa as pastas sobre a mesa e de joelhos dá corda para que a caixinha de música toque, mas está quebrada. Coloca-a novamente no bolso do paletó e caminha até o banheiro limpo e bem cuidado do décimo oitavo andar. Tranca-se lá dentro. Coloca a caixinha de música sobre a pia e o pênis para fora e se masturba até gozar com força. Com os dedos lambuzados de esperma, lambe-os e isso provoca um curto espasmo pelo seu corpo, como uma fina corrente elétrica. Adora o próprio sêmen e jamais o dividiria com alguém. Lava o rosto, penteia os cabelos e coloca a caixinha de música dentro do bolso.

Volta para sua mesa, a única que fica ao lado da janela de onde se veem outros prédios, a rua, e que permite um pouco da luz do sol sobre o pequeno cacto, presente de sua mãe. Naquele canto, ele repousa os olhos sobre o lado exterior e descansa a vista do computador e dos colegas que o desprezam. Às vezes algum pombo pousa no parapeito da janela. Gosta do arrulhar da ave.

Na hora do almoço aproxima-se de Márcia e suas colegas de repartição. Elas conversam amenidades. Jairo apenas ouve. Mastiga a couve-flor devagar. Observa os lábios de Márcia se moverem rápido enquanto fala; engole. Espera ser humilhado o suficiente para conseguir gozar mais tarde.

— Já estamos saindo há quase dois meses — diz Márcia para as colegas.

Foi nesse período que Márcia renasceu. Passou a cuidar das unhas, cortou os cabelos, pintou e os alisou. Aprendeu a se maquiar e já emagreceu quatro quilos, sendo obrigada a renovar o guarda-roupa, que ganhou novas cores e tecidos. Aos trinta e oito anos ela tem certeza que encontrou o homem de sua vida.

— Vamos ter um jantar romântico hoje — ela diz quase aos gritos.

— Será que ele fará o pedido hoje? — pergunta sorridente uma das colegas.

— Acho que sim — responde Márcia eufórica.

— O que você acha disso, Jairo? — pergunta uma das mulheres.

Jairo está cabisbaixo mastigando seu rosbife. Engole rápido para responder.

— A dona Márcia merece ser feliz. Desejo felicidades.

Jairo abocanha uma garfada e se limita a mastigar sem olhar para ninguém.

No final do expediente, Jairo e Márcia esbarram-se no elevador. Ela está ainda mais cheirosa, com a maquiagem reforçada e o cabelo num penteado improvisado exibindo uma presilha de pérolas. Jairo estremece.

Ele entra calado no elevador e saem do prédio ao mesmo tempo. Cada um vai para um lado e Márcia o chama. Ele sente o coração palpitar. Vira-se e ela está parada, esperando que ele se aproxime.

— Oi — ele diz num misto de surpresa e nervosismo.

— Olha, eu acho melhor o senhor não ficar me presenteando, essas coisas. Estou praticamente noiva e isso não pega nada bem, entende? Eu acho que o senhor não devia ficar me assediando, essas coisas, sabe? Eu fico pensando que se o meu noivo, quer dizer, meu quase noivo, provavelmente vamos nos casar em breve, se ele sonhar que tem alguém no meu trabalho que fica me cercando, me dando presentinhos, olha, eu nem sei o que ele pode fazer. Então, o senhor, por favor, fica afastado, tá legal?

Márcia espera pela resposta de Jairo, que ouviu a tudo com um semblante desfalecido.

— Tá.

Ela olha desconfiada para ele e com certa altivez.

— Tudo bem, então.

Vira-se e se põe a andar num vestido vermelho elegante, novo, sentindo-se a mulher mais amada do mundo. Jairo a observa se afastar até virar a esquina. Ele retorna à repartição, entra no banheiro deserto e bate mais uma punheta. Essa é melhor que a anterior e toma cuidado para gozar num copo descartável. Depois de beber o próprio sêmen, sabe que por hoje é só.

Três dias depois, Jairo encontrou Márcia almoçando no refeitório, sozinha e cabisbaixa. Com o garfo, ela espalhava a comida pelo prato, mas não a punha na boca. Depois, ele levou algumas pastas até a sua sala, mas se limitou a deixá-las sobre a mesa, sem dizer nem uma palavra. Quando Jairo deu meia-volta para atravessar a porta, Márcia teve um impulso de chamá-lo, mas desistiu.

Jairo retornou à sua mesa sem sentir nenhum prazer. Trabalhou mais um pouco e parou para buscar um café fresco, recém-passado por um dos colegas. Foi até a cafeteira, encheu sua caneca e se sentou outra vez à mesa, se permitindo vislumbrar o resto da tarde ensolarada.

Um vulto passou pela janela e fez um pombo perder o equilíbrio, alvoroçando as asas. Se tivesse piscado os olhos naquele instante talvez não o visse. Levantou-se e esticou o pescoço para o lado de fora. Márcia estava num belo vestido florido e esborrachada sobre a calçada. Uma poça de sangue crescia ao redor dela. Estava muito bonita. Os outros funcionários perceberam a queda e correram para a janela e gritavam desesperados. Jairo deixou sua caneca de café sobre a mesa e seguiu os outros até a calçada do prédio.

— Ela estava arrasada porque o namorado deu um fora nela — comentou uma das colegas de repartição de Márcia.

— O que um coração partido não faz — disse outro colega.

Jairo voltou para dentro do prédio, foi até o banheiro e se masturbou duas vezes. Havia muito sêmen, mas estava sem apetite para prová-los. Lavou a pia, penteou os cabelos e voltou para sua sala. Sobre a mesa, colocou a caixinha de música que conseguiu consertar na noite anterior. Deu corda para que tocasse. Era uma música bonita e ele não se cansava de ouvi-la.

PERVERSÃO

Quando Márcia chegou num vestido vermelho que combinava com os aros de seus óculos, sorridente e muito perfumada, Otávio a esperava fazia quinze minutos. Sentia-se cansado, mas ter lavado o rosto na pia do banheiro o deixou menos sonolento. Márcia o abraçou com força e o chamou de meu amor. Ele perguntou como foi o seu dia e ela falou por quase vinte minutos, interrompendo apenas para decidir o que queria comer. Otávio apenas sorria enquanto bebericava o vinho branco que havia pedido para os dois.

— Estou fazendo um clareamento dentário — diz Márcia.
— Sempre quis ter dentes brancos. E agora... e agora eu vou ter — diz muito animada. — E tudo por sua causa, meu amor. Isso é tudo por você, pra você — ela conclui sedutora.

— Eu sinto muito — diz Otávio.

Márcia sorri deixando o gole que tomaria de lado.

— Que isso! Você não tem que se desculpar. Sou uma mulher infinitamente melhor. Você é o meu anjo — ela conclui e bebe do vinho.

— Mas eu não pedi pra que você fizesse nada disso — ele diz sério.

Márcia encolhe o sorriso e olha para os lados.

— Ah, deixa de brincadeira.

— Não estou brincando. Eu nunca pedi pra você fazer nada disso. Mas se você se sente bem assim, então eu devo mesmo ter ajudado. Sabe, dar todo esse prazer a mulheres feias e mal-amadas me dá muito tesão.

Márcia não consegue falar. Começa a suar nas mãos e nas axilas. Sente o corpo queimar. O garçom traz as refeições. Otávio dá uma garfada no seu suflê de cenoura e o elogia.

— Sempre saboroso. Eles nunca erram a mão.

Márcia está com os olhos lacrimosos.

— Você não pode estar falando sério, Otávio. Você me achava feia e mal-amada?

— Isso mesmo, e ainda acho, porque eu não te amo, e essa maquiagem toda, esse cabelo diferente, bem, não ajudou muito, pra ser sincero.

Márcia começa a chorar, mas o choro é engasgado. Otávio sente o pau endurecer e um frio deslizar pelo baixo ventre. Deixa o garfo de lado, abre a braguilha e fricciona o pau. Tenta disfarçar sob a toalha da mesa.

— Mas... você fez de propósito?

Ele toca punheta um pouco mais rápido.

— É isso mesmo — responde ofegante. — Você é feia, mal-amada e eu te enganei pra te ver assim: arrasada.

Otávio sente mais prazer.

— Eu pensei que você me respeitasse, por isso nunca tinha me levado pra cama... achei que você fosse pedir... pedir...

Otávio ajeita-se na cadeira.

— O quê? A sua mão em casamento? Já sou casado, minha filha.

— Ô, meu Deus. Você não presta. É desprezível.

— Isso — ele acelera os movimentos e está quase gozando. Márcia percebe o que ele está fazendo. Ela tem vergonha de chamar a atenção dos outros, por isso permanece falando baixo.

— Você é um canalha, um cretino, um desgraçado filho de uma puta... eu te odeio.
— Ahhhhhhhhhhhhhhhhhhh.
Otávio debruça sobre a mesa, extasiado; esgotado. Márcia permanece sentada à sua frente com o rosto molhado de lágrimas, sentindo nojo e humilhação. Ele limpa a mão no guardanapo e se levanta para ir embora. Márcia o segura pelo braço, com o olhar consternado.
— Eu não queria dizer isso. Otávio, eu fiz alguma coisa? Se a culpa é minha, eu te peço perdão, mas não me abandone.
Márcia cai de joelhos aos pés de Otávio. Ele a segura pelo braço e a ajuda a ficar de pé.
— Por favor, não me faça passar vexame — ele diz entre os dentes. Retira da carteira algumas notas e as deixa sobre a mesa.
Otávio cumprimenta o garçom que o atendeu e caminha até o estacionamento do restaurante. Márcia o persegue, implorando por sua atenção.
— Pelo amor de Deus, Otávio, não faça isso comigo. Por Deus, não vai embora assim.
Ela o puxa pelo braço. Ele entra no carro, bate a porta e abaixa o vidro.
— Sabe, Márcia, nunca vi ninguém se humilhar tanto. Você sabe como fazer um cara gozar.

* * *

Otávio caminha entre a fila de carteiras alinhadas, todas ocupadas pelos alunos, que têm apenas mais dez minutos para entregarem as provas. Depois de passear entre elas, retorna para sua mesa e aguarda que o tempo transcorra.
Coloca os óculos de leitura e verifica uma mensagem no celular. É a foto da sua filha do meio, de cinco anos, montada no

cachorro da família, um labrador, enviada por sua mulher que enfatiza um "Eu te amo" em letras grandes.

Otávio sorri. Suspende a cabeça e os alunos começam a se levantar de suas carteiras. Os alunos, um a um, deitam suas provas sobre a mesa e a pilha crescente arranca um suspiro de Otávio. Ele coça os olhos sob os óculos, agradece aos alunos e todos são dispensados. Ainda são nove horas da manhã e terá um longo dia de aulas até as nove da noite. Mas precisa trabalhar para manter um mínimo padrão de vida para sua família, e mesmo o mínimo consiste em muitos gastos e Otávio trabalha também nos finais de semana em cursos preparatórios. Um homem de família.

Às nove e quarenta da noite ele chega ao restaurante habitual. Cumprimenta os garçons com apertos de mão e tapas nas costas. Vai para a mesa que mais gosta, ao lado de uma reprodução de um quadro de Cézanne. Cinco para as dez, Gisele atravessa a porta do restaurante. A sua conquista mais bela. Geralmente, ele procura as mais feias, pois são mais fáceis de serem conquistadas. Mas com Gisele ele consegue se sentir até um pouco excitado só em olhar para ela. Pensa num orgasmo fulminante quando partir o seu coração. Aquela beleza toda arrasada e com o coração partido vai levá-lo à morte.

Depois de um beijo, puxa a cadeira para Gisele se sentar. Ela se acomoda confortavelmente. Otávio serve uma taça de vinho para ela e suspira ao imaginar o que virá adiante.

Depois de Márcia, Otávio saiu com outra mulher, mas não teve muito sucesso, pois ela faltava com a verdade: era casada e queria apenas se divertir. Otávio é contrário ao relacionamento sexual com uma mulher que não seja a sua, por isso mantém o tratamento cortês e respeitoso todo o tempo, insinuando compromisso sério.

Conheceu Gisele num feirão de carros usados. Ele a ajudou com questões técnicas e evitou que fosse enganada por um vendedor. Ela ficou muito agradecida e desde então ele a corteja.

Ela está apaixonada, ele sabe disso. No último encontro a presenteou com um buquê de rosas vermelhas e para esse último encontro ele comprou uma caixa de bombons caros e um ursinho de pelúcia. Gisele vale o investimento.

Ela come um bombom antes do jantar ser servido. Gisele fala pouco, o que obriga Otávio a ser mais eloquente e atento, pois precisa confirmar as mentiras inventadas. Os garçons não disfarçam as olhadas para Gisele. Ela pede licença e vai ao banheiro. O garçom serve os pratos. Otávio sente uma aflição no ventre, um formigamento no pênis. Está decidido a ser rápido com Gisele, pois não aguenta mais comprimir o pau dentro das calças.

Ela retorna e se prepara para comer. Suspira na primeira garfada.

— É um dos melhores pratos daqui — diz Otávio.
— Vem muito aqui?
— Mais ou menos.
— Estou adorando o jantar, o lugar, os presentes.
— Que bom.
— Fazia tempo que eu não me sentia tão querida, que não era tão bem tratada.
— Esse pernil está incrível, não? — diz Otávio abocanhando mais uma garfada. Ele mastiga e engole.
— Então você gosta disso?
— Claro, ué. Você é um sujeito incrível, sabia? O melhor que já conheci.
— Você é a mulher mais bonita com quem eu já saí. Não sabia que mulheres bonitas assim fossem tão desprezadas pelos homens. Aliás, todo mundo aqui só olha pra sua bunda, pros seus peitos.
— Como assim, Otávio? — Gisele recua o tom de voz e seu semblante é ao mesmo tempo de surpresa e abatimento. Ela leva a mão sobre o coração e sente corar as bochechas.
— É patético como você sendo tão bonita caia na lábia de um sujeito como eu. Sou um professorzinho de merda, com três

filhas pra criar e uma mulher de bunda flácida e barriguda. Você deveria escolher os homens a dedo, mas é tão pateticamente carente que cai na conversa de um tipo que finge te tratar bem.

Gisele respira fundo. Toma um gole do vinho. Otávio, em mais duas garfadas, conclui o seu jantar sem olhar para Gisele. Ele espera que ela desabe em lágrimas. Estranha sua reação.

— Você acha que estou brincando? Eu jamais levaria uma mulher como você pra cama. Provavelmente você é uma porca, cheia de doença, e posso me contaminar.

Otávio toma o resto do vinho que está na sua taça e limpa a boca. Gisele se levanta e vai embora. Otávio faz sinal para o garçom e paga a conta.

Não foi como ele esperava, estava muito decepcionado. Mas houve um instante no semblante de Gisele que mostrava como ela estava surpresa e arrasada. No estacionamento do restaurante, dentro do carro, Otávio se concentra nesse instante desolador para a mulher, coloca o pau para fora da calça e bate uma punheta de olhos fechados, muito concentrado. Sua própria respiração ofegante o ajuda a se excitar e ele terá o que quer.

O para-brisa do carro é arrebentado com um cilindro de gás. Mais dois golpes e Gisele consegue atravessar o vidro. Quebra a janela do motorista e atinge Otávio na cabeça. Ele cai sobre o banco e ela destrava a porta. Golpeia a cabeça e o peito de Otávio repetidas vezes. Ele se defende com as mãos, tenta segurá-la, mas não consegue. Ouve um som oco vir do seu peito quando é atingido pela terceira vez. É como se o seu interior se partisse. O golpe que o faz desmaiar é desferido na cabeça e Otávio é deixado para morrer.

Gisele reinstala o cilindro de gás no porta-malas do seu carro, recompõe sua aparência e vai embora com a alma lavada e o coração partido.

FOME

ELVIRA SEGUE ATÉ A MESA DO CANTO, num local discreto, para onde pouco se olha. O garçom lhe entrega o cardápio, mas ela recusa e diz que já sabe o que quer: costeletas de cordeiro com risoto trufado, o novo prato da casa.

É um restaurante pequeno, aconchegante e caro. Elvira é uma negra robusta, de quarenta anos, muito diferente da menina mal nutrida do passado. Beleza nunca teve, mas aprendeu a se vestir e a se portar com elegância. Seu sonho era comer bem. Muitas meninas da sua idade queriam ser atriz, modelo, enfermeira, até mesmo advogada, mas ela queria comer tudo o que não podia.

Nas revistas ela se impressionava com os pratos apetitosos feitos por cozinheiros importantes, enquanto as amigas deslumbravam-se com bolsas e sapatos caros.

Aprendeu a cozinhar com a tia de sua mãe. Depois foi para um curso de culinária e virou aprendiz de um importante restaurante. Viajou para vários países, sempre cozinhando. Formou-se em jornalismo e conseguiu emprego numa revista sobre gastronomia. Escreve e cozinha bem. Mas gosta mesmo é de comer.

Seus breves namoros nunca a preencheram. Nunca amou nenhum dos homens que conheceu. No sexo nunca teve prazer; sendo assim, desistiu de ambos. Jamais conheceu algo a altura do pato com laranja que comeu certa vez em São Paulo ou de um faisão assado na Índia. Se encontrasse um homem que lhe proporcionasse o mesmo prazer que um ensopado de vitela preparado na França, ou se seu esperma tivesse o mesmo sabor do queijo Raclette derretido ou até mesmo o cheiro e formato de uma salsicha de porco do sul da Baviera, ela não teria dúvidas de que podia amar alguém.

Elvira dispensou a entrada e pediu apenas uma água tônica. O movimento do local é intenso e o burburinho das conversas cresce à sua volta. Um homem apoiado no balcão do bar olha para Elvira. Cumprimenta-a suspendendo o copo de uísque e caminha em sua direção ao ver na mulher um meio sorriso.

— Como vai? Me chamo Otávio. Prazer em conhecê-la — ele beija a mão de Elvira.

— Sou Elvira. Vou bem e você?

— Posso me sentar um instante?

Elvira acena dando-lhe permissão.

— Não pude deixar de olhar pra você.

— Ah, não?

— Não. Não mesmo.

— E por quê?

— Porque você é uma mulher muito bonita. Já te disseram isso?

— Não.

— Mas acredite, você é — Otávio sorri e olha para Elvira como se estivesse mesmo impressionado.

— Não, eu não sou. Acredite.

Otávio estranha a resposta de Elvira. Ela deveria ser simpática neste momento, sorrir e fazer algum tipo de charme, porém permanece séria olhando para ele, constrangendo-o.

— Hum... está uma noite bonita, né? — Otávio tenta quebrar o gelo.

— Depende pra onde se olha — Elvira bebe sua água tônica enquanto fixa o olhar em Otávio.

Ele pede licença e volta para o balcão dando justamente espaço para as costeletas de cordeiro repousarem sobre a mesa. Para acompanhar, uma taça de vinho tinto português.

Elvira respira o perfume de cada condimento e sente o coração acelerar. Se não fosse a pele negra qualquer um perceberia suas bochechas ruborizadas e quentes. As costeletas estão arrumadas lado a lado, como pernas enfileiradas de dançarinas de cancã. Isso a faz pensar nas próprias coxas suadas.

Experimenta o risoto trufado e mal contém a saliva na boca. É como um beijo forte e demorado que desperta todo o corpo.

A primeira mordida na costeleta, os dentes enterrando-se na carne macia, suculenta e dourada, a faz apertar as coxas e contrair o ânus e a vagina. Mais duas mordidas sequenciais e ela quase goza.

O suor desce por sua nuca até as nádegas. Está ofegante. Fecha os olhos e uma garfada na carne lambuzada de risoto é o necessário para ter seu primeiro orgasmo, discreto e em público. Toma um gole de vinho para recobrar a consciência.

Uma fatia de torta de mascarpone com amoras num prato branco e quadrado decorado com respingos de calda de amora e folhinhas de hortelã foi trazido minutos depois de terminadas as costeletas. A fatia firme, parecia cimentada no prato. Elvira apanha a colher e demora um instante para tocar a torta. Observa-a por instantes, como quem olha para uma obra de arte, e, ao levar à boca a primeira colherada, suspira. Depois de três orgasmos com o prato principal, sente-se saciada. A torta lhe proporciona o momento da tranquilidade e a deixa levemente sonolenta. Faz algumas anotações em um bloco, paga a conta, apanha a nota para o reembolso na revista e sai do restaurante.

Faz uma noite bonita, isso o sujeito tinha mesmo razão, pensa Elvira. Seu carro está na rua ao lado, num pequeno estacionamento, e Elvira sem pressa segue até o local.

Antes que leve a chave para abrir a porta do carro, ouve um gemido abafado vindo do outro lado do estacionamento. Aproxima-se e encontra um homem sentado no chão, com as costas apoiadas na parede. Sua camisa branca está suja de sangue e o rosto muito machucado.

— Senhor, o que houve?
— Não foi nada. Tive um desentendimento, só isso.
— Quer que eu chame a polícia? Quer ajuda?
— Não senhora. Obrigado, mas não precisa.
— Eu vou chamar alguém.
— Não, calma. Não precisa, obrigado.

O homem se coloca de pé. Sente as costelas doerem.

— Já passou — ele diz.
— O senhor tem certeza mesmo?
— Tenho sim. Eu me chamo Jairo — ele estende a mão.
— Oi, eu sou Elvira — ela sorri.

Jairo caminha em direção à luz. Elvira repara em seus ferimentos.

— Seu Jairo...
— Pode me chamar de Jairo, dona Elvira.
— Você está sangrando — ela diz apontando para a própria boca.

Jairo leva as mãos na boca e no rosto. Apalpa-se admirado, sorrindo.

— É, isso é incrível, não é?

Ao dizer isso, o homem segue pela rua, debaixo da lua cheia, olhando onde pisa.

Quando Elvira chega em casa, toma banho, veste uma camisola de malha, liga a TV e deita na cama, com o gato enroscado em seus pés. Percebe que está sorrindo, satisfeita, e suspira ao sentir o peso das costeletas de cordeiro no estômago. Adormece ouvindo o ronronar do bichano.

TARANTINO

— Odeio essa cueca. Aperta o meu saco — diz o homem puxando um pouco o elástico da cueca.

— Por que tá usando então?

— Minha mulé me deu de presente. Não gosto de ganhar cueca de presente. Só eu conheço a pressão que o meu pau faz.

— Eu também prefiro comprar as minhas. Tá quente aqui — diz o homem puxando um pouco o colarinho.

— Tá quente em todo lugar — retruca o homem espantando um pernilongo pousado no seu rosto.

— Aí, viu como ficou o sujeito que tomou uma surra da amante?

— O esfolado?

— Porra, já apelidaram o cara? Esse mesmo.

— Eu vi. Mulé doida.

— Nem sei como ele vai sobreviver daquele jeito.

— Pegaram ela?

— Acharam a doida trabalhando. Ela é dona de uma creche. Tava lá tranquilona, como se nada tivesse acontecido.

— Bateu nele com o quê?

— Cilindro de gás, meu amigo. Ainda tava sujo de sangue. Ela nem teve pressa de limpar nem nada. Disse que ele deu um pé na bunda dela, que tava só curtindo com ela e nunca disse que era casado. Foda.

— Foda mesmo. Lá no trabalho do meu irmão uma mulé se jogou do prédio por causa de um fora que levou do namorado. Tem uns meses isso.

— Ah, eu acho que lembro.

Os dois homens atentam para um barulho na mata. Um esquilo corre e passa próximo a eles. Um deles ri.

— Já comi um desses aí.

— É bom?

— Parece coelho.

— Esses bichos que pulam é tudo meio igual.

— Nunca comi viado.

— Eu já. Por exemplo, a Lola que frequentava o batalhão.

— Que gosto tinha?

— De morango. Lola era foda. Que cu era aquele.

Silêncio.

— Não entendo quando alguém se mata por causa de um pé na bunda.

— Eu nunca faria uma merda dessas. Mas mulher é muito passional. Por isso prefiro comer travesti.

— Uma vez saí com uma garota que se amarrava nos filmes do Tarantino.

— Também me amarro nos filmes dele.

— Mas não do jeito que ela se amarrava. A gente só transava dentro da locadora em que ela trabalhava. Sempre tinha que tá passando um filme do Tarantino. Senão ela não gozava. Eu até gostava dela, mas me sentia um merda.

— Putz, sei como é.

— Sabe como assim?

— O que é se sentir um merda.

— Ah, tá. Bem, meu pau tava lá, em ação, eu me esforçando pra cacete, mas ela só gozava por causa dos diálogos de *Cães de Aluguel* ou do *Kill Bill*. Ela tinha essa tara doida pelo cara. Aí, depois da terceira ou quarta vez, eu comecei a broxar. Agora toda vez que assisto a um filme dele, eu broxo. Preciso esperar uns dias até passar o efeito.

— O efeito Tarantino — comenta o homem. — Assistiu *Bastardos Inglórios*?

— Quase, mas eu tava começando a sair com a minha atual mulher, que era minha namorada na época, e fiquei com medo de falhar com ela. Depois acabei esquecendo do filme.

— Filmaço.

— Me falaram que é.

— Você devia ver. Tá perdendo.

Recebem uma chamada no rádio comunicador.

— Tá pronto?

— Pra cacete.

— Tomara que eles reajam. Tô doido pra matar esses vagabundos.

— Eu também. Fico até de pau duro quando vejo um vagabundo morrer.

— Boa sorte.

— Pra você também.

ANDRÉA DEL FUEGO

Autora do romance *Os Malaquias* (Rio de Janeiro: Língua Geral, 2010), vencedor do Prêmio José Saramago 2011, da trilogia de contos *Minto enquanto posso* (São Paulo: O Nome da Rosa, 2004), *Nego tudo* (São Paulo: Fina Flor, 2005) e *Engano seu* (São Paulo: O Nome da Rosa, 2007), do juvenil *Sociedade da Caveira de Cristal* (São Paulo: Scipione, 2008), da coletânea de crônicas *Quase caio* (São Paulo: Escala Educacional, 2008) e do infantil *Irmãs de pelúcia* (São Paulo: Scipione, 2010). Ganhou o prêmio Literatura Para Todos do Ministério da Educação com a novela *Sofia, o cobrador e o motorista*. Está escrevendo um romance com a bolsa do Programa Petrobras Cultural. É paulistana.

*

"O amante de mamãe", "Trama apertada" e "Quarto minguante" pertencem a *Nego tudo*. "Pináculo da tentação" integra *Minto enquanto posso*.

O AMANTE DE MAMÃE

Mamãe se apaixonou.
    Ela ama um cara, ele telefona e fica mudo. Mamãe resolveu terminar o caso, ele se angustiou, o amante. Mamãe tem medo de ser morta por ele, não pelo meu pai.
    Amante que perde para o marido tem certeza que perdeu foi nada. Por acaso se perde pra quem já perdeu? É o que ele pensa, é o que soluça no chuveiro enquanto mamãe tem cólica de rins, ela tem remorso nos quadris.
    Meu pai vai às terças ver Glorinha. Mamãe sente o cheiro de outra e se perdoa, ela adora perdão, pudesse vestia o penhoar de Nossa Senhora e dava perdão da janela.
    Ela vai ligar para o amante, ele não vai atender, ele bebeu até esquecer. Esquecido, se enamorou de uma solteira.
    Você é a cara do meu pai. O carnê em dia, a pontualidade na traição, sempre às quintas. Calcula as sobras e os zeros. Se perfuma, bebe umas pra ter coragem, bate o carro. Diz eu te amo com sinceridade de padre.
    Senhor, me tranque a rua que agora só se for pra valer. Pra valer só com o Giramundo, que é sem perdão e com hóstia de pimenta. O corpo da comunhão ardendo na língua, pregado no céu da boca.
    Quero um homem pra fazer dele um pai de seara, caboclo que defume minha casa com ervas do cerrado. Você é a cara do meu pai, mas quero pra mim o amante de mamãe.

TRAMA APERTADA

Pelo longo, olhos vermelhos e a fêmea primordial, eu e ela na mesma tapeçaria. Quem pode com isso? Talvez o marido da Tamara de Lempicka. Mas ele morreu, a Tamara morreu, o talco fúnebre jogado no México, dentro do vulcão. Depois dela, ninguém me olhou tanto. Quando vinha sozinha chorava porque eu não existia. Secava a lágrima e ajeitava a casquete. Queria ser eu, um unicórnio de crina sedosa.

Um dia apareceu um estudante vestindo bege. Ficou sentado na minha frente sem me dirigir os olhos. Anotava num caderno qualquer coisa que começava com "chapéu". É isso. Prefere a cabeça coberta, escondendo a hipófise e o hipotálamo. Grande coisa, perfuro qualquer fronte.

Pudesse enrolava o cadáver de Tamara, eu, esse tapete pesado. Mas a quiseram cremada. Toparia arder com ela, ir primeiro sendo a casca, queria contar que o marido cochichou serenata no ouvido de outra aqui no museu. Diria tudo enquanto acendiam a pira. Que saíram sorridentes, que a moça esqueceu o cachecol em cima do banco.

Tamara quando vinha sem ele, vinha só. Não me traía nem com o amante, que ela deixava onde se deve, na alcova sem quadros nem outra distração. Cortina e assoalho é do que ela gosta, o que não quebra não pede acolchoado.

Deitada no meu felpo ia amar com cócega, seguiria o corpo dela e do homem que escolhesse pela sala, iríamos os três pela madeira encerada até que uma parede nos escorasse. Depois ela montava o cavalete e deixava as tintas pingarem.

Estendam-me onde o homem pisa que saio do tear, me tire da parede, do museu, tire essa gente me anotando. No piso caem gotas de vinho do terceiro copo. Cinzas da cigarrilha, polvilho das senhoras, fios de cabelo. Cansei da cor, quero sardas tintas, que caiam os restos vermelhos, sejam eles quaisquer. Da uva ou da veia. Estivesse eu no chão, ela levantava minha ponta e com o pé empurrava o ódio por baixo.

Lá vem a funcionária, apagar a última lâmpada. Sorrio sempre, procuro disfarçar. Sou o unicórnio do tapete medieval. Nas costas, entre meu sisal e a parede há uma carta, Tamara quem deixou. Borrifou água de laranja e no sono do guarda botou o envelope atrás de mim. A carta foi escorregando, agora está sob as patas, onde é lugar de amor assim.

PINÁCULO DA TENTAÇÃO

Chorei feito mulher em despedida. Era despedida, estava claro, aquilo ia dar em nada. Queria partir de um amor e pra isso teria que partir da cidade. Não conhecia ninguém. Sem família, cresci num orfanato longe, pros lados de Alagoas.

Quando cheguei, trazida pela razão de minha vida, primeira coisa que me capturou foram essas protuberâncias sem pudor. Aquele homem de quem precisava me despedir era como essa cidade, essa Rio de Janeiro quente e úmida. Parece mansa, mas te faz perder as horas.

Sem o amor do homem, sem destino nem bagagem, fui, essa marmanja que você está vendo, bater na porta de um orfanato. Ver se me queriam para ajudar nas coisas em troca de moradia. Tinha experiência nos castigos, ia saber repetir exato por exato o que fizeram comigo.

— Com essa idade, minha senhora, só te resta um convento.

Foi quando me converti em mulher de Jesus. Na cozinha do convento, lambuzada com creme de ovos, ouvi um zunzunzum vindo da despensa. Era a Madre Superiora revelando um segredo à outra irmã.

Estavam à procura de um pedestal naquela cidade para colocarem uma enorme estátua do Senhor. Diziam que eram ordens do Cardeal Arcebispo. Não sabiam qual morro escolher para receber o Nazareno, se o Corcovado, o Pão de Açúcar ou o Morro de Santo Antônio. Foi nisso que me veio a revelação, com as gemas açucaradas pela borda da boca, senti um troço nas pernas.

Disse à Madre que poderiam colocar-me no lugar do Senhor. Poupar a imagem dele e colocar a de uma mulher como eu que, por não dar conta de um amor sem retorno, se doou para um amor com retorno, mas sem carne. Ela sugeriu-me vinte ave-marias e quarenta pai-nossos.

Então escrevi uma carta para a Ordem Arquidiocesana sugerindo meu sacrifício. Ficaria ali,,sol nascendo sol se pondo, até o fim de meus dias. Uma crucificação sem madeira nem pregos.

Disse ainda que, se fosse inconveniente eu no lugar do Nazareno, me contentaria morando numa caverna construída no interior da obra de pedra. Já tinha ouvido falar nos cristãos eremitas.

Queria eu agora isolar-me de vez, abrigada no coração do Cristo Redentor. Naquela maciça aparência, meu coração bateria ali dentro, uma mulher no oco de Jesus. Bem no peito dele.

Pintaria de vermelho seu interior, onde eu seria sangue do seu sangue, poeira de sua poeira, monumento de seu monumento, iluminada pelos holofotes de Getúlio Vargas.

QUARTO MINGUANTE

Salão encerado, suor entre os seios. Eu queria apanhar. Apanhar até a pele esfolar, provoquei. Joguei a sandália num grupo que dançava em frente, atingiu justo ele. Vestido de pirata, eu furaria seus olhos para que cego ele me odiasse. Acordei, levantei, lavei o rosto.

No palco evoluía uma banda antiga, encantei o senhor de chapéu vermelho, ele me quis. Beijei o velho na coxia, devagarinho. Ele me capinava o rosto com a língua áspera, a saliva umedecia a saboneteira. Acordei, bebi da água que deixo ao lado da cama.

Passei para uma sala oval com portas que davam para outras salas ovais, fui penetrando a ambiência. Alguém me chama, um bispo no quarto escuro, sentado no chão. Entrei. Fui rasgada com talheres de ferro, a carne se soltou dos ossos com nenhum esforço, ele me desfiava pelos punhos. Roeu a coxinha de minha mão e ofereceu o resto ao Saturno numa pia batismal. Acordei.

O homem vestido de pirata me tirou para dançar. Não queria mais furar seu olho, desse ele um vacilo e eu o montaria, faria dele cavalo árabe. E assim foi. Campeei seu tronco, meu sexo ceifava o dele. As pessoas desapareciam uma a uma, o velho de chapéu vermelho tocava de costas. Acordei, abri as cortinas do quarto.

O salão repleto de meninas. Matinê, eu era tão menina que as coxas não fibrilavam com o calor. Fiz trenzinho por horas, enfastiada, cochilei no palco. O velho da banda me guardou na caixa de seu instrumento. Acordei.

Deixei tudo como estava, entrei, a festa já ia alta. Me capturaram, dois homens. Um deles patinava dedos na minha cintura, outro soprava minha nuca. Dilataram-me. Bebi delícias de homem. Uma cereja entrou em mim, um licor escorreu, adocei e fui adoçada.

Voltei sozinha, eles ficaram. Até minha casa, túneis e faróis verdes.

Deitei-me nua e almiscarada, dormi.

CECILIA PRADA

Ficcionista, jornalista e tradutora. Trabalhou em jornais e revistas de São Paulo e do Rio de Janeiro. Autora, entre outros, dos livros de contos *O caos na sala de jantar* (São Paulo: Moderna, 1978 — Prêmio Revelação de Autor da Associação Paulista dos Críticos de Arte/APCA), *Estudos de interiores para uma arquitetura da solidão* (São Paulo: DBA, 2004) e *Faróis estrábicos na noite* (Rio de Janeiro: Bertrand Brasil, 2009). Autora ainda do livro *Menores do Brasil: a loucura nua*, do qual consta a reportagem "Clínica de Repouso Congonhas", publicada em 1979 (*Folha de S. Paulo*) e que obteve o Prêmio Esso. Vários contos seus foram publicados em antologias, no Brasil e no exterior. Ex-diplomata de carreira. Nasceu em Bragança Paulista.

*

"Insólita flor do sexo" integrou a coletânea *Contos cruéis* (org. Rinaldo de Fernandes — São Paulo: Geração Editorial, 2006). "A chave na fechadura" foi publicado na antologia de contos eróticos femininos *Muito prazer* (org. Márcia Denser — Rio de Janeiro: Record, 1982). "Sílvia" e "*Nuit d'amour* (ou "Noite de amor")" foram extraídos de *Estudos de interiores para uma arquitetura da solidão*.

INSÓLITA FLOR DO SEXO

— Não negue. Você tem um homem.
Não neguei.

Eu tinha treze anos e tinha um amante. Talvez fosse melhor dizer assim: "Bem, eu tinha treze anos e tinha um amante e...".
Sim. As coisas terão de ser ditas por inteiro. A começar pela lembrança mais longínqua, daquele tempo. Uma lembrança de boinas de feltro azul-marinho, duas boinas iguaizinhas, do mesmo tamanho, ali sobre o mármore da cômoda esperando por nós, eu e minha irmãzinha Lúcia, quando nos preparavam para ir esperar no portão o ônibus do colégio. *Escovou os dentes, pegou o caderno, fez xixi* — as perguntas rituais. Lucinha tinha seis anos, e eu sete. Um dia armei um berreiro porque me enfiaram na cabeça a boina dela, de Lucinha, e minha mãe me sapecou uns tapas porque *que diferença fazia*. Mas é claro que fazia, porque o ônibus demorava uma hora para chegar no colégio e Lucinha ia vomitando o tempo todo dentro da boina. Depois corria e lavava bem, mas sempre ficava um cheirinho de vômito. Um

cheiro que me acompanhou, pegado em mim feito visgo, naquele tempo todo de colégio.

Havia também o cheiro das freiras. Principalmente no calor. Um cheiro de hábitos de lã e corpos suados mal lavados. Bem, eu não sei por que quero falar de cheiros. Eles não têm nada que ver com o fato de que eu tinha treze anos e tinha um amante. Ou talvez tenham. Não sei bem.

Irmã Madalena ficava atrás do portão, meio escondida, passando revista nas meninas, uma por uma, quando desciam do ônibus. De repente saltava feito uma mola, o dedo todo osso puro apontando:

— Não é o bico da *Vencedora*!

A acusada se encolhia. A família seria advertida. Porque a casa A *Vencedora*, que ficava na Rua São Bento, era a única que podia fornecer os uniformes das alunas, inclusive o sapato, raso, de verniz preto, pulseirinha e bico quadrado. A única. Assim como a Igreja Católica era a única verdadeira. O resto, heresias. Ou sapatos trocados.

No recreio, Lucinha ficava de mãos dadas comigo. Um dia uma freira nos separou, num repuxão:

— Ninguém pode andar de mãos dadas com outra menina!

Porque senão o demônio ficava entre elas. Aliás, o demônio costumava aparecer, de vez em quando. Numa tarde de chuva forte, raios, céu que era um chumbo só, Irmã Ivana, uma freira muito alta e magra que era a diretora do externato, reuniu todas as meninas na capela para rezarem um terço, de joelhos, porque infelizmente o demônio tinha aparecido novamente no dormitório rosa.

Abaixamos a cabeça, enroladas no nosso veuzinho branco, rezando, alternando o peso do corpo ora num joelho ora no outro, impressionadas.

Uma vez uma menina interna me contou que elas tinham de tomar banho de camisola e eu não acreditei. Como podiam ensaboar o corpo? *Por baixo da camisola*, a menina me disse, rindo muito. Às vezes elas só molhavam a camisola para a Irmã ver e tomavam banho peladas, mesmo. Mas se a freira abrisse a porta de repente e pegasse, era suspensão. Cortavam a saída dos domingos.

Naquele momento Irmã Ivana deu um salto entre nós duas — isso era no recreio das duas horas. E gritou, com o rosto vermelho e os olhos acesos:

— Eu não disse que não quero conversinhas pelos cantos?

Fiquei com uma raiva danada porque não tinha tido tempo de perguntar para a menina como era aquela história do diabo aparecer no dormitório rosa. Parece incrível mas nunca mais tive jeito de chamar a menina de lado para perguntar essas coisas. E até hoje fiquei sem saber.

Bem, mas o que eu ia contar não tem nada que ver com isso, era que eu tinha treze anos e tinha um amante. Sim, tinha um homem e...

Mas essa história de diabos, eu ia dizendo.

Santa Gema Galgani, contavam, costumava ver regularmente o diabo. Então ele uma vez chegou e encostou a pata infernal num livro que ela estava lendo e o livro ficou com a página toda queimada. O que era prova irrefutável de que ele existia. E também São Tomás de Aquino, que era chamado o Doutor Angélico por causa da sua pureza, uma vez o diabo também veio tentá-lo. Parece que isto costumava acontecer com todos os santos. E como eu queria ficar santa, já estranhava que nunca O tivesse visto. E isto — de escrever um O maiúsculo em relação ao diabo — aconteceu sim no meu diário daquela época. E aí é que eu fiquei muito embaraçada porque tinha cometido um pecado mortal porque o pronome assim maiúsculo era reservado só para Deus — Irmã Guilhermina tinha ensinado, na aula de Português.

E como é que eu ia contar aquilo para o padre, na confissão? Essa coisa um pouco esquisita, com diabos e pronomes. Aí eu contei e o Padre não entendeu nada. Era um padre italiano, velho e catarrento. No meio da confissão tirava um lenço vermelho enorme do bolso e se assoava com estrondo. Do outro lado da grade eu virava a cara de lado de tanto nojo. Eu não gostava nada do cheiro dele, principalmente quando espirrava quase na cara da gente e aquilo era o pior da confissão e...

(Mas csta não é uma história de cheiros. Ou é?).

Aí o padre não entendeu nada aquela história complicada, de pecado mortal com pronome maiúsculo, o diabo, e eu disse que achava que queria que o diabo me aparecesse para eu ficar santa e que isso podia ser pecado de orgulho, não era?

O padre italiano limpou uns restos de catarro na garganta e cortou, impaciente:

— *Ma... cosa dice?* Fez coisa feia? Com menino?

Falei que não, apressada, mas aí eu me lembrei daquela história do São Tomás de Aquino, o Doutor Angélico, que tinha sido tentado pelo diabo e eu tinha contado essa história para o meu primo João, que estudava no colégio dos maristas, e o João tinha dito, olhando muito para mim e rindo:

— É sim. Ele viu o diabo como uma mulher toda peladona.

E eu tinha ficado vermelha e morrendo de raiva do João.

Mas então naquela hora, no confessionário, eu me lembrei da conversa com meu primo e achei que tinha mesmo sido coisa feia, decerto isso era o que o padre queria saber. E respondi:

— Fiz.

E aí o padre ficou quieto e me olhou, eu podia ver ele virando a cabeça lá dentro do confessionário para me olhar. E disse:

— Quantas vezes?

Respondi que tinha sido uma vez só e ele me perguntou se minha mãe sabia e eu fiquei pensando o que tinha que ver minha mãe, mas nem deu tempo para responder porque o padre me disse que eu tinha de contar tudo imediatamente para a minha mãe. Tudo o que eu tinha feito com esse menino porque as mães devem saber tudo o que as meninas fazem. E que eu nunca mais podia fazer *aquilo*. Nem sozinha nem com menino. Principalmente com menino. Porque *aquilo* era um pecado mortal horrível. E se eu não me sentia *diferente* das outras meninas por causa daquilo que tinha acontecido com o menino. Eu disse que não. Aí o padre ficou bravo demais e levantou a voz porque eu não era mais pura e o que uma menina tão impura e pecadora como eu estava fazendo no meio das outras meninas e que eu não era mais digna de estar no colégio e aí eu comecei a tremer e a chorar e ele ficou quieto, de repente. Depois disse:

— Bem, agora vai e te arrepende. E reza três ave-marias e três padre-nossos. E três salve-rainhas também. Porque Maria é a rainha da pureza. E Cristo perdoou até Maria Madalena.

E fez aquele sinal-da-cruz de lado. Eu saí pensando como é que ia contar toda aquela embrulhada para minha mãe.

Não contei.

Mas essas coisas todas tinham acontecido quando eu tinha dez, onze anos. No primeiro ginasial. Era uma menininha boba. E que diferença da mocinha de treze anos, com promessa de seios desafiando empinadinhos o mundo sob a blusa de fustão da *Vencedora*, que tinha três preguinhas de cada lado — para disfarçá-los.

Enfim a menina-moça que não negava. Tinha um homem. Um amante.

Bem, essa mudança toda tinha que ver com as tranças cortadas. E com o *incômodo* que tinha chegado num susto. Eu pensei que estava muito doente e ia morrer sangrando. Vai ver que de castigo de tanta impureza. Fiquei um dia inteiro me lavando, me lavando, o sangue recomeçava. De tarde abri o berreiro, minha mãe correu. Me disse com a voz dos dias muito trágicos que não era nada:

— Isso é assim mesmo. Toda mulher tem, todo mês. Agora você já é moça.

Me arrumou com modess, me deu instruções. Mais tarde uma tia, a quem tinham revelado o meu segredo, veio com zombarias — era uma tia que eu detestava. Outra, sisuda, me olhou por cima dos óculos: "Nada de brincar com menino, hein?".

Essa foi a minha época de Santa Maria Madalena. Que tinha sido uma Grande (e Bela) Pecadora, e lavava os pés de Cristo, punha perfume e enxugava com seus cabelos louros e compridos. E o Cristo olhando para ela e dizendo assim muito devagar *muito lhe será perdoado porque muito amou*. Só que eu procurava e procurava nos livros de santos o que a santa fazia para ser Grande Pecadora e não achava nada. Aí eu perguntei para minha amiga Clarice que era muito mais sabida do que eu e ela disse *fazia coisas com os homens*. Eu fiz um ar entendido e dei um sorriso superior. E fiquei na mesma.

Eu e Lucinha cochichávamos na cama na hora de dormir sobre aquelas coisas que a gente não entendia direito. Lucinha um dia me disse:

— Eu acho que tem que ver com essa história de nenê na barriga.

Mas eu não podia imaginar Santa Maria Madalena barriguda. Perguntar para minha mãe não adiantava. Quando ela estava lavando os pratos, sempre de cara triste e amarrada, suspirando muito, eu às vezes tentava. Aí, um dia eu tive muita coragem e perguntei por que os nenês nasciam dentro da barriga das mães. Ela levantou a cabeça e gritou comigo:

— É essas porcarias que vocês aprendem no colégio?

Fiquei quieta e fui saindo de banda. Até que um dia Clarice, que tinha ido passar umas férias no Rio de Janeiro, me chamou num canto e disse:

— Vem cá que eu vou te contar uma coisa.

E então, pronto. Eu fiquei sabendo de tudo, todas as coisas que queria saber, quer dizer que o bebê saía por onde tinha entrado, foi assim que ela me disse e eu ainda naquela de ar superior, mas quando vi que ela não ia me dizer mais nada, não aguentei. Fiquei muito vermelha e perguntei o que ela queria dizer com aquilo. E ela me disse que o homem tinha um micróbio que passava para a mulher quando ele abraçava ela na noite de núpcias, eu nunca tinha ouvido falar? Hein? Essa coisa de *noite de núpcias*? Pois é, o micróbio do homem entrava naquele buraco que a gente tinha lá embaixo e depois ia crescendo, crescendo na barriga que nem fermento e virava um bebê e depois nascia.

Aí eu perguntei:

— Mas se é micróbio a gente não fica doente?

E a Clarice respondeu que é claro que a gente ficava doente, se eu nunca tinha visto mulher de barriga grande que ficava vomitando o tempo todo. Mas que a mãe dela tinha dito que era assim mesmo e que a mulher só tinha nascido para sofrer, mas tinha de ser assim porque senão a raça humana ia desaparecer do planeta. Mas eu tava lá ligando para a raça humana. Achei tudo muito horrível e disse que nunca, mas nunca mesmo, ia pegar micróbio de homem, porque eu nunca, mas nunca mesmo, ia me casar. E Clarice disse que ela também não ia.

A gente crescia. "São todas umas moças", disse Irmã Ivana no primeiro dia de aula da Terceira Série. Todo mundo deu aquela mexidinha de satisfação, na carteira. Irmã Ivana, a diretora do externato, ia ser também a professora de Apologética, que era como a aula de Religião ia se chamar dali por diante. Porque a aula de Religião também crescia e mudava de nome conosco. Quando tínhamos entrado no colégio era só Catecismo, aquela coisa de mil perguntas e respostas decoradas na ponta da língua, com certames e prêmios de estatuetas de santos.

— És cristã?
— Sim, sou cristã pela graça de Deus.
— Para que foste criada?
— Para amar e servir a Deus neste mundo e gozá-lo eternamente no outro.

Depois, durante anos, tinha sido Aula de Religião, mesmo. Com História Sagrada, que me agradava muito.

E agora, íamos estudar Apologética, um nome que vinha do grego e que...

Aí a Clarice me olhou com um ar de quem diz *puxa mas que Irmã mais sabida* e eu pensei que ela era tão sabida assim porque parecia um homem e homem sempre sabia mais do que mulher. Irmã Ivana era alta, muito alta mesmo, muito magra, sem seio nenhum. Porque as outras freiras mais gordinhas a gente olhava e sabia que tinham seio, só que todo amarrado para não aparecer. Mas Irmã Ivana, não. Devia ser uma tábua. Era muito feia, com aquela cara toda branca. Cara de cavalo. Acho que as pessoas feias são inteligentes, pensei, e fiquei meio confusa porque todo mundo me achava muito inteligente, as freiras todas diziam, e eu não queria ser feia, e escrevia no meu diário "Serei bonita? Ou serei inteligente?".

Irmã Ivana andava com grandes passadas, fazendo ondular o véu preto. Com o movimento chegava até mim um cheiro penetrante de suor azedo e eu pensava *por que não toma banho?* Decerto para não conspurcar o corpo, que era o templo do Espírito Santo. Aí eu me lembrei de uma coisa que me deixou muito aflita e fiquei vermelha e confusa e com uma vontade enorme de chorar, porque eu devia ser uma pecadora sem remissão, ninguém jamais tinha feito no banho o que eu às vezes fazia e lembrei daquela sensação que me percorria as coxas como um choque elétrico delicioso. E o cheiro forte que eu sentia quando punha meu dedo lá no meu buraco onde homem nenhum ia botar micróbio, nunca.

Mas aí senti a calcinha úmida e pensei meu Deus que pecado mais horrível porque se a umidade passa para a combinação depois atravessa a saia e fica na carteira e aí alguma menina põe a mão na carteira na umidade no meu cheiro... e então eu estarei espalhando o pecado e Cristo tinha dito *ai daquele que escandalizar uma só criança, melhor fora que lhe amarrassem uma pedra ao pescoço e o lançassem ao mar* e eu era pedra de escândalo e...

Algumas freiras tinham assim um jeito de ficar olhando fixamente para a gente. Principalmente para algumas meninas. Devia ser para as grandes pecadoras, como eu. Elas, que eram santas, esposas de Cristo, essas coisas, deviam adivinhar tudo o que a gente fazia. Um jeito de olhar que desmontava a gente. Que chegava até os ossos. Que desnudava. Algumas meninas acabavam numa exibição para as freiras, falavam de um certo modo, mexiam os cabelos, sedutoras, sorriam.

Mas o olhar fixo e gelado de Irmã Ivana parecia o de uma jiboia que fosse devorar algum sapo apetitoso. Uma vez ela disse que se alguma menina ficava embaraçada quando uma Irmã olhava fixamente para ela, devia ser de remorso por alguma culpa muito grande — porque o olhar de uma religiosa era sempre o próprio olhar de Nosso Senhor chamando a si alguma alma pecadora.

...e eu era *pedra de escândalo*. Por que pedra? Não dava para saber mas era assim que se dizia e o pior de tudo é que não se podia falar coisas assim com o Padre, na confissão. Tinha coisa. Por exemplo, como é que eu ia falar com o padre, que era um homem — só que não era bem homem, era o representante de Deus, isto sim — mas como é que eu ia dizer que gostava de sentir o meu cheiro, o cheiro daquele lugar.

— ...e também, Padre, o cheiro do sangue quando estou menstruada.

...e eu devia ser um monstro. Tudo ficava muito confuso na minha cabeça, como é que eu podia ser ao mesmo tempo um monstro, uma futura intelectual cristã, Santa Maria Madalena, a primeira da classe... Não dava para entender.

E ninguém era assim, tão complicada. Ninguém. Nem tinha sido, nunca. Naquele tempo me tinham separado de Lucinha, que fora para o internato. Minha mãe estava sempre doente, ficava na cama o dia inteiro com uma dor de cabeça horrível e a gente tinha de andar na ponta dos pés quando chegava do colégio. E a casa tinha ficado tão triste, meu pai também raramente presente. Eu até gostava de ficar mais tempo no colégio.

Então, essa coisa de cheiros, eu não podia falar com ninguém disso. Uma coisa assim que não cabia na lista dos pecados. *Contra quais mandamentos pecou?* Se eu dissesse *contra o sexto*, tinha de falar como era que tinha pecado contra a castidade e como é que eu ia ficar contando essas coisas assim e também mesmo que contasse não bastava, meu Deus, não bastava nunca porque as freiras diziam que a gente tinha de contar tudo, tudinho mesmo, com detalhes, tudo, tudo. Gente muito santa tinha ido para o inferno fulminada por um raio, só por ter ocultado um pecado do confessor. Um só, de pensamento, ouviu? E como é que eu ia dizer que tinha nojo do cheiro de suor azedo de Irmã Ivana — que todos diziam que era santa — e que eu às vezes pensava que ela parecia um homem disfarçado assim daquele jeito todo magro anguloso de passadas largas. E que eu não gostava dela.

(Talvez esta seja realmente uma história de cheiros).

Eu pensava: não gosto dessa freira, detesto. E encontrava o seu olhar de jiboia faminta sobre mim, muito embora eu nunca tivesse visto uma jiboia. Mas desde pequena tinha mania de inventar coisas, histórias, quando me chateava muito. Na cama, quando não conseguia dormir. Na igreja, no sermão, no chuveiro. E agora, na aula de Apologética, começava a pensar: e se Irmã Ivana fosse mesmo um homem? Podia bem ser. Os homens eram assim, magros, secos, duros, de corpo rígido, altos, de passadas largas.

Até que seria bom. Mas na história que o tédio armava na minha cabeça Irmã Ivana/Ivan não tinha cheiro de suor azedo. Nem era tão pálido assim, feito cadáver. O meu homem seria louro, alto, de olhos verdes. De Irmã Ivana eu ia aproveitar só a altura, o corpo magro. Porque eu só gostava de homens altos e magros. E esse homem ia se chamar — Ivan, mesmo? Não, Renato. Roberto. Ou Mário. E Mário tinha entrado na ordem disfarçado de freira, só para namorar as meninas. Uma menina. Eu. Pela qual ele nutria uma paixão desesperada, num castelo da Idade Média cheio de torres, por cima de um fosso. E era por isso que Irmã Ivana/Ivan/Mário estava sempre me olhando, e me chamando para conversa particular. Que era coisa que no começo me dava um medo tremendo mas depois comecei até a gostar, porque todas a meninas me olhavam pensando o que será que elas tanto conversam, e eu me sentia importante. E depois dizia, com um ar vago, superior: "coisas"...

O passeio começava em um silêncio profundo. Depois Irmã Ivana dava uma parada dramática, me olhava bem no fundo do olho e dizia coisas assim, o rosto rígido, sem expressão:

— Você é como uma maçã podre bem no meio de um cesto de maçãs boas. Apodrece todas as outras.

— Você é má.

— Você é cínica.

— Você não presta.

Eu ficava quieta, sem reação. Cada frase dela era uma pedra que devia me atingir muito. Facada verrumando. Mas um dia pensei: facada na água, porque lá no fundo, no bem fundo, nada me atingia. Ia me habituando à desmoralização. Um dia levantei a cabeça e perguntei:

— E daí?

Fiquei suspensa por oito dias.

Mas o duelo continuava. Tenso, crescente. Branca e rígida, parecia — a hostilidade entre as duas figuras no pátio, a freira, a menina. Eu crescia. Eu me sentia importante. Desafiava. Tinha consciência, enfim, do meu eu. Me definia: eu sou a menina rebelde, a que lê romances na aula de Geografia, a que discute na aula de Apologética, a que faz pergunta na hora errada. A que não aceita. *Non serviam*. Um diabo de treze anos. Me sentia diabolicamente linda e poderosa.

Uma tarde de inverno, no passeio agora já habitual debaixo das arcadas do pátio, Irmã Ivana parou, me olhou muito fixamente e me disse:

— Eu sei o que é. Você tem um homem.

Eu, pobrezinha, que nem o moço da farmácia que era, ele sim, alto e louro, e lindo e de olhos verdes, nem ele eu conseguia namorar — de tão tímida.

— É isso. Você é inteligente demais. Instruída demais. Quem está enchendo a sua cabeça de ideias?

Eu não disse nada. Fiquei muito assustada. Mas pela primeira vez encarei a freira, que continuava me olhando com toda aquela jiboice.

— Não negue. Você tem um homem.

Não neguei. Sorri com triunfo. Com desprezo. Um sorriso superior — eu com meu metro e meio, perto do metro e oitenta dela.

E pensei: pronto, agora vou ser expulsa do colégio.

Não fui. Porque no dia seguinte vieram avisar no colégio que era para eu ir imediatamente para casa. Irmã Ivana escancarou a porta bruscamente, interrompendo a aula de História do Brasil. Fez um sinal para eu sair.

Notei que havia algo diferente. No jeito como ela me olhava — como se houvesse de repente algo de úmido, no seu olhar. No meio do pátio ela parou. Pela primeira vez ficou vermelha, parecia embaraçada. Depois disse, sem me olhar:

— Tenho de te dizer uma coisa. Sua mãe morreu.

...e então, a enorme pedra que rolou veio rolando me esmagando, e um aperto na garganta, no coração, uma dor de cabeça violenta que me atingia — mas aquilo não era verdade, não podia ser, o que era aquilo? e então, no momento em que as coisas se confundiam, senti que Irmã Ivana me erguia contra ela, meu metro e meio, meu uniforme de pregas, e ela que me erguia, ela no seu metro e oitenta, o véu preto, o cheiro de lã mofada, o cheiro de suor azedo, me apertava colada contra ela, inteira, eu a sentia, seu corpo tábua contra meus adolescentes seios, seu sexo inteiro pregado no meu — a surpresa, antes do meu desmaio, uma lembrança que me ficou, choque, uma revelação: um homem devia abraçar assim uma mulher, sim, um homem. A boca quente no meu ouvido murmurava num soco, num sussurro feroz, coisas que eu não distinguia bem, embrulhadas num hálito que recendia a alho.

Naquele momento, fiquei sabendo.

* * *

Afinal, acho que esta é uma história de cheiros. Se um dia eu escrever essa história, vou chamar de *Odor de santidade*.

A CHAVE NA FECHADURA

Erotismo? O que você quer dizer com isso? O amontoado carnal de seios-nádegas-coxas exibidos nas bancas? Eros? O deusinho grego desocupado? Eros. Volúpias/volutas devem ser coisas muito redondas, talvez círculos de fumaça se dissolvendo no ar. Ou rendas francesas, freiras violadas, clichês de adolescente versus mulher madura, coristas nuas de meias pretas, essas coisas?

Ou gays de vestes de couro e nádegas nuas se flagelando em antros... ou... o quê?

Eu só te direi: tropeço. Engasgo. Uma tristeza, parece.

Mas de todo jeito, posso distender os membros, meus braços em arco, meu corpo aqui, todo inteiro, os sons meândricos do jazz se alongando (volúpias/volutas) e te entregar, no varejo, alguns dados, escasso roteiro:

Como é meu erotismo?

Digamos que das zonas erógenas, parece que reconhecidas pelo menos três na mulher — assim nos delimitam os tecnocratas da sensibilidade, os que nos dizem de cá para lá, dali ate aqui, botõezinhos de carne para apertar na hora certa... Das zonas ditas erógenas, a que prefiro é a zona *de leve*. É essa mão que acaricia

— pele tão viva e nas pontas, e úmida e esperando, reconheço-me —, mão de leve, asa de borboleta, mão peluda, embora de homem roçando-me, e de repente! ah! um apertão, uma chamada violenta, assim sou eu pré-gozando a posse na mão que desliza macia e pode se tornar (quase) senhora de mim, mão que se fecha, que me tem, que me agarra, e neste agarramento eu me sentindo mais eu. É *você* — diz a mão que possui minha carne. E o corpo que a possui, num momento posterior: eis-nos, nós dois com existências indiscutíveis. O estar-na-cama pode ser o estar-no-mundo.

A cama também é uma dimensão do disparate existencial. Do desacordo de duas solidões. Não, não divago. Isto tudo é questionamento, afinal.

Mas você, concreto e eficiente, se impacientando aí do outro lado, quer que eu lhe conte uma história erótica. Você se ajeitando todo no sofá, menino atento debruçado, *voyeur* literário.

Que seja. Te contarei uma história que também me contaram. Dessas histórias que todos contam. Uma banal história de encontro/desencontro. De era uma vez um casamento que durava dez anos. E de duas pessoas que ficaram casadas, se desentendendo, se desencontrando. E que tiveram um belo momento de reencontro. De prazer. De união. Enfim. Isso, dez anos depois do casamento. E uma semana antes da separação.

Serve?

No namoro, bem, um namoro. Se experimentaram um pouco pelos cantos e sombras, como todo mundo. Ou como todo mundo daquele tempo. Num fim de semana em que a família viajara, se afofaram numa cama de casal. Mas a medo. Como dois meninos que ainda brincam, e que brincam tardiamente, ocupados que haviam estado até então em fazer todas as lições escolares. Inexperientes. Ansiosos. Tímidos. E com carradas de culpa, é claro. Fazia muito calor e tinham ido à praia. Ela sentia um pouco de dor de cabeça, parecia um princípio de internação. Ele disse "vem, vou te preparar um banho gostoso". E na banheira começou a passar a esponja, com unção, parecia, na pele queimada de sol. Com tanto carinho. Com tanto desejo. Ela pensava: "Vou me casar com ele. Vou ser tão feliz". Depois, voltaram para a cama. Doeu. Era a primeira vez, e ela disse, rindo: "Gostava mais quando você só brincava comigo" — na fofura da tarde eram jovens e felizes.

Casaram. Ele queria chegar logo em casa, vindo do trabalho. Seu passo largo no corredor. Ela esperava. O sinal — a chave na fechadura. O corpo dele, o querer dele que era também o seu, a força dele, seu ímpeto, ela se sentia muito feliz.

Nisto que acabei de te dizer, que ela se sentia feliz, quase parei. Nos meus tropeços, compreende? — é como aquele retrato do álbum que a gente sente que não deve ser mexido. Dói. Porque o que te estou contando é uma história de amor, te disse. E a história de como dois seres jovens e belos que se amam, depois de anos de casamento... É uma história inconfortável, sabemos, para todos nós.

Sim, eram felizes. Embora houvesse da parte dela uma pontinha de decepção. Por quê? Ora, meu muito jovem amigo, quase toda mulher se decepciona com o marido ansioso e inexperiente, essa você já ouviu por certo, não? Ele vinha, queria tomá-la sem mais, assim como um brinquedo novo recém-descoberto, meio depressa — aquele carinho, aquela unção da esponja que passava no corpo dela, antes... não, nada mais disso. Ela se deixava tomar, mas pensava "não sinto nada". Esse pensamento era uma pedra que caía na sua solidão, um muro enorme de pedra que crescia entre os dois. Ela tentava explicar, era difícil, mas tentava: "Sinto que está faltando alguma coisa entre nós, agora". Ele tirava o cachimbo da boca (isso até foi mais tarde, numa noite fria, estavam com uns dois anos de casados) e respondeu seco e defensivo:

— Não sei do que você quer falar. Eu me sinto perfeitamente feliz no casamento. Se você não está feliz, pode se separar.

Mas no início, numa noite, já todo dentro dela e próximo do gozo, ele se controlou. Se retirou. Com um "ah!" de impaciência lembrou-se, parecia, e voltou a acariciá-la, tecnocrata da sensibilidade, aperta aqui, acende a luzinha ali ou não acende... Entendeu?

Talvez tenha sido aquele simples "ah!" que destruiu o casamento deles. Porque o que ela pensava, "então as carícias de antes, o envolvimento de antes, nada era mais do que...".

Uma onda se fechou sobre a moça, naquele dia — ela sentiu. Para sempre. Ou quase. Não te disse que esta é a história do desencontro de duas pessoas que se amavam, e que se reencontraram em um breve minuto, dez anos depois do casamento, alguns dias de se separarem para sempre?

Se não se falavam? Se não diziam um ao outro seus descontentamentos, preferências, essas coisas?

Não. E entra aí "a gênese e a anatomia do silêncio conjugal". Gostou? O silêncio, meu amigo, não é só não falar. O silêncio é mau. É casca de ferida que se adensa, as pessoas vão se fechando dentro dela. Tudo o que machuca vai ficando sem remexer. Pode ser até que as palavras venham, numa tentativa. Mas o pior é o esforço de falar. E sentir a impotência de dizer. Ou o falar indireto. Ou desajeitado, se estripando nas pontas. Farripas de um entendimento que se desmancha totalmente, que cada vez fica pior. É aquele não querer magoar o outro. O entrincheiramento na defesa.

Olhe, já que você está tão de boca aguada por literatura dita erótica, vou te dizer: ele levava para casa, quem sabe num esforço tão desajeitado de dizer algo, montes de revistas eróticas. Aí está. A máscara do silêncio. O disfarce do medo. Porque é só a pele da gente que pode aprender, esta é a verdade. Então a leitura, a figura, o papel, a revista, pretextos para o distanciamento. O que pode uma mulher jovem pensar ao ver sua cama abarrotada de corpos nus recém-chegados do açougue, perfeitos sem dúvida, um abarrotamento de carnes de todos os feitios? Isso melhora as coisas, acha?

Ou comprava livros. Sabe, o tipo de manuais da vida, com suas preleções abobalhadas sobre a chamada enfaticamente "sexualidade feminina", do tipo da que fazem os barbudos doutores de hoje que descrevem com psicologias do século XIX as minúcias de como somos e o que sentimos, o que não sentimos, e nessa definição o nosso encerramento, nessa "sexualidade" ideal nós novamente aprisionadas no serralho do racionalismo masculino. Isso. Mas você, jovem amigo, aí todo na pontinha do sofá e de si mesmo, me ouvindo, eu creio na tua sinceridade, e é por isso que estou te falando. E diga, livro algum já ajudou alguém a *saber* o outro? O pessoa-versus-pessoa, a transmissão pela carne, o ser dois em um só? Se aprende, não é. Se aprende. Não tem dissertação de mestrado, tese de doutorado que resolva.

Nesta história que te conto, olhe, ele gostava muito dela. Chamava-a por apelidos carinhosos. Mas sempre em outros momentos. Nunca na chamada hora de fazer o amor. Neste, era seco, rígido, ansioso. Menino que tem um dever de casa para fazer. Acrobata obrigatório do sexo. E ela, o pasto, o campo experimental, o teorema comprovado.

Enquanto isso o Casamento, essa coisa com maiúscula, ia ficando perfeito. Compramos móveis, cortinas. Eletrodomésticos. Televisão. Trocamos depois por uma a cores, é claro. Um fusquinha. Depois, um Opala. E tivemos, naturalmente, filhos. Três, lindos, saudáveis, inteligentes, como manda o figurino. O que mais queríamos? No sábado à noite íamos com outros casais ao cinema, ao teatro, às boates. Cartões de crédito. Almoços em família. Essas coisas todas, representação completa.

Eu sei. A pergunta que está fazendo. O que aconteceu para esse casamento, desmanchado, se desmanchar de vez. A *crise*, é o que falam. Nada de tão dramático. Algo que corroía, constante, água minando, um dia o transbordamento. A mulher que chorava quando via um casal se beijando no cinema. A mulher que silenciosa fazia amor com o companheiro, que gozava com ele e... Como? Você pensou que não? Mas que tolinho. Sim, é claro. E daí? E o que tem isto que ver? Nada de rígido, matemático, por favor, chega desses tipos que perguntam ansiosos *gozou, gozou?* Não somos máquinas, o que queremos nós todos, homens, mulheres, é participação, o *estar ali,* juntos, no ato físico. Ele também era infeliz, é claro. A infelicidade palpável, entre nossos dois corpos. Mas no fim de alguns anos não dizíamos mais nada. Estremecíamos em nossos pequeninos e separados gozos físicos. E depois, o clássico. Ele virava para o lado e dormia. Não por insensibilidade, como se pensa. Mas porque tinha de trabalhar no dia seguinte. Eu era mais ociosa, tinha empregadas, ficava de olhos fixos no teto só pensando.

Mas sempre, te digo, até o fim, esperava ansiosa os passos largos dele no corredor, a chave que rangia na fechadura, o nome murmurado: "Leda?"... E até hoje, tantos anos depois da separação, fico insone olhando o teto, não quero crer que nunca mais ouvirei os passos dele no corredor.

Quem fixa o teto, à noite, na penumbra de um quarto, olha bem nos olhos do desespero. E vai criando garras interiores. Isto, eu disse garras. Alguém que se abriu, numa expectativa, e que depois teve de recolher-se pelas pontas, uivando de frustração. Aquilo que se abriu, que estava prestes a se derramar, no refluxo, nos envenena.

Mas agora, meu amigo, por que remexer feridas? Porque além das aparências, dos marcos exteriores da minha vida, estou *eu.* As aparências — conhecem-me os que sofreram seus atributos, agressividade às vezes, doçura em outras. Mas o que eu sou, sou isso que te disse antes: pré-gozo da mão que se fecha sobre minha pele, o deixar-me ser para aqueles, são tão poucos, que conseguem dizer meu nome na hora da união. Te entreguei um segredo, eis.

Enfim... eu te disse que, nessa história do casamento de dez anos, houve um momento de reencontro. Sim. Foi quando já estávamos transformados em abutres um do outro, nos devorando, gritando, atirando os destroços de nossas expectativas um no outro, aquela tensão de ódio montando. Eu andava na rua de cabeça baixa, amargurada, infeliz. Uma tarde senti-me mal no cabeleireiro, senti uma vertigem de pressão baixa. Ele foi chamado, pobre companheiro, veio correndo, pobre amor.

Levou-me ao pronto-socorro. Fui medicada, voltei para casa, deitei-me, permanecemos mudos e tão infelizes ali, juntos. Sofríamos. E o sofrimento era uma presença que nos unia (e talvez a lembrança daquela outra tarde, de calor, quando eu mergulhava na banheira de água tépida e ele me passava a esponja no corpo...).

Naquela aproximação, ele se curvou sobre mim, beijou-me, pela primeira vez em tanto tempo. E no nosso sofrimento fizemos amor. Nos abrindo em sentimento. Em emoção. Pude sentir-me amada novamente, então quis tê-lo bem dentro de mim, quis abrigá-lo inteiro em doçura. Velhos companheiros de luta que depõem as armas, que se sentem solidários, que se unem — enfim.

Como terminou? Terminou aí. Isso, o que eu disse: terminou ali, exatamente. Quando ele saiu para o escritório, afundei-me na cama, feliz como aquela mocinha de dez anos antes que dizia "vou casar com ele, vou ser tão feliz".

Quando ele voltou, tinha recuperado a armadura. Todo inteiro na sua rigidez, aquele que não se deixava vencer por mulher alguma. Arrependido da efusão de antes, do deixar-se ir.

Dois dias mais tarde, à noitinha, telefonei para o escritório:

— Vem, ousei dizer. Por que você não vem logo para casa?

— O que você quer dizer? Não vê que estou ocupado?

— Eu queria saber se você não pode vir mais cedo. Estou te esperando. Eu quero, você sabe.

— O que significa isso? O que você quer dizer com isso?

Assim: forte, um grito, o vozeirão do macho que não se rende. A voz dele — uma facada. Descendo sobre mim. Sobre nossos filhos. Sobre nosso casamento. Inexorável.

Uma semana depois nos separamos.

Mas espere... Tem um detalhe que esqueci de contar. Depois daquele ato de amor que tínhamos enfim conseguido, ao afastar-se de mim, ele disse: "Leda, você é uma mulher sexualmente madura".

A voz parecia ressentida.

Não entende? Mas quem entende? Se te digo isto, se te conto este pedaço de minha vivência particular, é só para que se comece a pensar no homem, na mulher, em nós todos, pobres meninos desamparados, depois de mundos e civilizações — e ainda tão pobres, tão precários, tão atados em nossos balbuciamentos.

Depois disso? Bem, muitas coisas, casinhos, amores até, essas coisas. Fui vivendo. Mas até hoje, te confesso, quando me deito fico de ouvido atento, parece que ainda ouço os passos dele no corredor. Parece que a chave a qualquer momento vai girar na fechadura novamente. Sabe que durmo com a luz acesa? Para afugentar fantasmas — ou convocá-los, talvez?

Bem, desculpe, meu amigo, esta história tão pouco erótica, vou compreender se não quiser publicá-la na sua revista. Agora, aquilo que as pessoas querem, o amontoado de carne fresca aos quilos, seios-coxas-nádegas, duzentas e cinquenta posições de amor, estereótipos adolescente/mulher madura, coristas nuas de meias pretas... Isso, não sei.

SÍLVIA

A PRIMEIRA COISA QUE ME ATINGIU FOI o cheiro de mato doce, mato de manhã, lavanda de loja de perfumes naturais, cheiro de suavidade maliciosa, pensei. E que me excitou logo.

Olhei-a: verde. Sim, o vestido só podia ser verde, pensei, e a pele aquela cor de maçã amadurecendo. Ou cor de casca de romã. A minissaia verde de babado e as pernas tensas se oferecendo. E aquele jeito esquivo de olhar, como quem zomba. Um jeito que me atingia de cheio, junto com o perfume de manhã no mato e com o meneio das cadeiras, do tronco leve e flexível. *Oi* — ela me disse. E de repente, no saguão onde trezentas pessoas se comprimiam tentando alcançar o bufê, só ela existia, me chamando.

Fiquei como um bobo, como menino de dez anos, olhando para ela, com um repuxão forte no sexo.

— Oi, respondi. Eu me chamo João Henrique. E você?

— Sílvia.

Alguém a empurrou e o seu braço de penugem leve castanho--dourada tocou no meu e eu já era, desde aquele momento, uno e tenso num desejo que subia em mim com garras. Esqueci o que estava fazendo ali, só existia ela, Sílvia, o tronco verde flexível, a cor de fruta que amadurece, o cheiro de folhas pisadas. E minhas mãos, senti — agarrando forte o copo de uísque —, se ficassem livres teriam fúrias que só se apagariam quando conseguisse cravá-las no flexível tronco nu, por baixo da pelagem daquele vestido verde.

— Vamos sair daqui?

Ela concordou.

— Que tal um lugar mais sossegado?

Evidente que era um clichê. Me senti totalmente ridículo. Ela era uma deusa, eu sabia, e que linguagem empregar com deusas?, ela, Sílvia, com seu cheiro de folhas/flores amassadas, ela toda seiva e convite e eu, um publicitário engravatado, de trinta e dois anos, casado e com dois filhos. Esperei que a deusa risse com desprezo do meu clichê. Mas ela estava parada como se não tivesse ouvido nada. Ou como se ouvisse outras coisas. Outras vozes. E algo de tão arisco havia no seu jeito de menina-flor, que eu, no meu desejo, temia vê-la desaparecer, ela, Sílvia, a visão verde-úmida, verde-musgo, verde-selva.

— Tem de ser num lugar muito alto. E muito quieto.

— Sim, disse eu perdido, sem poder desgrudar dos olhos oblíquos zombadores, também eles, parecia, de uma tonalidade verde cambiante, acastanhados, dourados, que era como uma cor pela primeira vez reparada, cor-revelação — como no mato, a gente olha e vê todos os tons de todos os verdes, de todos os verdes diferentemente verdes.

Perdido, pensei. Porque já sabia que aquela frase era a primeira de uma série de ordens, instruções para decifrar o enigma Sílvia e que o primeiro signo, *alto e quieto*, seria seguido de outros e que eu cego me lançando... Uma coisa assim de ameaça. De risco. De medo.

Tomei-lhe o braço e atravessei a rua, lembrando do bar-terraço no trigésimo andar. Era como uma história antiga: a princesa e suas tarefas.

Ofereci-lhe a mesa mais próxima do parapeito, num gesto de quem era dono da cidade. Aos teus pés, diva — enquanto ela pedia um coquetel de frutas. E eu, meu quarto uísque da noite. No primeiro gole pensei *é o efeito da bebida*. Porque agora eu sentia com uma viveza que me deixava louco o cheiro das frutas do seu coquetel, mas o cheiro de cada fruta em separado, ananás, banana, laranja, manga, sapoti, papaia, jambo... Jambo? Não havia jambo em São Paulo, o pensamento me ocorria, me recorria, como num sonho, como uma dessas frases-advertência dos sonhos, mas eu — e comecei a rir — eu sentia o cheiro de cada fruta, o cheiro do jambo também, e do caju, e da pitanga, e do pequi, e da mangaba, e do açaí, os diversos cheiros esmagados, como o das folhas do seu perfume de loja de produtos naturais, tudo se somando, e me obcecando — e tudo o que eu sabia, tudo o que eu conseguia saber naquele momento era que queria apagar minha febre minha fome minha sede contra aquele tronco nu e flexível de pelagem verde, apagar-me, possuindo-o.

Afastei o uísque, desconfiado. Enquanto ela, tranquila, tão fria e distante da minha febre, com gestos de menina eterna sugava o coquetel de frutas, com um canudinho plástico. O tempo regulamentar — pensei, medindo a duração dos momentos rituais de uma aproximação bem educada, civilizada, bem ritmada, tentando uma conversa na qual eu deveria mostrar-me despreocupado, alegre, engraçado, bom companheiro, amigo, etc. — todas essas coisas que eu não era nem queria ser, dela. Ou de mulher alguma, na verdade. Para depois, só depois, chegar à única coisa que me interessava, a aproximação física, a mão primeiro, o braço depois, aquele infalível *por que você não chega mais perto?* O beijo. O convite. A cama, enfim. Se tivesse sorte.

Foi naquele momento que percebi o que havia de diferente naquela tensão de espera, naquela particular noite, naquela particular mulher — eu só conseguia imaginar-me possuindo Sílvia numa fúria violenta, de pé contra ela, num esmagamento, só assim, numa fusão... E senti medo. Medo, eu, publicitário, engravatado, trinta e dois anos, casado e com dois filhos. Como se ela, aquela doce moça de fragrâncias naturais e vestido verde, a moça de pele de casca de romã, a moça que sorvia um coquetel de frutas com um canudinho, fosse me devorar. Como se no momento daquela posse eu pudesse me ver desaparecendo dentro do seu corpo e...

Não devia ter bebido tanto, pensei, aborrecido.

— João Henrique.

Ela disse meu nome de leve e o som era uma pontuação no silêncio. Porque evidentemente naquele momento, naquela noite, eu não estava conseguindo cumprir a etapa "conversa" do ritual de aproximação. Ela percorria a minha insegurança. A minha angústia. Uma angústia que me excitava ainda mais, como se tudo me fosse novo e desconhecido. Reparei também que o final da tarde estava tranquilo demais, que se podia ver uma estrela no céu transparente, uma estrelinha precoce piscando — o que era impossível numa cidade como São Paulo, pensei. Como há pouco pensara que era impossível reconhecer o cheiro do jambo no seu coquetel. E o silêncio. Um silêncio demasiado, impossível ele também, naquela hora do ruche, mesmo lá em cima no trigésimo andar. Ao menos as buzinas... Ao menos as buzinas.

Mas a princesa, quando nos levantamos da mesa e maquinalmente nos olhamos num *e agora?*, a princesa já me dava a segunda ordem:

— Tem que ser muito escuro. E muito longe.

...e era um desafio, uma vez mais pensei, me sentindo como um garoto que tinha de enfrentar dragões e piratas, e esse desafio era um estímulo, porque agora eu tinha a confirmação: havia algo, sim, naquela mulher-menina infinitamente antiga, alguma coisa que não poderia de forma alguma combinar com motéis e lençóis.

(...mas quando descíamos no elevador havia uma parte de mim que queria dizer isso mesmo, "um bom motel e lençóis". Uma parte tola, banal, comodista, de mim. Banal como a minha gravata, o meu terno de tropical. A minha profissão — suspirei).

...e a outra parte minha, a que vinha de longe e me espiava de um canto, sentia de uma forma muito aguda a estranheza clara de todos nossos ritmados movimentos. Naquela noite.

A bebida, a bebida, eu repetia num pasmo, talvez tenham misturado alguma coisa, e enquanto isso abria a porta do Jaguar, para Sílvia subir. Enquanto nos afastávamos da cidade numa corrida tão louca quanto permitia a frustração sistemática dos sinais de trânsito, nem eu nem ela falávamos. Eu só sentia a pulsão do sexo sob o tropical, cada vez eu mais obcecado pelo flexível junco-tronco-flor ao meu lado, sabendo que na hora da posse minhas unhas iam dilacerar sua pele de romã. Essa pulsão, essa fúria, era comum aos dois. Eu sentia isso no seu silêncio. Estranhamente não houvera entre nós a banalidade do beijo, do abraço desajeitado, da mão sob o vestido, nada. Era uma corrida só e frenética, para um objetivo final.

Quando chegamos à mata da Cantareira a noite já chegara também, devagarinho, com volúpia e delícia demorada de noite de verão, uma cumplicidade a sua escuridão que espantava para muito longe um último raio encarnado do poente.

— Aqui, me disse a princesa.

Eu freei o esbravejante Jaguar, estacando-o.

Quando desceu, a saia verde de babados rodopiou. E com os cabelos agora desatados ela correu para uma pequena elevação de terra e ficou assim um momento e havia um vento leve e o seu rosto de olhos fechados ainda era visível naquele último clarão dourado, ela toda verde castanha dourada, ela e seu cheiro de mato aguçado e dominante e que me deixava louco e eu aos tropeços corri para segurá-la mas ela mais ágil se esquivou, agora com um riso de mofa. E tirando as sandálias começou a correr descalça e depois sentiu as meias como se estivessem incomodando a sua corrida e naquele breve momento em que levantou a saia para tirar rápida a meia-calça eu a alcancei e...

Mas não a alcancei porque ela já fugia rindo, rindo, os cabelos soltos muito longos e loucos e ela, louca, que se perdia entre os troncos, afastava os galhos soltos, livrava-se dos espinhos, corria, corria e eu atrás, eu ainda de gravata e terno, e nascia uma fúria em mim contra minha roupa, meu impedimento, eu sentia, eu queria arrancar tudo e comecei pelo mocassim de cromo alemão que chutei para longe embora ainda registrasse que era de cromo alemão, como se naquele momento último houvesse ainda um resto, um resto só de valor monetário em mim, mas o desejo da liberdade, de Sílvia, prevalecia, e arranquei a gravata, o paletó, a camisa, e ofegante corria, me perdia confuso mas ela estava no seu elemento e eu, eu me embaraçava nos galhos, tropeçava nas pedras, os espinhos me rasgavam, eu ridículo, eu só, eu homem da cidade, e a raiva me cobria de suor e essa raiva aumentava o desejo, eu palpitava com a noite com as árvores com ela, Sílvia, eu a agarrava enfim, eu lhe rasgava o vestido verde eu lhe enfiava as unhas na carne clara eu a encostava contra a aspereza de um tronco, eu desabotoava a braguilha e lhe arrancava a tanga cor de carne, violáceo meu membro estremecia no contato frio do orvalho da noite do ventre dela e meus braços desesperados a cercavam, enfurecido eu queria quebrá-la devorá-la esmagá-la para me apaziguar contra ela e agora o prazer da penetração na fenda musgosa já era dor eu sentia o pênis arder de encontro à fria imobilidade dela e minhas mãos fechavam o vazio porque ela, Sílvia, ela já não estava mais, já não era, a minha quase-posse, ou teria sido realmente posse?, a desfizera, e eu soluçando me esfregava, menino, no tronco áspero da romãzeira, na fibra gosmenta da bananeira, eu garoto, pequeno, impotente, devorado pela jaqueira enorme do quintal, o pênis esfolado e agora frouxo pendendo no alívio temporário e humilhante, enquanto ao longe a voz de minha mãe me chamava, pelo pasto: "João... João Henrique. Joãozinho!... Onde você está, menino? Passa já pra dentro que está serenando".

NUIT D'AMOUR
(OU "NOITE DE AMOR")

ÀS 16 HORAS E 42 MINUTOS RESOLVEU que naquela noite sairia com um homem. As possibilidades eram duas: João ou Nelson. João, o da voz quente e arredondada, mais difícil, casadíssimo. Ela dependia de um telefonema seu. Nelson, o da barba alourada tirando a branco, divorciado e sozinho, mais fácil. Ainda dava tempo de alcançá-lo no escritório. Ligou. Ele respondeu. Alô. Alô. Como vai. Como vai. Tudo bem? Tudo bem. Sim, é claro. Ah, não!... tinha que ser naquela noite? Ele tinha um compromisso. Para amanhã, então. Tudo bem? Tudo bem. Não, não fazia diferença.

Dez minutos mais tarde o telefone tocou. Tinha se enganado. Que dia era, quarta-feira? O seu compromisso era para a quinta. Tudo bem? Tudo bem. Ela passaria lá, para tomarem uns drinques. Então tá. Nove horas? Nove horas. Tudo bem? Tudo bem.

Às oito e meia bateu a porta do apartamento. Depois lembrou da garrafa de uísque. Melhor levar. Abriu a porta de novo. Embrulhou a garrafa. Tirou o carro da garagem. Deu a volta no quarteirão. Tomou a avenida. Dobrou à esquerda. Desviou de um táxi. Esperou dois sinais. Levou uma buzinada. Reparou na iluminação de Natal. São Paulo era uma cidade meio escura, sempre. Se virasse na Alameda Casa Branca seria melhor. Será que tinha lugar? Devia ter. Noite quente, o suor escorrendo. Chope gelado. Muita gente na rua.

Não tinha lugar. Deu a volta. Na Pamplona. Tudo bem. Nove e dez. Levo o uísque? Não levo o uísque. Vai ter uísque. Não vai ter. Pode se ofender. Bobagem, ninguém liga para isso, hoje. Deixo no carro. Pergunto. Depois venho buscar. Preguiça. Dou a chave, ele vem buscar. Tudo bem.

A única vez em que tinha ido ao apartamento dele tinha sido há muito tempo e ela estava achando que ia dar certo. Ele abrira a porta e ela vira a moça. Sentada. Ele estava fazendo o retrato da moça. Daí, não tinha acontecido nada. Ela tinha ficado sentada vendo ele pintar o retrato da moça.

Tocou. Ele abriu. Viu o cavalete nu, jogado num canto. As paredes nuas.

— Quedê as pinturas?

— Desisti.

Um ar de tudo acabado. Os pincéis bem arrumados (e mortos) numa jarra. Pelo menos estava limpo. Limpo demais. Esquelético. Um apartamento esquelético. Ele parado. Bom te ver — disse. Bom te ver — respondeu. Ele tinha um ar escasso e limpo. Ainda bem. A barba, bem cuidada. Uns olhos azuis tímidos sem brilho nem repelência nem azougues nem querências. Só olhos.

— Por que desistiu? Que história é essa?

— Eu vi que estava numa fase entusiasmada demais. Acho que não vale a pena. Quero ser sensato. Não quero sofrer.

Ela nem tinha sentado ainda. Nem sentou.

Viu que não dava. Nem para buscar o uísque no carro. Vou embora já. Não vou — coisa sem educação. Coitado. Melhor sair.

— Vamos dar uma volta?

— Tudo bem.

Foram. Tinha um bar com mesinhas ao raro ar livre da rara noite paulista de verão sem chuva. Havia pessoas brincando de Paris-Rio-Madri. Havia chope. Pediu uísque. Se ficasse um pouco tontinha era melhor, mas agora também tanto fazia. Ele tem uma cara de nada. Há pessoas assim, com cara de nada. Pô. O que eu estou fazendo aqui? Também com quem, me diz? São Paulo tem onze milhões doze milhões catorze milhões cidade deserta povo feio repelente cafajeste multidão no viaduto no sol do meio-dia nem quero sair de noite, o escuro, a violência toda hora ai.

Eu não aguento mais ficar em casa. Se ficar em casa uma noite mais sozinha vendo televisão eu morro. Melhor ficar em casa. Leio um livro. Thomas Mann. Me dá mais excitação. Que pena, o João, o da voz quente. Eu queria mais, o João. Quem sabe ele telefona amanhã. Não, amanhã não. Tenho de ir ao Mappin porra para comprar um aspirador de pó para minha mãe. Que ideia comprar um presente que só tem no Mappin por esse preço. Depois de amanhã. Pode ser. O Mappin na antevéspera de Natal, quem aguenta?

Olhou. Ele tem um olhar, às vezes. Por trás dos olhos azuis. Um olhar bonitinho de bicho pedindo.

— Há quanto tempo a gente se conhece?
— Uns três anos.

Mais um uísque. Nacional. Tomara que não dê dor de cabeça. Também, estrangeiro não dá mais.

— Olha, vou indo (como todas as outras vezes).
— Onde você deixou o carro?
— Na Pamplona. Vamos indo.

Levantaram. Ele passou o braço pelo ombro dela. Ela sorriu.

— Não vá ainda.
— Estou com sono.
— Pô, a gente se conhece há três anos.

Então tudo bem. Voltaram para o apartamento. Não adianta. Vou voltar. Vou sair. Não tem jeito de acontecer com este cara sentado no chão olhando o olho da barata e eu disse para ele uma vez você é um cara sentado no chão olhando o olho da barata, olhando uma parede vazia. Como alguém pode ser tão despojado? Tão morto. Tão não-querendo. Mas eu também. O que eu estou fazendo aqui-i-i.

Tanto fazia. Isso. Tanto faz, tanto fazia. Por que não? Já estava ali. Como ir ao supermercado ou tomar sorvete ou ir à manicure ou ao analista — o que havia com ela? Precisava voltar para a análise — que nem colégio interno, era? E dizer: o que há comigo, estou tão sem emoção.

— Estou meio brocha, disse, quando ele desabotoou o primeiro botão do seu vestido.

— Eu também.

Ele riu, ela também, a situação se disfarçava de normalidade.

— Isso é natural, disse ele, a gente se conhece há três anos e só agora é que.

Tá bom. Afinal ele beijava bem. Todo asséptico. Todo ele, o apartamento esquelético. Sem cheiro sem sabor sem gosto nenhum, nem bom nem mau. Tá. Quem sabe podia ser uma coisa gostosinha. E na primeira vez sempre é meio sem graça.

— Que horror este colchão. Parece uma tábua de tão duro.

Amor tinha que ser fofo e quente, ela pensou. Não tão colégio interno. Tá bom. Agora não dá para desistir. Quem sabe se eu deitar. Isso.

Que seios, ele disse. Claro. Que corpo. Dava vontade. Confere? Confere. Tudo conferia. Ela olhou e viu o corpo magrão e enxuto, o sexo. Conferia. Tinha uma coisa boa, aquela luz velada e azul, ela não tinha pensado nunca nisso, como era tão bom ter uma luzinha azul. A luz difusa do abajur lilás. Fazia diferença. A luz exata. A gente enxerga mas não incomoda. O abajur dela precisava de uma lâmpada maior. Será que tinha lâmpada azul maior? Devia ter. Ele abaixou o volume do radinho de cabeceira. Ah, rádio. Que nem motel. Ou a música atrapalha, não sei. Acho que não, mas melhor sem canto. Mas tudo bem.

    Não era nada mau. Agradável. Quem sabe fazia bem para a tensão da coluna. Para relaxar. E depois diziam que fazia bem, a taxa hormonal, essas coisas. Melhor ter que não ter. Ou melhor não ter que ter. Tanto dava. O corpo dele era quente. A mão acariciava. É uma coisa metafísica, quase — não estou só. Alguém toca a minha pele. Alguém tocava a sua pele. Alguém me excita. Alguém a excitava. É agradável. Ainda é agradável. Acho que não estou tão desinteressada. Afinal não tem aquele filme do Jabor, *Eu te Amo* — eles começam assim, depois... Será que só no Mappin mesmo? Amanhã eu vejo.

    Quando o orgasmo começou a chegar foi aquela surpresa — ela nem esperava, quem diria essas coisas, olha só. E tudo ficou escuro e a contração nervosa chegando, que bom. Talvez tenha valido, afinal. Vai ver que valeu e a gente deve mesmo ter uma vida sexual regular eu prometo eu prometo que vou ser uma boa menina e não fazer isso nunca mais e fazer isso sempre, sempre. Ou pelo menos uma vez por semana. Prometo. Prometo meu Jesus.

    — Foi bom?
    — Foi.

Quase agradeceu por ele não ter perguntado *gozou*?

Pronto. Um pouquinho de sono. Preguiça. Na Pamplona. Não é longe. Uma hora e quarenta e cinco, disse o locutor. Engraçado como já é tarde. É gostoso ser tarde. Se dissesse dez horas e quarenta e cinco, não tinha graça.

    — Tenho de ir.
    — Dorme aí.
    — Só sei dormir na minha cama.

Catar a roupa. Vestir. Tomava banho em casa. O esperma secou. Não vai manchar o vestido.

    — Não tem perigo?

— Não. Eu tomo pílula.
— Vamos?
— Vamos.

Ainda tinha gente no café da esquina. O trajeto era bem curto, não dava tempo para acontecer nada. Achavam.

— Esse aí é o seu carro.
— Esse aí é o meu carro.

Então ciao. A gente se vê. Eu te telefono depois do Natal. Bom Natal. Para você também. Então tá. Olhou: a garrafa de uísque no assento. Ela tinha esquecido. Deu a partida. Mãozinha abanando. A temperatura melhorou. Sempre melhora de noite. A vantagem de São Paulo. Deu a volta no quarteirão. Dobrou à esquerda. Tomou a avenida. Não parou no sinal. Nem no outro. Melhor correr um pouco. A esta hora nunca se sabe. Tudo bem. Tudo bem — podia ser uma palavra só, *tudobem*. Tomara que eu não acorde com dor de cabeça. Afinal, amanhã cedo eu tenho de ir ao Mappin.

E um dia, nós todos temos de morrer.

JULIANA FRANK

Ficcionista e roteirista. Publicou em 2011, pela 7Letras (RJ), o romance *Quenga de plástico*. Iniciou sua profissão de roteirista em emissoras como TV Cultura, GNT, MTV e GLOBOSAT. Atualmente, escreve o roteiro do longa-metragem *Pornopopéia*, baseado no romance de Reinaldo Moraes. É paulistana.

*

"A viúva de quatro" foi publicado em outubro de 2011 na "Ilustríssima", da *Folha de S. Paulo*.

A VIÚVA DE QUATRO

Estou viva! Estou viva! Essa frase cotidianamente repetida por mim é uma mensagem galhofenta aos fantasmas de meus quatro finados maridos. Eles me fitam de lá, da tediosa nuvem azul. Eram todos tão avarentos. Espero que os mortos vivam de graça!
    Sei que usam pijamas blue-escolares. Vez por outra, tocam violino. E quando, por intermédio das coincidências (ou má distribuição da renda celestial), acabam se encontrando, cumprimentam-se de forma civilizada, na comunhão silenciosa de quem sabe o quanto o outro penou. "Arlette", um nome vilanesco, brada o coro dos quatro excelsos do céu em direção ao inferno. Vai que o diabo é surdo.
    Que esses quatro, que desejam minha partida, saibam: o paraíso se abrirá para mim em vida, já que na morte terei de derrubar a porta. E só saio deste inferno por um que arda melhor. De qualquer forma, não morrerei de tédio, não apodrecerei de células revoltas, tampouco hanseníase na língua hei de ter. Eu, a Highlander de calcinha, morrerei contente, sem nenhuma cicatriz.
    Foda-se o além-túmulo e o lugarejo para onde me enviarão. O que importa é a vida vivente e meus olhos incendiários, que ainda e por muito esmagarão cromossomos ípsilon. Seguindo meu

pensamento, rebolo sem música nas calçadas de passos apressados em meio à cidade maluca. São Paulo tem muitos homens que desejam a demissão, o divórcio, a invencível solidão por uma boceta que se saiba pensante e é.

Minha profissão está diretamente ligada à minha boceta. Tentei ser quenga, relutei para seguir minha real inclinação. Sou uma vidente do passado. Tudo começou na puberdade, época em que as tardes inúteis me inspiravam a massagear o clitóris. De repente, tive o superpoder de alcançar o passado de meus vizinhos.

Aqueles vizinhos óbvios, que fofocavam, nem podiam imaginar onde eu guardava seus segredos. Na xana cassandríca! Na visioboceta! Paro diante dela, faço movimentos confusos para que a dita não delire, orgástica que é, e enfim recebo revelações vivenciadas em pretéritos imperfeitos. Todo passado é infausto.

A visioboceta, no correr dos anos, passou por violentas tribulações com meus ex-maridos, completamente invaginados por mim. Isso a deixou mais afiada. Quem sofre sabe alguma coisa, e não é diferente com os órgãos reprodutores de visiones. Em menos de três segundos ela consegue ver o seu passado, a sua mãe de banhas multiplicadas. A vista que seu pai viu, o princípio que te pariu a filhosofar-te.

Uma pena, minha visioboceta não pôde ver a morte de meus três maridos, nem eu, ocupada que estava em transar com o coveiro em meio ao fogo-fátuo. Nicolau, meu quarto varão enterrado. Imprescindível em minha biografia! Morreu de burrice vitae, tolo e inócuo como nasceu. Dos outros três lembro-me apenas de "Roverfal", ou "Falfal", ou "ponta firme pau mole", eis o melhor marido em matéria de herança, merece a lembrança.

Não matei nenhum deles, como sua maldade há de imaginar. Todos morreram por justa causa. Se me recordo vagamente de cada um, é devido às ações retropremonitórias que acabam por ocupar os fundamentos de minhas partes baixas. Deixo as memórias para meus clientes, sequiosos por visões proclamadas em gemidos. Sim, eles tentam tocar-me, mas a vidência é sexualmente transmissível.

"É tudo muito turvo", diz a boceta profética, "é tudo embaçado", assim ela começa, depois vai mostrando fatos episodiais. "Como quando sua mãe revelou que o seu pai era uma foto emoldurada na parede" — geme a boceta a um cliente.

"Meu filho, essa é mais uma mentira incógnita de sua mãe, que apenas comprou a foto de um militar na época da dita para preencher o vazio paternal na parede e em sua pobre vida" — dessa vez, fui eu quem disse, colhendo os furos da história; afinal, se esse pai fosse general, o cara teria uma boa aposentadoria e não reclamaria do meu preço.

Mas dou um desconto aos clientes mais assíduos, como esse que me visita todo dia e até tentou fazer um plano eterno, oferecendo matrimônio e o escambau. Nada disso me anima. Ultimamente, prefiro deixar a vida pra lá!

Outros tantos adoram que eu narre seus passados. Nem se atrevem a perguntar sobre o futuro, sabem bem que a vida é como um roteiro cinematográfico sem a eternização das imagens. No céu é proibido ejacular, meus falecidos maridos logram gozar com Arlette espetada no garfo vermelhão. Ora vão! Vão plantar dentaduras nessas bocas desocupadas! Minha campainha uiva, sempre mais um cliente urgindo relembrar. Meu bolso sorri no presente. E minha visioboceta jorra um gozo memorável.

ROMANCE DE CALÇADA

para Marina Machado

ANDO PELA CASA TAL QUAL UM bicho-de-goiaba recém-nascido. Velhinha decrépita. Tsc, tsc. Só vinte e um anos, e já decretada a esse aí. O nome dele, esqueci. Já foi a razão dos meus gritos. Agora falo assim: esse um! Às vezes sai: esse um aí. Tedium, Tedium.
  Hoje, detesto que ele me amarre. Nojo de que ele me ponha na coleira rosa, me chame de cadelinha. Não gosto mais do seu hálito de pasta dentifrícia. O que mais execro é o mau humor elefantino. Tá sempre com essa cara de quem comeu um corvo no café. Mas já que nunca recebo os atrasados para pagar as pendências do desquite, fico. De vez em quando ele vem perto. Fumo bastante e dou só beijo podre.
  Meu sonho: um caminhão de mudança. Preciso mudar é de quimeras, algo assim realizável.
  Ele: está como sempre esteve, sentado à mesa, abastecendo o bucho. Esse aí come sem pudor.
  Vou até lá, arranco o garfo de suas patas e cravo bem forte o talher em sua mão esquerda. O garfo entra fundo. É canhoto. Vai fodê-lo por maus tempos. Tenho a sensação de que o garfo afunda até depois da mesa, o sangue submerge.

Tedium de novo. Pra que um garfo? Que ideia de girino a minha! Esse aí não sente dor, nem dignidade.

Grito bem perto da orelha dele:

— Quero um macaco!

Ele ri como se pudesse, e diz com desdém:

— Você mal pode pagar a conta de gás, mulher. Como vai alimentar um macaco? Ele ficará famélico como nós. Olha no espelho, vai! Olha sua magreza, a cicatriz. E diga, quer o mesmo pro macaco?

Ele desenterra o garfo das mãos como quem dobra o guardanapo. Se orienta de novo para sua única atração: o prato. Continua comendo como se nada. O garfo tem sangue e agora a comida também. Ele mete o garfo na boca, jubiloso. Eu ainda quero um macaco. Ele ainda não quer resgatá-lo pra mim.

Fala com a boca cheia de sangue e comida:

— Esquece o macaco.

— Está com ciúme de um simples animal? Quero um galho também, pra ele trepar.

— Ciúme? Você é uma semiesfomeada! O macaco vai ficar paupérrimo como você. Deixa ele lá, posando pros turistas! Ganhando uma laranja aqui e outra ali. Macaco é bicho-palhaço.

— Posso muito bem alimentar um macaco. Cuido do filho da vizinha há três anos. Vou pagar a operação das orelhas dele quando eu receber os atrasados!

— Nunca irá receber os atrasados. E é fácil cuidar do filho da vizinha! Só amendoim, amendoim, e arame farpado. Como vai chamar seu macaco?

— "Esse", em sua homenagem. Vai lá pegar, vai? Com uma rede? Homens sempre têm essas coisas nas caixas de ferramentas.

— Impossível. Não tenho rede de resgate de macacos. Só a corda que uso para te amarrar.

Agora sou eu quem ri, e eu posso:

— Usava, nos tempos de casa limpa, sexo sujo. Bons tempos aqueles, você me batia sem dó. Era romance de calçada, querido. Estava tudo no lugar. Não deveria levar a nada.

— Você quem quis casar!

— Porque minha mãe tentou me matar! Não tinha pra onde ir!

Vou jogar a coleira pela janela. Agora mesmo, é só debruçar aqui no parapeito e... pronto, joguei.

— Não sou mais sua cadelinha, fora!

— A casa é minha! Fora você!

— Fora pra onde?

E fica tudo no plano das ideias. Ele come chuchu sonhando com macarrão. Eu chuto a parede e é pra frente que se anda, como disse um amigo meu antes de meter o balaço na boca.

Tarde da noite. Não tenho vódega, nem macaco. Vamos dormir, então. Na mesma cama hoje, assim como acordamos ontem. Não tem outra cama. Nem um colchão, nem uma maca. Eu o odeio como o mundo odeia a peste! Ele quase-ronca e se mexe de propósito, pra me irritar. Ele se mexe demais. Se revira como um peixe pra fora do aquário. Mas aí! Olha aí que miséria! Batendo punheta escondido de novo! Vamos ver até onde esse um vai, se vai chegar lá! Enfia a cabeça no travesseiro como se pudesse gozar sem que eu perceba. Mas goza. Goza e solta um gritinho de moça recatada, sem querer. Cai da cama, o gordinho! Vou rir, Deus, vou rir. Deus, se você existe, não me deixe rir desse aí! Solto uma gargalhada fatal.

Ele chora e grita baixo:

— Vou dormir no sofá!

Agora vou ter pena. Péra. Pronto, sinto uma e bem profunda. Estou enferma de piedade. Porque, sabe, né? Se ele se batesse uma punheta melhor que eu, não carecia chorar.

A manhã se aproxima, tênue e macia. Vamos ver se ele agora é outro.

De novo chorando como indigente.

— Triste é a guerra, querido. Só porque acordou desalojado mais uma vez?

Mas, ai, esse nariz não-grande nunca mais subirá pelas minhas pernas.

Ele chora:

— Não me ama mais?

— Muito menos...

Eu sei, isso doeu como um tapa na cara.

Conheci o cara na calçada. Diazinho masoquista. Ele quis falar, falei. Quis beijar, rebolei. Ele entrou fundo, e agora não quer mais sair.

Vamos ver o que ele sente agora? Está com metástase na alma de novo, porque dez da manhã, né? Porque mais um dia que insiste.

Sorrio bem levitante:

— Bom dia!

Adoro desejar bons momentos para irritar. Mas hoje acordei inspirada. Vamos ver até onde esse aí pode chorar.

Um alfinete. É isso! O pequeno objeto bem aqui. Onde ele se escondeu?

Ah, que bonzinho, está lavando a louça com submissão silenciosa. Finjo que estou mirando copos e pinico de leve o alfinete em sua bunda. Depois, enfio fundo. Deus, não me deixe rir. Deus, se você existe em sua imensa frivolidade, não me deixe rir desta pequenina frivolidade.

E para de chorar, porra! Deixa eu enfiar, vai. Você merece! Você nasceu com essa cara de quem está sempre sentindo um pequeno fedor. Deixa eu estandartear nossa miséria. Quero bater panelas. Não! Isso já fizeram aqui no apartamento ao lado.

E ele me ama, o pacóvio. Que acaralhação! Fala de boca cheia de comida e paixão: amo. Orgulho humilde deste fracasso.

Sabe que é o único. Vive lá, no tempo em que eu mentia, mas gemia de verdade. Que peste daninha! Chora de pau duro, goza de pau mole. Nem sou bonita: seios fracos. Não tenho quinhão, nunca recebo os atrasados. Desse jeito aí ninguém quer. Ele sim: ama que nem! E minha boceta de saco cheio.

Preciso continuar tratando esse um aí a choque elétrico. Já sei. Vou ligar e desligar a luz, que nem discoteca! A discoteca do horror. Porque vou rir do seu drama, que ninguém, mas o Diabo gosta! Vou rir até Deus me tirar dessa armadilha que devia ter morrido no segundo farol.

Grito bem alto pro punheteiro clandestino:

— Era conversa de escada. Rima pobre. Era romance de calçada. Acordo bom: eu abaixava a calcinha e escondia o coração. E disse, repeti muito, que não deveria levar a nada.

Dizem as bocas que eu levei tudo o que era dele, sozinha. A cama no braço, a geladeira, o frigobar vintage vermelhão, o DVD. Cara de quem acaba de levantar de um tropeço de louco contra louca.

Dizem que eu fui pela escada, deixei a porta dele aberta, deliberadamente, e a rapeizeda vizinhança entrou gritando, levou o resto. Pandemônio.

Na verdade, o que dizem é que eu dormi sorrindo num sonho imenso. Mas, não. Estou me perdendo em meus devaneios. Vamos recomeçar.

Contam a história assim: eu levei a mobília aos poucos, fui carregando com altivez, nariz de princesa etrusca empinado pro céu, mesinha de centro no braço.

Dizem muito. Se acreditam? — Ora, solta aí uma gargalhada demoníaca! — Poucos.

VOCÊ É TÃO SIMPLES
E EU GOZEI

ENLANGUESCI INSUPORTAVELMENTE, daí que tive a ideia de escrever para você essa carta respiratória.

Martin,
    Vou te contar como se você fosse meu pior inimigo. Porque você é. E a vodega que você esqueceu aqui me prende na parede como mariposa.
    Três goles depois de um tropeço e já sei exatamente o que devo te dizer. Não quero falar do sentimento, ele que foi o cavalo de troia da nossa separação.
    Eu não me lembro bem por que você foi embora. Quase não me recordo de nada além de seu sorriso de foder. Meu bem, só você sorri fodendo. Bom, depois que você foi jurando não voltar (como são feias e indignas as juras que não se traem), você não voltou. Martin, você traiu a natureza. Gosto de imaginar que morreu afogado, ébrio em uma boa poça d'água. Pois então, eu tive que preencher meu tempo abrindo as pernas e dizendo seu nome rindo,

mentindo que já não sou. É que você gozava na minha boca sem prometer o impossível. Inclusive, nunca soube seus predicados além da pica febril e a grande vontade de foder. Fodíamos até minha boceta ressecar e seu pau sangrar. E eu gozava porque você era simples. Um pau sem fabricação. Pra que começar as formulações?

Depois que publiquei um livro relatando nossas fodas como se você fosse o pau hierático e eu a vagina insofismável, virei verdade. Martin, desculpe. Mas você deve estar exausto de ouvir falar de mim. Esse meu nome ficou gravado nos orais e anais da literatura. Meu nome era indispensável, nas livrarias ele esteve em destaque. Virou fábula avessa, absoluta!

Faz doze meses que você se foi. E dez meses que eu não escrevo uma vírgula. Mas vírgulas são coisas abstratas. E escrever é fácil, é só usar poucos advérbios, muitos verbos, alguns adjetivos, amarrar tudo com a ajuda das palavras e experiências vividas ou adivinhadas. Sempre a mesma ladainha que alguns sonham deixar para a posteridade. Difícil, meu amigo, é fazer nosso invejado candelabro italiano. Como eu disse, a questão é que esse livro virou verdade. Mais ainda que o pequeno príncipe. Não sobrou espaço para bulas e bíblias. E a literatura, que serve bem para cagar e dormir, dependia de mim. Ora fui sonífero, ora laxante. Constipação anal, nunca mais na humanidade. O segundo problema, bom, é que todos queriam viver este livro na carne. E me ofereceram muito em troca do meu literobocetismo. E eu aceitei tudo. Brindei à minha grande existência mal paga, mas bem comida com uísques mais velhos que meus amantes.

Sempre expulsei cada um deles antes de pegar no sono. Porque considero dormir junto muito pornográfico. Quando eles iam embora, gostava de sofrer fingidamente para mim mesma uma saudade canhestra dos gestos hipnóticos destes homens que espantaram minhas ideias como moscas. Canônicas ideias de uma escritora mal alfabetizada.

Se te interessa saber, me mudei para um modesto apartamento que tem vista para nada. Uma vista malfadada. A minha melhor vista sempre foi você. Como foi curto o nosso amor, como é longo o esquecimento. E minha literoboceta faz questão de pulsar e falar, e falar seu nome em verso repetitivo. Cala a boca, boceta falante, grito para ela. Ela responde: é saudade do Martin e do cio dos gatos.

Meu dia a dia seguiu sem orgasmos surpreendentes. Conheci alguns escritores de cabelos empoeirados e cheiro de livro velho que não me excitaram absolutamente. Eles tentaram me salvar do literobocetismo e disseram frases impublicáveis tais como a terrível variante: você é uma escritora! Não, sou literobocetista! Você é uma escritora! Não, sou literobocetista, reluto. Oh, escritores, não se iludam comigo. Mas deixemos os escritores para lá, eles não têm culpa de seus delírios.

Antigamente, nas terras de reis, só bobo tinha humor. Agora as coisas são diferentes. Sexperts como eu dão entrevistas na televisão!

Todos me olhavam muito, como ladrões espionando joias. Mostrei os seios nos bares da moda cultural sem ser julgada. Desmaiei em pontos de ônibus e fui socorrida, não fiquei mais horas na fila do supermercado ou do ambulatório. Todos cediam assentos no avião. Andei de avião, Martin. Recebi meu primeiro cheque com fundo. Mas sofria. Chorava como se tivesse uma agulha presa na bunda. Por quê? Oras, estava atolada na vida de escritora. E você sabe que gosto é de foder pra cima e foder pra baixo, como na infância trabalhava a gangorra. Foder e refoder com você.

Jornalistas, poetas, cronistas e roteiristas, onde, Martin, onde escondem seus paus? Por que não deixam para lá as metonímias e tentam gozar? Por que não fazem como você e esquecem os gritos hiperbólicos do mundo? Por que não gozam e repetem sem pensar?

O que eles querem: palavras feias e nomes sujos, marcas de dentes neles. Nada de foder e refoder. Só você, Martin. Só você me pega pelo braço e me sacode as horas. Só você com seus olhos difíceis e esse seu pau impiedoso. Pela falta de você e pela falta do seu silêncio naquela sala vazia, eu fali meus pensamentos. Gastei minhas ideias em mesas de bar com esses seres do limbo. O meu próprio momento inspiratório era só pau na boceta e xingar muito. Agora, tenho lêndeas no pensamento. Coisa fácil de espremer. Nada rebola pra mim, nem a cidade, nem os pátios de hospício que antes me faziam adivinhar toda a narrativa a ser escrita no mundo. Foi por isso que escrevi um livro ruim. O meu segundo romance. Me recuso a mencionar o título que ulula de tão óbvio. Nenhum editor se interessou, nenhum crítico aguentou chegar na página vinte. Todos me xingam na rua e cospem no meu nome.

Martin, você deve achar que o tempo me mofou. Que estou rotunda e pesada. Pois saiba que estou cada dia mais gloriosa e que o Diabo continua desenhando minha bunda redunda com compasso enquanto eu durmo. De modo que nunca precisei fazer exercícios desses tradicionais. Mas ainda quero tirar uma ideia do limbo. Às vezes é preciso molhar a pena na privada do diabo e escrever a ferro e punho. Uma frase, duas e para sempre. Mas perdi meu belo talento, ele foi consumido no fogo. Ele foi embora com você por aquele imenso corredor. Para onde você o levou, Martin? Traga-o de volta. Eu exijo. Eu sou uma escritora e esse é o meu fim.

Adoeci. Tive uma boceta e não tive o seu pau. Tive cigarros sem isqueiros. Ninguém mais acende meu cigarro. Por isso, compro um fósforo no bar. Desço uma cachaça na outra. Vivo, agora, como alguém que precisa de detergente para viver, e sem uma ideia para escrever. Fumo perto da janela aqui neste puteiro no centro do Rio de Janeiro. Vou dando para clientes sem emoção, molhando a boceta com a saliva que custa descolar da língua. Ninguém sabe que eu sabia escrever. Ninguém imagina que perdi o entusiasmo. Só abaixo a calcinha e ligo o bocetaxímetro.

Ontem, recebi uma carta de fã. O último leitor. Ele mora em Budapeste e tem cabelos importantes, pude ver numa foto bem focada. Estou juntando dinheiro para ir visitá-lo. Assim que eu sair do aeroporto, vou entrar num táxi e o motorista estará ouvindo um rádio que vai anunciar o fim do mundo. Eu jamais vou entender a língua de Budapeste, Martin. Só vou entender os gritos do taxista; só o desespero das ruas; só os prédios caindo; só a respiração do mundo sufocando lentamente.

Mas já que ainda não tenho este bom tempo, fumo longe da janela e aumento o preço.

PINGA E REZA

Preciso começar este dia antes que ele acabe comigo.

Acordo rodando o apartamento. O teto está tão baixo. Grito para o teto: este lado para cima, para cima.

Muitas fantasias na cabeça. Preciso sair de casa. Vou pra rua catar coisas para minha coleção. Objetos decorativos que são cuspidos pelos paladinos do bom gosto.

Levaram a privada que estava aqui ontem? Privada visionária. Vi meu destino no fundo dela. Onde se escondeu, privada? Cazzo. E eu, perigosamente sem cigarros. Agora sozinha, em frente aos barquinhos da praia da Urca. Já sei, vou me masturbar ao movimento lânguido do oceano. Mas minha xana coça de tanto dar. Estava em casa, fazendo um balanço elegíaco, lendo poesia romântica, pra parar de coçar.

Stop!

Quase-se-afogar é acabar com o absurdo. Então, vou contar para ninguém minha interminável história sem sentido.

Ele me beijou em lugares proibidos nos países islâmicos. Beijou e sorveu bem. Minha boceta extremada — ficou anos trancafiada no tédio. Tem horror ao sucessivo. Ele veio aqui e começamos a lamber um ao outro e fazer pequenas magias inúteis.

Por isso agora: pinga e reza, pra passar.

Na nossa filosofia de bueiro, é proibido dizer coisas que venham do coração. Não viajamos mais disso sem reservas.

E eu com essa mania intolerável de nunca aceitar o aceitável, me revirei na cama e disse: mete fundo. Depois, pinga e reza. Só um gole de salmo. Deus sabe que não perdura amor de pica. Tem sadomasoquista de domingo, também satanista de carnaval. Só desgraça no calcanhar. Boceta bandida, vai me trair novamente?

Depois de gozar bem alto pra calar a boca dos vizinhos e acender seus desejos mais imundos, peguei o canivete. Os pulsos na frente dele, disse: corta! Brincadeira, ainda não. Abri o armário de visitas, e disse: marca aqui, a primeira foda, faz um traçado fundo. Ele fez, ouvi o barulho rasgando a madeira.

Agora: quatorze marcas fortes e visíveis apenas pra quem pensa que pensa.

Gozei e repeti. Olhei pra porta incomodada com o porvir. Pensei, sorrindo, como se pensasse outra coisa: qualquer trapaça, cilada ou tropeço, chamo um marceneiro e ele serra a porta.

Suspiramos bem forte. Os dois. Em uníssono. Sabe como é amor de sádico contra sádica?

Corta!

Tô agora tão mudada, vou acender a febre dele neste transe. Só mais uma vez. Só mais uma foda com gosto. Troca meu nome, isso. Depois, faço um salmo, tomo um trago. Dou um passo, valsa avessa, gargalhada de quem assistiu a um espetáculo tão frouxo que nem merece comentário.

Start!

Acordei como um átomo, eletrizada, devorando um milkshake. Horas e horas olhando o teto. Fica aí, teto, quem o chamou aqui? Volte para sempre para o seu mundo de gesso e altura inatingível. Nada de cair aqui na minha cabeça, viu? Fica calado, sereno. Mas, de momento em momento, ele cai. É o peso do mundo. Resiste! Não deixe a coragem morrer pela crença.

Ele se foi, levou o canivete, mas esqueceu de levar a porta. Não disse que ficava. Não perguntei palavra. Suspirei, quietinha, engolindo o resto da porra. Ele nem percebeu que eu ainda estava molhada.

Já faz alguns dias que ele se foi? Preciso fazer os salmos. Olhar a ampulheta. Quantos dias? Deus, grita bem alto no meu ouvido de desmemoriada. Quantos dias?

SOCORRO! Estou mística e é irremediável.

Abro a porta da rua para ligar o mundo.

Start!

Caminho olhando os barcos e procurando algum objeto descartado na rua para a minha coleção. Nada serve, nada cabe, tudo faltando aqui fora.

Compro um morango e mordo. Coloco uma gota de mar dentro. Mordo de novo. Deglutindo morango e mar. É uma magia inútil que inventei agora.

Não pretendo aceitar o inaceitável. Que mar o caralho! Sede de vinho. Fome de cigarro.

O bar aí, sempre aberto como as portas do precipício.

O momento exato da queda:

Garçom, me ajuda a pegar a privada que largaram lá na rua?

Mas, antes...

Só uma cachaça nessa confraria.

Uma criança me observa beber que nem mulher divorciada, sabe de tudo. Essa criança não me engana! Sabe bem que a porta do armário está riscada.

Oi, criança, não leia minha íris. É imodesto, vão e perigoso.

Apenas chame um marceneiro, tá bem?

Mas, antes...

Vamos compartilhar nossa miséria. Te dou uma coca-cola com gelo e limão, como dizem os populares.

Sabe, criança, minha boceta não gemia assim há quatro outonos. Pouco mais.

Me acha cafona?
Pinga e reza, vamos lá.
Cigarro entre os dedos. Cotovelo preso no balcão. Correntinha de santo eu aperto com a mão direita. Faço cara de quem reza, olhos cerrados, cílios compridos, quilométricos. Mas ainda não, Deus, ainda não comecei. A minha expressão é apenas por causa da pinga descendo, garganta com vontade de tragar bem fundo.
Desço mais um gole, aguento mais.
Suspiro alto.
Agora vai!
Começo a rezar, ajoelhada, diante do armário, tirando direitinho cada prego, como manda um juramento. Serra elétrica na mão dando choque. Arranco a porta sozinha. Demora um pouco, como tudo o que vale a pena.
Jogo a porta na rua e resgato a privada, sozinha, tropeço muda até a sala vazia.
Aí vai minha oração:
Outros passarão, eu passo.

HELOISA SEIXAS

Autora de mais de dez livros, entre eles quatro romances (publicados pela Record): *A porta* (1996), *Diário de Perséfone* (1998), *Através do vidro* (2001) e *Pérolas absolutas* (2003). *A porta* e *Pérolas absolutas* foram finalistas do Prêmio Jabuti, assim como *Pente de Vênus* (Porto Alegre: Sulina, 1995), de contos, livro de estreia de Heloisa. Autora também de um livro sobre o mal de Alzheimer, *O lugar escuro* (Rio de Janeiro: Objetiva, 2007). Seus livros mais recentes são *O prazer de ler* (Rio de Janeiro: Casa da Palavra, 2011) e *Terramarear* (São Paulo: Companhia das Letras, 2011), este último em parceria com Ruy Castro. Durante dez anos escreveu a coluna "Contos mínimos" na *Folha de S. Paulo* e no *Jornal do Brasil*. Nasceu na cidade do Rio de Janeiro.

*

"As moscas" e "Viagem a Armac" foram extraídos de *Pente de Vênus* (edição ampliada — Rio de Janeiro: Record, 2000). "A porta" — trecho do romance *A porta*. "Pérolas absolutas" — trecho do romance *Pérolas absolutas*.

AS MOSCAS

ELAS CHEGARAM COM A MANHÃ.

Mas antes, muito antes — quando a luz acinzentada do dia ainda não se espalhara sobre as areias e o mar, trazendo as moscas —, muito antes, quando havia apenas a luminosidade espectral da lua, os amantes se olharam, em silêncio.

Há muito esperavam por aquele instante, o momento exato em que seus olhares se tocariam na penumbra. Aquele olhar guardava em seu pequeno núcleo todo o troar do universo em expansão, as retinas vibravam. Sempre em silêncio, eles se aproximaram. Não olhavam mais para os lados, como tinham feito antes — agora, nada mais importava. Já não tinham medo. Agora, só eles existiam.

Ao fundo, a casa morta parecia ter despertado. O chão da varanda, recoberto de poeira, fosforecia. Os janelões de vidro da sala, opacos pelo abandono, as paredes de dormentes, o madeirame grosseiro acinzentado pelos anos, respiravam, vivos. Tudo estava ali para que se amassem.

Muito devagar, tocaram-se. As pontas dos dedos, com seus sensores, deslizaram vacilantes na pele um do outro, como se não pudessem acreditar que o momento, afinal, chegara. Ardiam. No escuro, ela pensou ver nos olhos dele um brilho aquoso, ameaçando transbordar — uma porção de lágrima ou um pedaço de mar (o mar que o levaria embora na manhã seguinte). E, na ponta dos pés, buscou com os lábios aqueles olhos tristes. Pousou sobre eles a boca entreaberta, primeiro num, depois noutro, sorvendo devagar o sal que vertiam. Cada vez mais lentamente, lambeu as pálpebras, sentindo na língua a forma ovalada dos globos oculares, que se moviam, febris, como a querer libertar-se.

Ao final de um longo instante, ele a envolveu com seus braços antes contidos e palpitaram juntos. Suas carnes se fundiram aos poucos, um só suor e uma só pele, dois corpos ocupando um único lugar no espaço, até que, do universo inteiro, restou apenas o abraço desesperado, que era encontro e adeus.

Como se prostrada ante tanto amor, a mulher aos poucos deslizou para o chão, arrastando na língua, em sua trajetória, o gosto daquele corpo adorado. Deslizou pelos paredões cobertos por algodão grosso até chegar aos pés, dos quais sorveu o sal e a terra, a seiva de tantos mundos trilhados, de mares navegados que agora os levariam outra vez. Aqueles pés andarilhos, ciganos, aqueles pés mundanos, piratas, loucos, incapazes de deitar raízes num só porto, sob pena de apodrecer. A eles se deu sabendo que nada receberia em troca, dádiva sem esperança, a vida inteira contra apenas uma noite — sua condenação.

Até que ele também se curvou. De joelhos, foi em busca dos lábios servis.

Na areia do pátio rolaram, ele agora também rendido. Nos grãos se envolveram, enquanto o barulho do mar, mais e mais, parecia chamá-los. Com cuidado, ele a despiu do vestido de chita, cujos florões desmaiados, à luz do luar, lembravam manchas de sangue. E o corpo moreno e esguio brilhou na penumbra como uma enguia. A visão da carne nua espalhou no ar uma urgência e ele, desfazendo-se das próprias roupas, ergueu-a do chão, caminhando com ela nos braços.

Suas sombras entrelaçadas se confundiram com o desenho dos coqueiros, duplicados no chão. Em meio à brisa marinha, que era só um sopro, e sob a luz branca da lua, que a areia, tornada ainda mais alva, refletia, os dois amantes pareciam fantasmas. Como espectros, caminharam, e como espectros tocaram a superfície virgem do mar, que se abriu. A mulher estremeceu. Ansiava por entregar-se logo — mas não ao mar. Por que, então, aquele estranho batismo, sacramento maldito a que ele os obrigava?

Na água, seus corpos, materializados, fizeram espuma e fendas. O mar parecia já assenhorar-se do homem que partiria. Ele e as águas se reconheciam, eram ambos feitos de sal e mistério.

E assim, sob a lua, os amantes se banharam. Mas apenas olhando-se, sem se tocar. Porque o mar estava entre eles.

Na ânsia, talvez, de conhecer o segredo daquelas águas, a mulher mergulhou. Movimentando-se no fundo, sentiu no rosto, nos olhos, nos cabelos, o impacto da matéria líquida, enquanto pequeninas bolhas se desprendiam, zunindo em seus ouvidos. Apesar do frescor da madrugada, que lhe tocava o rosto a cada vez que vinha à tona para respirar, apesar do sal, que lhe ardia os olhos e os lábios, a água estava morna e doce. Mãe e amante, leite e saliva, tentação e alimento, o mar amado e odiado era um ser vivo, que a envolvia. Por um instante, sentiu-se tentada a largar os braços, o corpo, a deixar-se sugar para sempre, não mais voltar. Mas a superfície, com suas pequenas ondas prateadas pela lua, chamou-a.

Tocou com a ponta dos pés a areia do fundo e deu impulso. Uma vez mais, seus olhos turvos romperam as ondas e viram a noite. O homem continuava lá, à espera. Flutuou com os braços abertos, movendo-se para manter-se à tona, as pernas imóveis, coladas, apontadas para o fundo como setas. Depois, abriu-as lentamente, sentindo a pressão da água nas coxas, no sexo. Com os olhos fixos no homem, um sorriso apontando no canto dos lábios, abriu e fechou as pernas várias vezes, cada vez mais rápido, cada vez mais rápido, os músculos vencendo as ondas, o líquido insinuando-se em seu ponto mais secreto, provocando um arrepio de desejo.

Fazia amor com o mar. O mesmo mar que a deixaria condenada e só. Era a traição possível, sua prévia vingança.

Mas, de repente, notou que o homem lhe virava as costas. Da praia, fitava a casa, como uma estátua de sal. Temendo que ele se dissolvesse na noite, a mulher decidiu voltar. E nadou em direção à areia.

Dessa vez, ele não a tomou do chão. Caminharam de volta ao pátio lado a lado. Juntos e em silêncio, os corpos úmidos reluzindo sob a lua, atravessaram as sombras e — por fim — penetraram na casa abandonada.

O homem cruzou com passos firmes a sala escura e começou a galgar a escada de dormentes que levava ao segundo andar. Ela foi atrás. Seus pés, como barbatanas, a pele enrugada pelas águas, tocavam o chão com cuidado a cada passo. Na escuridão crescente, pôde sentir os pequenos nós da madeira, cada saliência, cada lasca. No meio da escada, fechou os olhos, dando-se inteira ao negror. Era só tato agora e a escuridão a envolvia como antes a água o fizera. Só voltou a abrir os olhos quando depois, muito depois, sentiu no braço o calor da palma do homem.

Estavam diante de um catre. No quarto, imenso, havia apenas duas janelas, onde as esquadrias de madeira tosca há muito já não continham vidros. Através delas, o luar se derramava, leitoso, acariciando a poeira, que cobria tudo. Branco e intocado era o chão. E o couro que recobria o catre fora também polvilhado por muitos anos de esquecimento.

Deitaram-se.

Seus corpos, impregnados de água e sal, conspurcaram a poeira intocada, que se transmutou em lama. E nesse leito decomposto os amantes travaram sua batalha, feita de pó, suor, esperma e sangue.

Mais uma vez foi ela, e não ele, quem fez o primeiro gesto. Ela, com seu corpo virgem, que das noites só conhecia a brisa e o silêncio. Envolveu o homem com véus impalpáveis, tomou-o nos braços e deu as ordens. Queria ser sangrada.

Ele obedeceu.

Com sua língua áspera, sorveu a pele com força, violentando veias, enlouquecendo o sangue que, aflorando à superfície, lutava para se libertar. Abriu as fieiras de dentes e cravou-as na carne, enquanto a mulher gemia de prazer. Fizeram amor como quem mata e morre, cavalgaram-se no catre de couro, poeira e mar, mil vezes cruzando oceanos e céus, mil vezes soltando seus uivos de desespero. A fúria de tal encontro fez o mar recuar. A lua escondeu-se entre nuvens, a madrugada esvaiu-se. O universo parecia embaçado quando, afinal, seus corpos tombaram, exaustos. Nada mais havia a ser feito. A missão do homem, desde o início dos tempos, estava terminada.

E assim ficaram, silentes, frouxos, por muito tempo, muitas horas — até que elas vieram. As moscas.

Elas chegaram com a manhã.

A luz muito branca primeiro impregnou a praia e as ondas, depois varou as janelas sem vidro, ferindo o chão e o leito, em cuja poeira profanada repousavam os amantes. A mulher sentiu na carne a claridade agressiva, mas não teve coragem de abrir os olhos, tentando ainda reter a noite. Virou-se, escondendo o rosto. Foi com asco que sentiu na pele os primeiros insetos, o roçar de suas asas, a carícia dos corpos mínimos. A princípio, tentou espantá-los com as mãos, mas desistiu, limitando-se a enterrar mais e mais a cabeça entre os braços cruzados, tentando não ouvir seu zumbido crescente.

Em pouco tempo, todo o quarto parecia tomado pelo barulho das pequenas asas e o corpo da mulher tornara-se insensível ao contato dos insetos, que formavam uma só massa, negra e febril, sobre sua pele. Aquele assédio pareceu ter sobre ela um efeito anestésico, fazendo-a mergulhar numa espécie de delírio, como se vivesse outra vez a paixão e a noite, cujas horas estavam acabadas. Era o que queria. Voltar, mergulhar na escuridão, perder-se outra vez no negror e na febre (como negras e febris eram as moscas) — pois o amanhecer era a hora do adeus.

Ou talvez, quem sabe, já estivesse só?

Estremeceu.

Talvez ele tivesse ido embora com a noite. Esse pensamento encheu-a de coragem e desespero. Erguendo a cabeça devagar, abriu os olhos.

O catre era, todo ele, uma só mancha escura e tremeluzente, onde os insetos moviam-se incansáveis, tomando tudo, tudo tocando com suas cabeças disformes, seus olhos imensos e saltados. Através do zumbido terrível, que formava como um paredão em volta de seu cérebro, a mulher olhou para o corpo do amante, imóvel sobre a cama. Mal podia divisar-lhe a pele. Cada centímetro fora recoberto pelo estranho bordado de milhares de pequenos seres negros, com suas asas furta-cor, de pedrarias verdes e azuis. Um bordado vivo, com movimento e som, como a devorá-lo.

Só então ela olhou para o próprio corpo. Através dos olhos estreitos, toldados por sombras negras, viu que sua pele, como a do amante, também estava coberta pelas moscas — que ali se acumulavam, vorazes, no banquete da carne decomposta.

E só assim descobriu que estavam mortos.

VIAGEM A ARMAC

Os olhos da menina pousam *fascinados sobre seus pés, de dedos compridos e elegantes, plantados no chão de mármore. Dali vão subindo, com doce lentidão, com o ritual de quem desnuda um amante adorado. Acompanham o leito dos rios de tendões, as montanhas de ossos e músculos, desvendando a poderosa geografia de suas pernas, de suas coxas, até deparar-se com o sexo, estranho fruto adornado por uma coroa de pelos anelados. A menina estremece. Sua boca se entreabre em veneração e seus olhos prosseguem a viagem, através do imenso paredão do tronco. Os músculos do tórax formam uma só massa, compacta, cuja solidez é salpicada pela leveza de três pontos mágicos, os dois mamilos e o umbigo, que juntos formam os vértices de um triângulo.*

Nesse ponto, os olhos da menina percebem que é hora de fazer uma escolha. Ali, na altura do coração, abre-se diante dela uma encruzilhada. Sem vacilar, seu rosto se inclina para a esquerda: a harmonia daquele braço em repouso, com seus músculos bem desenhados, é uma promessa de que alguma coisa preciosa a espera no fim do caminho. De fato, lá está. A mão. O punho em curva, a graça dos dedos soltos, quase relaxados, dão àquela mão uma aura de feminilidade, mas logo as veias dilatadas denunciam as marcas masculinas de força e poder, revelando o que está encoberto no côncavo da palma: uma pedra. A menina sorri. Seu olhar sobrevoa o braço, retornando ao ponto da encruzilhada que deixara havia pouco.

A linha horizontal das clavículas, pedestal do pescoço majestoso ali colocado, é a prova de que se aproxima o momento máximo. Com os olhos fixos na altura da glote, a menina decide se conceder um presente. Não levará seu olhar, pouco a pouco, de baixo para cima como tem feito até agora. Não. Quer ver aquele rosto inteiro, de uma só vez. Fecha os olhos e ergue um pouco o queixo. Abre-os. Olha-o. Olha-o como sempre sonhara fazê-lo, desde que o vira pela primeira vez no livro trazido por seu pai. Olha-o como talvez ele jamais tenha sido olhado, nem mesmo por seu criador. O rosto feminino, os lábios finos, o nariz clássico, cabelos em cachos, o ângulo reto do maxilar, cada milímetro daquele semblante adorado já é seu conhecido de muitos anos. Mas nunca antes ela estivera tão perto daquele que era e sempre fora seu único amor, embora feito de pedra.

David. David de Michelangelo.

Muitos anos se passaram, vinte talvez, até que Alice voltasse a Florença. Tinha estado na Itália, sim, diversas vezes, mas não em Florença. Florença nunca mais. Não houvera para isso qualquer razão, apenas acontecera assim. A vida a afastara de Florença, pensara com lirismo, ao abrir a revista e ver o anúncio do concurso. Quarenta linhas, um máximo de quarenta linhas sobre Florença e ela estaria concorrendo a uma viagem à cidade que a encantara. Por que não tentar?

Andava entediada com tudo ultimamente. Fazia dupla na agência de publicidade com um jovem de nariz empinado, óculos de armação lilás e um sotaque paulista que a irritava, sem falar nas gravatas com estampas que iam de uma profusão de carinhas de Mickey a reproduções de Guernica. Ela o detestava! Estava farta dele, de suas maneiras afetadas. Estava farta da agência, cansada de vender mentiras, cansada de tudo. Só os passeios de bicicleta nos fins de tarde ainda lhe davam algum prazer. Não fazia mais nada. Não saía, não via os amigos. Estava sempre só. Ao ver o anúncio na revista, a ideia de uma viagem a Florença brilhara e crescera ante seus olhos como círculos na água do lago ao toque de uma pedra. Sim, precisava escrever.

Ao chegar em casa naquela noite, atirara longe os sapatos e nem trocara de roupa. Sentara-se diante da minúscula máquina de escrever eletrônica. E começara a pensar nele.

Num segundo, sentira-se outra vez tomada por aquele estranho amor. Há tantos anos não o via! Lembrava-se bem, muito bem, da primeira visão que tivera dele. Era ainda muito pequena, teria nove ou dez anos. Estava uma noite brincando no tapete quando seu pai, que era professor de História, se sentara para trabalhar na grande mesa retangular da sala. Passado algum tempo, ela o olhara. Parecia tão especialmente concentrado no que fazia que isso aguçara sua curiosidade infantil. Fora até a mesa e espiara por cima de seu ombro. O pai estava debruçado sobre um livro enorme, de papel brilhante e colorido. Ali ela o encontrara.

David. A fotografia no livro não teria mais do que dez centímetros. Ela não poderia jamais supor que aquela bela estátua de homem fosse na verdade um colosso de quase cinco metros de altura. Mas a pequena imagem a perturbara, de todo modo. Sentira um estranho calor, uma euforia desconhecida que a impedira de jantar naquela noite. Demoraria alguns dias até compreender que estava apaixonada. A partir de então, passara a sonhar com ele todas as noites. O belo rapaz de cabelos louros e encaracolados fora seu companheiro silencioso de aventuras e brincadeiras. Passeara com ele pelas ruas da cidade, com ele conversara no silêncio de seu quarto. Menina solitária e quieta, encontrara enfim seu companheiro imaginário e dele não mais se separara.

Quando, anos depois, seu pai anunciara a viagem de toda a família à Itália, para a festa de oitenta anos da *nonna*, ela ficara quase uma semana sem conseguir dormir direito. Ficariam em Pisa, onde vivia a família de seu pai, mas ela o fizera prometer que, num fim de semana, tomariam o trem e passariam o dia em Florença. Não fora tarefa difícil convencer o pai. O professor também sentia forte atração por aquela cidade tão plena de riqueza histórica.

O encontro, na doce manhã de verão em Florença, fora talvez um dos momentos mais luminosos de sua vida. Quando se vira, pequena e frágil, diante do ser amado, sentira emanar do mármore um misterioso fluido de vida, sopro espantoso e sobrenatural, como se a estátua também a visse, percebesse sua presença e, sentindo seu amor, dela também se enamorasse. Prostrada ante o deus de mármore, sabendo-o tão grande e poderoso, conhecendo sua imponência e altivez, vira tornar-se ainda mais avassaladora aquela paixão adolescente, que a acompanharia ainda durante muitos, muitos anos.

Assim divagando, pousara as mãos sobre o teclado da máquina eletrônica, para escrever sobre ele. Com um longo suspiro, fechara os olhos e imaginara-se outra vez diante da escultura gigantesca. Envolta nos doces eflúvios da memória, escrevera as linhas apaixonadas da menina desnudando seu amante de pedra.

E vencera o concurso.

Florença! Sentindo o vento bater em seu rosto enquanto se debruça na balaustrada do mirante, Alice respira fundo. Há no ar um cheiro de flores, pois é plena primavera, mas também um forte odor de lodo, que sobe das entranhas do rio Arno, metros abaixo. É este, sim, o cheiro que a faz estremecer. Cheiro de uma lama de séculos, de águas perenes que ali passam, incansáveis, enquanto os homens nascem e morrem.

Lá ao longe, à sua esquerda, ainda envolta na bruma da manhã, está a silhueta amarela da Ponte Vecchio, com suas janelas minúsculas e suas paredes maciças, resistindo à força das águas e à ação do homem há quase sete séculos. Tudo em Florença é eterno e belo. E mais para a direita, a meio caminho entre a ponte e a imponente cúpula de Santa Maria dei Fiori, lá está: a torre do Palazzo Vecchio. Alice sabe que ali, diante daquele palácio medieval, foi colocada a estátua de David. Mas sabe também que agora o que ali se encontra é apenas uma réplica. A outra, a verdadeira, está bem guardada sob uma abóbada iluminada, num dos salões da Galeria da Academia. É para lá que ela deve ir. Chegara a pensar, ao acordar, em ir correndo vê-lo, mas depois decidira que seria melhor subir até o mirante e respirar Florença, embeber-se dela, vê-la como um todo, entregar-se a seus cheiros e suas cores como num ritual de preparação — para só então ir ter com ele.

Monta outra vez na pequena vespa cor de sangue, que alugara na pracinha diante do hotel, e desce roncando a sinuosa estrada que a levará ao coração da cidade. O motor faz vibrar cada um de seus músculos e as chicotadas do vento lhe excitam a carne. Sente como se ela e o pequeno bólido vermelho que dispara ladeira abaixo fossem uma só massa, um corpo único, vibrante de prazer.

Segue até a praça, guiando-se pela visão da torre do palácio, mas freia num cruzamento assim que vislumbra, ao fundo, o grande espaço da Loggia della Signoria. Sabe que ele está ali. Não ele, mas seu irmão de pedra, embora jovem, embora falso. Seja como for, não quer vê-lo. Pensa que olhar para ele, olhar para a réplica, será estragar o instante do reencontro tão aguardado. Segue lentamente pelo espaço da Loggia, deliciando-se em olhar as minúcias de todas as estátuas, de cada parede secular, de cada pedra, sabendo que para ele não olhará, que se guardará para o outro, o verdadeiro David.

Com sua vespa vermelha, faz voar os pombos que se espalham pelo calçamento beliscando as migalhas e grãos atirados pelos turistas. Para seu pequeno veículo e dele apeia, diante dos degraus da Loggia. Sobe-os devagar, os olhos fixos na figura máscula de Perseu, vitorioso sobre o corpo decapitado da Medusa. É belo, este homem. Belo e altivo, com sua adaga ensanguentada e seu semblante surpreendentemente sereno diante da mulher que matou. Ela, mutilada e morta, também tem uma estranha beleza. Seu corpo retorcido, derrotado, o pescoço cortado derramando entranhas que parecem cobras. E a cabeça, segura por Perseu pelos cabelos, tem a mesma beleza serena do assassino.

Volta-se para o *Rapto das Sabinas*. A força dos músculos em luta, tendões retesados de homens que disputam uma mulher. Mas é uma luta vã, ela sabe. Um deles ainda resiste, jogado ao chão, mas seu semblante revela já ter compreendido que nada mais há a fazer, enquanto a mulher, entregue e frágil, parece quase feliz nos braços de seu raptor.

Alice para, de repente. Sente-se observada, como se um olhar insistente se cravasse às suas costas. Pensa em virar-se, mas lembra-se de que a sensação vem de onde está a réplica do David. Não, não vai olhar. Precisa resistir, pensa. Decide afastar-se dali. Cada vez mais essas criaturas de mármore parecem exercer sobre ela um poder incomum, como se a seduzissem, como se a chamassem. Como se elas, todas elas, tentassem envolvê-la, raptá-la para o mais alucinado encontro, para a mais louca das orgias...

Este pensamento, por alguma razão, a inquieta. E, num impulso, decide ir até o hotel. Vai descansar um pouco e só à tarde irá até a Galeria. É melhor assim. Não dormiu nada durante o voo, sente-se subitamente esgotada. Pensa que talvez esteja levando longe demais esse seu fascínio pela figura de mármore. David pode esperar.

Está só na alcova. Só, à espera de seu amor. Sabe que ele virá, que romperá os cercos, que driblará os guardas, que escalará as mais altas muralhas para vê-la, pois é esta talvez a última madrugada. Amanhã ele partirá para a guerra. Vira-se, inquieta. Há muito que as aias a deixaram e a madrugada vai alta além das cortinas vaporosas que separam seus aposentos do terraço de ameias, cuja silhueta mal pode vislumbrar. Senta-se e desata a trança ruiva que lhe pende do colo cor de mármore. Desfeitos, livres, os cabelos cacheados se espalham por suas costas e é como se a acariciassem. Deixa-se cair sobre os travesseiros, arfante. No leito de fofos colchões, por entre os drapeados de veludo que lhe caem do dossel, ela ainda sente o suave odor de myrrha com que as aias perfumaram os lençóis. Mas sente também seu próprio cheiro de mulher. Arde de amor enquanto o espera, seu louco amor proibido, seu deus de sangue cigano. Armac! Armac. Seus lábios se entreabrem com volúpia quando sussurra seu nome. Armac! Leva a mão ao pescoço, à garganta que se fecha na sede de amor e, ao fazê-lo, sente o braço roçar de leve o mamilo que aponta contra o tecido de sua veste noturna. Sim, seus seios o esperam, todo seu corpo o espera, fremente de amor. Sente na pele o contato do algodão e treme em pensar que logo ele a tocará e que, quando o fizer, sentirá que ela nada traz sob a veste branca. Armac!

Súbito, o ruído no terraço. Não tem dúvida de que é ele. Fecha os olhos e espera, os maxilares trancados para não gritar seu nome. Sente o sopro da noite invadir a alcova — e este é o sinal. O janelão que dá para o terraço, que ela deixara encostado, acaba de ser aberto. O frio da madrugada choca-se com seu corpo febril, arrepiando-lhe a pele, mas ela não se move, sequer abre os olhos. É este o jogo. É assim que fazem sempre, para saborear com lenta delícia cada encontro, e este mais do que todos, pois pode ser o último. Sim, desta vez a tortura é maior, mas ela vai resistir, não há de decepcioná-lo. Percebe pelos rumores à sua volta que ele também se mantém fiel ao ritual. Fará como das outras vezes. No silêncio da noite, começam os ruídos, quase imperceptíveis. Farfalhar de panos, metais tilintando, couro que se choca com o chão. E o cheiro dele invade a alcova, de um só jato. É o momento mais difícil. Mas ela se mantém firme, imóvel, os olhos fechados. Logo, novo silêncio. E ela percebe sua aproximação. O estremecer dos colchões, seu corpo balançando como barco em mar revolto lhe dá a certeza de que chegou a hora.

Abre os olhos.

Na penumbra, ela o vê. Segue o ritual, como da primeira vez, como em todas as vezes. Nunca se amaram que não fosse assim. Nunca, sem antes ele se desnudar e mostrar-se por inteiro para sua amada, pisando os colchões e fincando-se ali a seus pés, sobre a cama, para que ela o possua com o olhar, para que sua alma o beije antes que seu corpo possa tocá-lo. Seus olhos pousam fascinados sobre os pés do homem amado, firmemente plantados na extremidade do leito. Dali vão subindo, com doce lentidão. Acompanham o leito dos rios de tendões, as montanhas de ossos e músculos, desvendando a poderosa geografia de suas pernas, suas coxas, até deparar-se com o sexo, espada erguida, adornada por uma coroa de pelos anelados. Ela estremece. Sua boca se entreabre em veneração e seus olhos prosseguem a viagem, através do imenso paredão do tronco. Os músculos do tórax formam uma só massa, compacta, cuja solidez é salpicada pela leveza de três pontos mágicos, os dois mamilos e o umbigo, que juntos formam os vértices de um triângulo. Armac! Seu deus e seu amor, ali está. Estátua majestosa, de carne e sangue, inteiro diante dela em toda sua nudez, em todo seu poder.

Quando seus olhos encontram os olhos negros de Armac, o sorriso branco fere a noite e ele se atira sobre ela, com a fúria de quem faz amor pela última vez. O rosto do homem se enterra em seu pescoço e ela se deixa afogar em seus cabelos, enquanto braços a cingem como garras, buscando-a, sôfregos, sob a veste de algodão. No mesmo instante em que vence os laços do decote, mergulhando nos seios alvos que o esperam, o amante se faz senhor de toda ela, singrando os mares de tecidos e enfrentando com bravura as ondas do leito, para nela cravar sua espada, como um pirata da noite. Sob sua veste branca e virginal, ela o sente, ferro e fogo lhe penetrando as entranhas, louco balanço de navios tomados de assalto, brilho de espadas, gritos, corpos em luta.

De repente, ele para. Desenterra o rosto do colo da amada e a encara. Olhos que cintilam no escuro, bocas entreabertas na vertigem do desejo. A espada de fogo que a penetra também está imóvel, embora ela sinta sua louca pulsação. E assim, por intermináveis segundos que lhes parecem mais longos do que todos os tempos, eles suportam, mudos e imóveis, a doce tortura do amor. Com a rigidez encantada das estátuas, prolongam o mais que podem o momento final, face a face na escuridão. E quando não é mais possível suportar, eles se atiram um ao outro como feras famintas, sorvendo-se, dilacerando-se, como se nada pudesse restar sobre a terra depois de terminada tal batalha. E juntos morrem a mais doce das mortes.

Alice se senta na cama, aos soluços. Descontrolada, o corpo todo sacudido por tremores, pensa que está chorando. Mas logo o calor no ventre, a doce umidade entre as pernas, a fazem lembrar do sonho. Não fora um pesadelo. Estivera gemendo, sim, mas de gozo, de prazer! É só o que consegue lembrar. O resto do sonho se diluiu em bruma.

Cai novamente deitada sobre os travesseiros e, ofegante, sorve o ar em grandes golfadas. A garganta seca, o suor banhando todo o corpo, fixa-se no teto forrado de madeira, como se ainda buscasse seu sonho entre as sombras.

Armac!

O estranho nome lhe ficara na memória, embora desconheça seu significado. Armac. O que seria? Quem seria?

O sol já começa a cair oblíquo sobre os telhados de Florença quando Alice, cabelos molhados, coração aos saltos, desce as escadas do hotel e se encaminha pelas ruelas que a levarão à Galeria. Pôs um vestido de linho branco, saia farta e decote canoa, que lhe deixa à mostra os ombros morenos. O banho lhe deu novo ânimo e por isto decidiu ir a pé. Mas ainda está um pouco atordoada, sentindo no corpo o calor de quem acaba de fazer amor. Estranho sonho, aquele...

A construção baixa, de dois andares, com colunas enfileiradas, surge diante de seus olhos ao fim da rua estreita. A Galeria da Academia. Um palacete ocre que de repente lhe parece por demais modesto para abrigar a obra colossal de Michelangelo. Passa rente às vespas coloridas estacionadas junto ao meio-fio, cruza as colunas de pedra, vence o portal e, solene, pisa o solo sagrado de seu amor.

Tudo é silêncio, ali. Àquela hora, a tarde indo avançada, já tudo está quieto. Os poucos turistas que ainda circulam nos corredores lhe parecem estranhamente mansos, como em sinal de respeito a seu momento de adoração. Sabe bem seu caminho, conhece as paredes que lhe revelarão a estátua de David. Segue. O coração lateja na garganta quando vê o imenso corredor, de luz amarelada, com belas colunas laterais de mármore.

Sabe que é ali. Vira-se, encaminha-se para lá. Diante do portal, para. Lá está ele. Distante, ainda, ainda pequeno na perspectiva. Mas já completo em sua beleza, sob a abóbada iluminada que o faz reinar absoluto.

Baixa os olhos, tímida, como uma princesa prometida diante do rei que a desposará. Penetra o corredor, cabeça baixa, os olhos esquadrinhando as ranhuras do chão de tábuas corridas, em seu brilho encerado. Quando sente que está quase ao pé dele, para. Respira. Fecha os olhos, como fizera da primeira vez, ainda menina. Depois abre-os lentamente, para possuí-lo com o olhar, para que sua alma o beije antes que seu corpo possa... tocá-lo.

Armac.

O sonho!

Num segundo, como ao sinal de uma varinha de condão, o sonho se lhe revela por inteiro.

Armac. Seu amante proibido, gigante de beleza e poder, estátua de carne e sangue diante dela para o ritual do amor. Seus olhos a lhe percorrer as formas, subindo devagar, como se o desvendassem, como se o possuíssem. A busca sôfrega, a batalha sob os lençóis, espada de ferro e fogo, vertigem de desejo, louca viagem. E na hora da morte, coragem para enfrentar a mais dura prova, força pra prolongar o momento de delícia, não sucumbir, não morrer ainda, permanecer assim, face a face na escuridão, mudos e imóveis, com a rigidez encantada das... estátuas!

Alice recua, olhos muito abertos. Tomada por estranho torpor, senta-se nos degraus de pedra da sala contígua e dali contempla em silêncio seu majestoso David.

Um guarda do museu, elegante como um nobre em seu uniforme cor de elefante, passa por ela e a olha com curiosidade. O que estaria fazendo ali sentada aquela bela mulher? Absorta, como se vagasse nalgum lugar distante, Alice nem o vê.

Florença...

Distraída, ergue os olhos e encontra o comprido mural na parede à sua direita, com explicações para os visitantes da Galeria.

Em 1499, o Governo da República de Florença decidiu encomendar a Michelangelo uma escultura que simbolizasse a liberdade, para ser posta à frente do Palazzo Vecchio. Assim nasceria David.

Florença... 1499... 1994. Os números dançam ante seus olhos como se lhe dissessem algo que ela ainda não consegue compreender. Os mesmos algarismos, tantos anos depois, tantos séculos depois.

Sim, estava em 1994. Quase 500 anos se tinham passado desde que...

Suspira, impaciente. Tolice. Por que está pensando essas bobagens? Levanta-se. Olha o relógio. Vê que já é hora de voltar para o hotel. Começa a caminhar pelos longos corredores, mas seus passos vão se tornando mais e mais lentos à medida que palavras e frases lhe vêm à mente sem que possa controlá-las, encaixando-se como os vidros coloridos de um mosaico.

Não havia como negar. Ela sabia. Sabia por que estava ali. Sabia por que voltara, por que voltara tantas vezes, desde menina, desde que a gravura no livro de seu pai lhe despertara a memória ancestral. Sim, agora ela sabia que não estava ali em busca de David. O sangue toscano que lhe corria nas veias, seu amor por Florença, seu fascínio pela estátua de Michelangelo, o misterioso fluido de vida que dela emanara em seu primeiro encontro não eram senão os ecos de um amor que lhe impregnara a alma para sempre e que se mantivera vivo através da noite dos tempos. A visão de David lhe trouxera reminiscências inexplicáveis daquele fim de século, a efervescente vida florentina do Quattrocento, quando a explosão criativa das artes parecia infiltrar-se também nos corações, aquecendo as veias dos jovens amantes. Armac! Seu amor proibido, seu guerreiro adorado que se fora, perdido nas estúpidas lutas de poder, batalhas inúteis que de nada valeriam, que não evitariam a decadência que estava por vir, sob o jugo de Pedro, filho de Lourenço, o Magnífico, no poder místico de Savonarola, em sua fúria contra a alegria pagã, voltando a queimar em praça pública os símbolos do demônio! Sim, o ocaso de Florença, sua amada cidade, 1499, o início do fim, 1499, o fim de... Armac! Armac. Como vou viver agora? Como, sem os rumores noturnos de sua chegada, sem tê-lo a meus pés, estátua de amor e beleza, mensageiro dos deuses? Como viver sem o brilho de seus olhos na escuridão do quarto, sem a espada de fogo que me devorava as entranhas? Que vida pode haver agora, sem a força férrea de seus braços cingindo-me a cintura para me reter no momento da vertigem, ensinando-me a resistir e prolongando até a eternidade a entrega final? Como, Armac? Como vou atravessar os séculos arrastando minha viuvez, condenada à expiação eterna por ter provado o fruto proibido desse amor desesperado? Como, Armac?

Alice se encosta à coluna, ofegante. Sente o frio do mármore de encontro às costas. Não sabe o que está fazendo, não sabe por que está ali. Sua cabeça roda, sente como se fosse desfalecer. Está pálida, seu rosto tem a cor do vestido de linho. Vendo-a assim, o guarda se aproxima, solícito, segura-a pelos pulsos, pergunta se ela está bem, se precisa de alguma coisa.

Fitando-o com olhos esgazeados, Alice sorri. E silencia.

A PORTA
(trecho)

A CHUVA CAI EM PINGOS CADA VEZ MAIS grossos e o vento que sopra do rio é agora um açoite sobre Pedro e Helena. Eles correm, Pedro à frente, levando Helena pela mão. O coração dela bate como louco quando cruzam a rua de paralelepípedos até a calçada que ladeia a amurada do Sena. Helena, ofegante, pensa que é tolice continuar correndo assim, agora que já estão molhados. Mas Pedro segura sua mão com força, obrigando-a a acompanhá-lo no ritmo louco, e ela nada diz. Em meio à corrida, vê, por entre os pingos que lhe ficam nos olhos, a imagem da torre imensa, acinzentada pela chuva.

Pedro estaca de repente, apertando a mão de Helena ainda com mais força. Alguns metros adiante está uma placa, motivo, ao que parece, de sua repentina atenção. Acima de uma seta, que aponta na direção de uma escada, a placa diz simplesmente: *Les égouts*.

É para lá que se encaminham, sob a chuva torrencial. Vão buscar abrigo nos esgotos de Paris.

Descem as escadas e penetram na galeria deserta. Estão encharcados. O vestido de Helena, de viscose, colou-se ao corpo e de seus cabelos escorre água como se ela tivesse acabado de sair do chuveiro. O chão é escorregadio e do teto abobadado das galerias desprende-se uma umidade que faz Helena imaginar que está vivendo uma aventura, fugindo com seu amado de algum monstro que os persegue numa cidade perdida no fundo do mar.

Continuam caminhando a passos rápidos, quase correndo, Pedro sempre levando Helena pela mão. Ele parece conhecer bem aquelas galerias labirínticas e, a cada bifurcação, faz sua escolha sem hesitar. Talvez seja aqui, pensa Helena de repente, que ele vem se esconder nas tardes em que sai sem dizer aonde vai.

É cada vez mais forte, agora, o odor de lodo que sobe das galerias, onde os canais subterrâneos correm silenciosos, carregando há séculos os dejetos da cidade. A luz é amarelada, indireta, colocada para facilitar a movimentação dos visitantes de gosto estranho que querem conhecer os intestinos parisienses. Mas hoje não há ninguém. Pedro e Helena estão sozinhos e apenas o eco dos passos no chão de pedra multiplica sua presença ali. Helena dá um gritinho agudo, curto, apenas para ouvir o som da própria voz partir-se em dezenas de pequenos gritos, que reverberam nas paredes. Pedro sequer olha para trás. Ela começa a se sentir aflita.

Entram agora em uma galeria mais estreita, de paredes de pedras irregulares, sobrepostas e ligadas por uma argamassa secular. Por elas descem filetes d'água que uma canaleta, escavada na junção entre o chão e as laterais, escoa. Pedro diminui o passo, afinal. E olha para Helena, ofegante como ela.

Num gesto súbito, encosta-a à parede e segura-a pelos ombros. Helena sente a água que desce pela pedra infiltrar-se no tecido do vestido às suas costas, empapando-o. Vê o rosto de Pedro aproximar-se do seu, os olhos febris:

— Eu *sou* você — ele diz. — E estou dentro de você. Para sempre.

Depois, lentamente, a língua dele percorre o rosto de Helena, do queixo ao nariz, como uma pincelada. E volta em busca de sua boca. Beija-a, muito, muito lentamente também. Língua, pele, paredes, panos — tudo é úmido, tudo é água, tudo é líquido aqui. Não, nem tudo. A mão de Helena busca o sexo de Pedro e encontra sua solidez. E este toque é o sinal para que se desencadeie a tormenta. Loucos agora, loucos. Fechos, tecidos e botões vão sendo vencidos, num torvelinho alucinado, um tornado cujo epicentro Helena tem nas mãos. É este corpo rígido que ela conduz, amoldando-o a suas formas, arqueando-se para recebê-lo, guiando-o com mãos e corpo em busca do encaixe perfeito, que os levará ao delírio. Pedro se submete, servil, quase de joelhos para que ela desça sobre ele, para que nele se empale.

E, quando Helena o faz, Pedro a ampara, enlaçando-a pelas coxas para que ela possa cavalgá-lo, dando-se a suas carnes úmidas que o atraem e repelem, no movimento ritmado que mantém o mundo em movimento. A pele molhada é escorregadia e é preciso grande esforço para que o delicado equilíbrio não se desfaça. Músculos retesados sustentam o peso daquele ato, em que cada milímetro precisa ser vencido com cuidado, avanços e recuos de uma luta de amor dolorosa e difícil, mas por isso mesmo ainda mais ardente. E, por fim, gozam juntos, juntos mergulham, entregues ambos à correnteza que os arrasta, seus corpos feitos de lodo e água.

Agora estão quietos.

Mas, abraçada a Pedro, o rosto enterrado em seu pescoço, Helena sente que ainda é preciso mais.

Quer dar-se a Pedro como jamais o fez, entregar-lhe o sumo ainda mais íntimo, mais secreto, que homem algum jamais provou. Ofertar-lhe seus líquidos sem pudor, todos, sem exceção, para que ele beba sua essência e saiba que é o dono de seu corpo e de sua alma.

Deixa-se relaxar, a dor aguda que lhe comprime o ventre se desfaz em calor, a urina quente escorre sobre seu amante, indo banhar-lhe o corpo e aquecê-lo da frialdade das águas que estão por toda parte.

É o que Helena guardou até hoje de mais precioso. Sua definitiva entrega, seu maior gesto de amor.

PÉROLAS ABSOLUTAS
(trecho)

ENVEREDA POR UM BAIRRO ANTIGO E DECADENTE, região que já percorreu muitas vezes, sempre de passagem, sem nunca parar. De um lado e outro da rua há casarões centenários, com seus beirais rendados, os caixilhos de pedra, os vãos gradeados junto à calçada fazendo pensar em porões cheios de umidade e escuridão. Porões onde se dão embates proibidos, longe dos olhos do mundo. A mulher nota que, embora a madrugada vá alta, há pessoas pelas calçadas, com copos na mão, conversando, de pé ou sentadas em mesas de alumínio de tampos desbotados, onde o suor das garrafas formou pequenas poças que refletem a luz. É um bairro boêmio. Talvez seja perigoso.

Mas segue, dirigindo num torpor. O medo vai aos poucos sendo substituído por uma letargia estranha, um estado hipnótico do qual parece prestes a brotar, a qualquer momento, a euforia. Depois de atravessar várias ruelas, desemboca numa avenida larga, toda fechada por árvores centenárias, onde a luz dos postes luta contra as ramagens uma batalha inútil, passando esmaecida, mortiça, como se emanasse de antigos lampiões a gás.

É nessa avenida que ela avista as mulheres. São muitas. Surgem de trás dos troncos das árvores, brotam das capotas dos carros, insinuam-se pelas portas entreabertas. Parecem pressentir, naquela hora moribunda, a presença de um último freguês. E saem das sombras para fazer seu jogo de sedução, os corpos seminus, as roupas exuberantes, as curvas por vezes excessivas, por vezes gastas. São olhos, bocas, seios, são pernas, umbigos e nádegas, mercadorias de várias cores, diferentes tamanhos e texturas que se oferecem, ondulantes, na calçada. Ao ver que quem está no carro é uma mulher, muitas lhe dão as costas, algumas fazem expressões de desdém, uma loura grita um palavrão. Mas ela, fechada na bolha de metal e vidro, nem por um segundo se intimida. Segue em frente num transe, o carro deslizando pelo asfalto por conta própria, como a gôndola de um trem fantasma.

Ao fim de alguns quarteirões, torna a fazer a curva, entrando numa rua secundária, também escura, onde um grupo ruidoso está reunido de pé, na porta de um botequim. A ruela é coberta por um asfalto gasto e por pedras mal postas, restos de um calçamento anterior. O carro trepida. A mulher diminui a marcha. Vira mais uma esquina. E nesse instante, junto à entrada de um casarão decadente, um par de olhos sustenta seu olhar. Mais do que isso — uma boca se abre, nela explodindo um sorriso insinuante, de dentes tão brancos que seu cintilar, na rua deserta e escura, é quase um grito. Dentro do carro, o pé direito, apenas pousado sobre o acelerador, recua.

É uma bela mulher.

Alguém que de repente venceu a noite, embora traga-a nos olhos, no corpo, nos longos cabelos que, num trançado falso, escorrem pelas costas. O vestido vermelho ajusta-se às curvas, numa trama de tricô ou crochê que lembra as escamas de um peixe. A mulher ao volante pisa no freio. Na embreagem. O carro para.

O sorriso da sereia escancara-se, debochado. Como se quisesse desafiar a outra, ela torce os cabelos numa longa e única trança, virando-se de costas. Livre da falsa cabeleira, a pele negra exibe os nós de músculos, luzindo como cetim. No carro, cúmplice, parado, agora é o coração da mulher que se acelera. Sua mão direita toca a extremidade do câmbio e põe a marcha em ponto morto. Na calçada, a sereia solta uma gargalhada e se aproxima do automóvel a passos largos. Em perfeita sincronia, a mulher toca o botão do vidro elétrico, que desce, com suavidade e silêncio.

A sereia pousa as duas mãos na janela do carro e se curva para frente, sem parar de sorrir. O gesto faz seus seios imensos quase saltarem do decote. Os lábios, grossos, vermelhos como o vestido, vão começar a mover-se para articular um som, mas, na fração de segundo que se segue ao movimento, antes mesmo da emissão de qualquer palavra, a mão esquerda da mulher, dentro do carro, puxa a trava elétrica, abrindo de um só golpe todas as portas.

(...)

No quarto, de luz mortiça, as narinas da mulher se dilatam, num espasmo. Há no ambiente um cheiro de mofo mesclado ao odor antigo de fritura que, nos cortiços, penetra por portas e janelas, em permanente promiscuidade. Do lençol, meio encardido, sobem eflúvios há muito entranhados, cheiros de embates amorosos, de secreções várias, que se tornaram parte dos tecidos e que serão levados na pele dos que porventura ali se deitarem. Ela se despe, com segurança. Não precisa de mais do que alguns segundos para arrancar de cima do corpo o vestido leve, descalçar os sapatos e tirar a calcinha. Só então, senta-se à beira da cama, à espera.

A poucos passos, a mulher-peixe está de pé, as costas voltadas para ela, mas olhando-a por cima do ombro. Por um instante continua imóvel. Depois, imitando o gesto feito diante do carro, torce a trança, que lhe vai até os quadris, descobrindo as costas. E, com afetação, como numa cena de cabaré, desce devagar o zíper do vestido, que cai ao chão. Na meia-luz, surge o desenho perfeito das costas afilando-se em direção à cintura, os quadris redondos, as coxas firmes, as pernas longas, pairando acima dos sapatos de plataforma. Num movimento quase imperceptível, os pés dão um passo para o lado e se libertam do vestido, que fica jogado no chão, como uma gigantesca rosa. E só então a sereia se vira.

 Não há surpresa. Talvez no fundo a mulher já soubesse, e esperasse. Mas sua mão esquerda, que repousa sobre o lençol encardido, se retrai, as unhas cravando-se no tecido como se o fizessem na carne. Carne de homem — não de fêmea.

 De frente, como uma deusa surreal, a mulher-peixe aguarda, esperando talvez que a outra absorva o impacto daquela visão. Um corpo perfeito, de braços e pernas bem-torneados, músculos justos mas não excessivos, seios redondos, enormes, um deles semioculto pela cabeleira falsa, que desce em seu trançado até os quadris. O ventre liso, a cintura incrivelmente fina. Apesar da estatura, tudo nela tem delicadeza e feminilidade. Tudo, menos o ponto para o qual de repente converge toda a luz que resta no quarto, todo o ar que se respira naquele ambiente viciado, todo o foco dos olhos da outra: o gigantesco membro que, cinco dedos abaixo do umbigo, surge do ninho escuro, apontando para frente, desafiando a natureza, destroçando a lógica, rompendo a cadeia dos significantes e chamando-a com tal pujança e tal lisura que chega a cintilar na penumbra.

LEILA GUENTHER

Autora dos livros de contos O *voo noturno das galinhas* (São Paulo: Ateliê Editorial, 2006; traduzido para o espanhol: *El vuelo nocturno de las gallinas* — Lima: Borrador Editores, 2010) e *Este lado para cima* (2011 — em edição artesanal pelo selo Sereia Ca(n)tadora, da revista Babel). Participou das antologias *Quartas histórias: contos baseados em narrativas de Guimarães Rosa* (org. Rinaldo de Fernandes — Rio de Janeiro: Garamond, 2006) e *Capitu mandou flores: contos para Machado de Assis nos cem anos de sua morte* (org. Rinaldo de Fernandes — São Paulo: Geração Editorial, 2008). Nasceu em Blumenau (SC).

*

"Avalanche" foi extraído de O *voo noturno das galinhas*.

AVALANCHE

A ÚLTIMA VEZ QUE A GAROTA VEIO VÊ-LO parecia fazer tanto tempo que, por fúria ou em sinal de castigo, ele mordeu suas costas até deixar nelas várias manchas circulares, assim desenhadas por causa dos arcos dos dentes, e que, por sua vez, formavam um outro círculo, maior e mais perfeito, urdido com a simetria dos que acreditam no método acima de tudo. Ela aceitou a fúria, ou o castigo, com olhos semicerrados e as sobrancelhas franzidas dos sofredores, erguendo, enquanto isso, o quadril livre das manchas como uma tela em branco, esperando a destreza dos dentes nas nádegas, embora estas nunca, nunca mesmo, por mais forte que fosse a violência recebida, exibissem quaisquer sinais de maus-tratos. "Feitas para apanhar", dizia ele das nádegas, desejando tomar a parte pelo todo. Hoje ela está atrasada e por um momento ele suspeita que ela não venha, que não venha nunca mais. Depois, entre um gole e outro de alguma bebida, ele se anima e acredita que sim, que ela virá, que, ali, no lugar que erigiram para a profanação, o espaço exíguo de uma cama, ela precisa tanto do sofrimento quanto ele precisa ferir. Não se trata de um sofrimento qualquer, infligido a qualquer um que o suporte, mas nela, que, apesar das fortes nádegas, não é nem jamais foi, e ele o sabe, talhada para a dor. O que ela suporta, pois, é como o heroísmo dos queimados vivos. Ela tampouco permitiria que outro a ferisse, porque ele, com seu método, tem a medida exata ao calcular o peso que depositará nas próprias mãos, grossas e largas, feitas para espancar, quando o chicote descreve no ar uma parábola, e só a ele, que lhe descobriu a vocação servil, cabe o direito à propriedade. Enquanto aguarda, ajeita delicadamente no aparador da entrada o maço de flores que comprou para ela, cantando repetidas vezes os versos "you who wish to conquer pain, you must learn what makes me kind..." com todas as suas variantes, e imagina-a entrando porta adentro, esbaforida, correndo para beijá-lo, tropeçando nos móveis, cheirando as flores e falando da visceralidade do último filme a que assistiu, do livro que está lendo, do poema que tentou escrever, sempre viscerais como o filme, porque essa é a única coisa que a atrai na arte. Eles conversarão então sobre livros e ele lerá, a pedido dela, mais algum capítulo de um romance interrompido na última vez. Beberão vinho e irão para a cama, onde costumam passar horas seguidas dedicados não apenas ao estetismo de seus corpos mas às trivialidades do cotidiano, às memórias vividas, que não raro despertam lágrimas e um poderoso sentimento de redenção. No começo, ela lhe beijará os pés por entre os dedos, deixando um pequeno rastro de saliva na superfície sinuosa, para depois se deitar sobre o peito dele, brincando com seus pelos, devagar, como se já ensaiasse o sono que os afastaria. Ele a apertará contra si num gesto quase brusco, como que para despertá-la, cravando as unhas em suas costas até que no rosto dela se possa ver, com o canto do olho, a expressão de mártir. Com rapidez, alcançará uma sacola embaixo da cama, onde guarda o chicote, as cordas, correntes e algemas. Já não percebe a progressão na intensidade dos seus gestos que, de um tempo para cá, têm feito mais altos os gritos dela e mais duradouras as feridas. Com uma longa corrente, ele a amarrará dos pulsos erguidos no alto da cabeça aos tornozelos, criando motivos geométricos cuja intersecção se dá entre os seios, sobre o ventre e no meio das coxas. Apertará os mamilos com pregadores de roupas que ela recusará num primeiro momento, mas que, logo em seguida, ela mesma irá alcançar e estender-lhe com a boca, para seu regozijo. Ainda presa, mas com os seios soltos, terá seu corpo, incapaz de movimento, virado de bruços e espancado até a exaustão dos braços dele. Ele, logo que detiver os olhos em suas costas, admirará todos os ferimentos que causou, pensando que ela, sem dúvida, fica muito mais bonita assim, com o sangue na superfície da pele agora avermelhada corando sua eterna palidez de morta. Mas à dolorosa contração dela ao seu toque de carinho, será tomado pelo desespero dos sonâmbulos que despertam depois do crime. Arrependido, ele se amaldiçoará, ensejando o movimento de recolher todos os instrumentos do sortilégio e levá-los para o lixo, na impossibilidade de arremessar lá, também, as próprias mãos. Ela o deterá, advogando que antes o sofrimento na cama do que fora dela, e ele, por fim, instaurando o momento em que o ideal de cada um, tão oposto mas tão complementar, conflui para um mesmo ponto, cuidará de suas feridas, uma a uma, com zelo de samarita. Se ela vier.

ROMÃ

LIA DESCANSA O COPO DE UÍSQUE sobre a mesinha de canto. Contempla suas mãos, que o seguram, suas unhas de formato quadrado, apesar da delicadeza dos dedos, pequenos, as manchas incipientes. E contempla também uma coisa, como se estivesse refletida nas paredes da sala, que vagamente poderia chamar de amor. Ou conceito de amor. Acha que isso vem à sua cabeça por causa da música que pôs no aparelho de som, uma música antiga, que Lia julgava, quando jovem, enigmática: falava do amor como uma coisa concreta, que se podia vestir, lavar, passar adiante. Há uma meia hora, quando procurava uns documentos, deparou com uma carta. Uma carta que não enviou. Na verdade eram várias cartas nunca enviadas a um mesmo destinatário. E a música era a que gostaria de ter lhe cantado quando ainda podia. Porque há certas sensações, pensamentos, vislumbres que só se fazem claros quando referidos por imagem, ou por som, num poema ou numa letra de canção.

Foi por causa das cartas, do destinatário e da música que ela se lembrou do uísque.

Tentou disfarçar o amargor e a vontade de contrair o rosto numa careta quando ele lhe estendeu o copo. Aos primeiros goles já se sentiu zonza e com vontade de vomitar. Assim seria durante a maior parte de sua vida. No entanto nada disso a impediria de ceder ao apelo da entrega profunda que só o álcool proporcionava. Era o preço que se pagava por desejar estar sempre o mais distante possível de si mesma. Mas ali, naquele dia, o que Lia fez foi apreender progressivamente o apelo dos sentidos, de uma forma contraditória: ao mesmo tempo em que tudo se tornava mais intenso, seu corpo ficava mais insensível. Sozinha consigo, que era como sempre estivera, ela o observava e tentava descobrir se o que via era um truque ou ele mesmo. Por um momento, desejou que ele estivesse mentindo, porque estava farta de sinceridades. De pessoas falando a verdade.

Lia passava a maior parte do tempo enfurnada em livros sobre os mais diversos assuntos e desinteressada de tudo que fosse real, prático, funcional, inclusive das aulas. Era capaz de ser arrebatada pelos mistérios de *Uma breve história do tempo* e passar os cinquenta minutos da aula de Física entediada, mal conseguindo disfarçar o alheamento.

No último ano, estava decidida a não tentar nenhuma faculdade. Não suportaria ter de estudar por mais quatro ou cinco anos algo de que não gostasse, disse, na classe, quando perguntada sobre os planos futuros pelo professor de Psicologia numa aula sobre orientação vocacional. E, também, acrescentou, não tinha talento. Os alunos à volta não compreendiam. Todos ali falavam de metas, de carreira, de futuro, esse tempo que Lia não tinha a menor ideia de onde se localizava. Talvez apenas ainda não tivesse descoberto do que realmente gostava, conjecturou o professor.

Talvez nunca descobrisse, ela respondeu.

O professor de Psicologia pedira que escrevessem um texto no qual se identificassem com uma fruta. Lia escolhera a romã pelo que acreditava ser negativo: algo desprovido de graça quando se olhava por fora, e o que poderia ser belo, por dentro, se revelava apenas um amontoado de caroços sem sabor.

Quando ele devolveu sua redação, ela veio com um comentário: "A romã não é propriamente uma fruta. É uma infrutescência. Na Grécia, simbolizava o amor e a fertilidade, e era consagrada a Afrodite. Estava nos jardins do rei Salomão, pela beleza de sua flor. Não se deve desdenhar da romã, de sua conformação difícil, dividida, e do que deixa, a custo, entrever em seu interior". Por último perguntou se ela sabia o que era um palíndromo.

Não. Ela não sabia. E ela, que lia tanto, também não sabia nada disso sobre o que escrevera.

Depois da aula, Lia ficou a postos em sua mobilete, esperando que o carro azul, estacionado na rua atrás da escola, partisse. Então ele passou, e ela o seguiu. Por vinte minutos ela rodou pela cidade sem perdê-lo de vista. Quando ele parou em frente a uma casa térrea sem garagem num bairro residencial, ela também parou, a uma distância segura, e esperou até o motorista do carro entrar pelo portão baixo do pequeno jardim da frente.

Ali mesmo à porta, ela pediu que lhe falasse mais sobre a romã.

E assim tudo começou. Lia já estivera com garotos antes, mas nunca deixara que eles fossem muito longe. Agora, que estava pela primeira vez com um homem de verdade, era ela que se adiantava a qualquer movimento dele. Depois, mais tarde, quando estivesse a sós, ela não acreditaria na coragem que teve de abordá-lo assim, ela, que nunca abordara ninguém, e de falar a ele da estranheza e da solidão de ser o que era, ela, que nunca se expusera a ninguém. Não acreditaria que bebera todo o uísque que ele, pelo desconcerto da situação, tomava e lhe oferecera com as próprias mãos, que a ela pareciam ora trêmulas, ora firmes enquanto ela mesma tremia.

A casa do professor era o lugar em que ele, também psicanalista, clinicava. Tinha sido apenas seu local de trabalho até ele se divorciar da mulher e passar a viver ali. O espaço era exíguo — dois quartos pequenos, um deles com uma poltrona, um divã e uma estante de livros; o outro, com uma cama de casal, outra estante de livros, menor, um guarda-roupa e a foto da filha sobre o criado-mudo. Nos fundos, uma edícula com um sofá-cama onde a filha preferia dormir quando vinha visitá-lo. Ela devia ter a idade de Lia e foi por ela, disse, que ele adiara tanto o fim de um casamento já acabado. Ela e Lia, como esta foi percebendo das informações que aos poucos foi recolhendo do que ele lhe falava, tinham várias semelhanças: a mesma compleição, pernas com panturrilhas firmes, quadris pequenos, um corpo reduzido, um sorriso um pouco assimétrico, com o lado esquerdo dos lábios superiores mais levantado, e olhos que pareciam, à primeira vista, ligeiramente estrábicos.

E foi ali, no espaço do amor, que Lia conheceu também pela primeira vez um desconforto que só o álcool parecia abrandar, algo sobre o qual ainda sabia tão pouco quanto sabia da romã.

Na biblioteca lia um livro que o professor lhe recomendara. Só havia ela e um garoto do segundo ano, na mesa ao lado. Ele tinha o rosto cheio de espinhas, o cabelo, na altura dos ombros, engordurado, e parecia se coçar. Lia continuou com os olhos fixos nas páginas de O *que ela encontrou por lá*, embora sua visão periférica a advertisse sobre alguma coisa de que ela não tinha certeza. Lia se levantou e fingiu ir buscar um livro numa estante.

O garoto não se coçava, ele se masturbava, ela constatou, com horror e calma. Lia saiu dali como se não tivesse visto nada.

O professor a recebeu constrangido, porque um paciente chegaria em meia hora. Ele a levou para a edícula nos fundos da casa, onde Lia chorou, sem conseguir se controlar, enquanto ele tentava acalmá-la. Ele passou as mãos por seu cabelo, pelo seu rosto úmido, e uma vontade de preservá-la, de cuidar dela, se apoderou dele. Acomodou-a no sofá-cama e a cobriu com uma colcha de crochê, enquanto lhe sussurrava baixinho uma canção de amor, até que ela dormisse.

Depois da sessão, ele a acordou deitando-se ao seu lado, envolvendo o corpo pequeno de Lia com o seu, e pediu que lhe dissesse tudo. Ela disse que tinha uma cicatriz, algo escrito em seu corpo, de que não sabia como se livrar, um aviso, uma placa que informava ao mundo que ela não era digna de respeito. O sinal de Caim, ele pensou. Era essa a marca que a trouxe para ele, o professor disse, e o desejo o invadiu, um desejo paradoxal de resguardá-la e, ao mesmo tempo, de dilacerá-la até a destruição.

Na edícula, onde com frequência Lia o esperava, ela examinava peças de vestuário feminino com um interesse quase científico. Um dia uma camiseta com estampa de urso, esquecida ao lado do sofá-cama, no outro um vestido curto de alcinhas. Um par de chinelos cor-de-rosa que tinham o seu número. O único pé de uma meia soquete puída. Certa vez encontrou uma calcinha. Ela a cheirou, a esticou, ponderou sobre o peso do algodão e sobre sua estampa miúda de flor, e, constatando que era do seu tamanho, por fim a vestiu e se postou na frente da janela fechada cujo reflexo lhe servia de espelho, quando ele chegou e beijou sua nuca, suas costas, agarrando-a por trás, esfregando com violência seu corpo contra o dela. Sentiu como se o desejo dele passasse por ela e se dirigisse a outro ponto. Como se ela fosse o vidro da janela e ele olhasse através dela, sem poder atravessar.

Às vezes eles só conversavam, entre um gole e outro de uísque. Sobre livros. Sobre o amor. Sobre Lia. Sobre o futuro dela. Outras não falavam nada. Apenas se contemplavam. Ele, à juventude dela, à experiência teórica que tentava demonstrar em tudo; ela, aos indícios de uma maturidade forçada, de pelos, cabelos brancos e rugas, dele. E, em algumas delas, quando Lia pedia que ele a possuísse no outro quarto, sobre o divã, apenas ele falava. Falava um nome no ápice do amor, sussurrado, um nome que não era o de Lia. O nome da filha. E porque não sabia se ouvira mesmo o que tinha ouvido, Lia lhe pedia que fizesse mais uma vez, e mais outra, tantas vezes quanto durasse sua dúvida.

Alguns dias Lia não podia ir à casa do professor. É quando ele tinha pacientes ou quando a filha ia visitá-lo. Nesses dias ficava na biblioteca da escola, que era onde dizia aos pais estar quando não estava, o que não deixava de ser verdade. Na biblioteca, sozinha, escrevia cartas. Confissões, dúvidas, acusações, sobre a sensação pungente de ter sido cortada em partes, roubada, arrastada pela correnteza de um rio sem margens. Sobre a capacidade dele de descobrir talentos e vocações. Cartas que nunca enviaria ao seu destino.

Numa das últimas aulas do ano letivo, Lia chegou atrasada à escola. Tinha esperado por ele na rua onde costumava estacionar, e onde todas as manhãs se viam sem se aproximar, como se fossem desconhecidos. Assistiu às aulas com desinteresse. A última era a de Psicologia, mas o professor não viera e os alunos foram dispensados. Lia então ficou sabendo do acidente.

Ela não soube como dirigiu, que manobras teve de fazer até atravessar corredores brancos e iluminados que desembocavam numa recepção asséptica, onde, antes de pedir para vê-lo, perguntou à atendente se algum parente próximo estava ali. Não soube tampouco como deixou o hospital. Apenas se lembrava da sequência: a atendente lhe mostrou uma senhora, sentada com ar desolado no saguão; Lia se aproximou, dividida entre o medo e a curiosidade; ficou sabendo dos detalhes do acidente; que se tratava da sua única parente viva; que ele era muito reservado e mesmo a ela raramente procurava. E sobretudo se lembrava do último ato, de quando, confusa, perguntou pela filha dele e, antes que pudesse ouvir a resposta chocante, Lia a adivinhou, pela expressão de espanto da velha senhora.

VIAGEM A UM
LUGAR COMUM

Depois daquele instante, que permanece em algum lugar da memória, como se pairasse, sem forma, começo ou término, acima de todas as coisas terrenas, e que nem mesmo o tempo, o mais movediço dos seres, podia abarcar, a vida, à sua revelia, pareceu retomar seu curso normal, caminhando na direção do fim, de todas as ruínas, do abismo, para o qual ela sempre fora atraída.

De regresso, chegou mesmo a se questionar se afinal sonhara que o conhecera para acordar com a impressão de que a vida desperta era insignificante ou se na verdade sempre estivera a seu lado e um outro alguém sonhava que estava aqui, sozinha, errando sem destino por ruas abafadas e confusas. Ela anda por uma terra estranha como uma figurante de um filme que já acabou, pisando em escombros — tudo lhe é morto.

Os sonhos são feitos de matéria obscura e incompreensível. Mesmo a razão de eles acontecerem não é permitido entender (como pouca coisa o é). E é à noite, quando em vão se tenta esquecer o dia, que esses pedaços de vida verdadeira mais assombram. Sempre os considerou mais reais que a própria vigília. Esteja ela certa ou não a seu respeito, eles anteciparam o que lhe aconteceria: através deles anteviu seus gestos, sua pele, seu cheiro, o som misterioso de sua língua e as batidas ritmadas de seu coração, tão perfeitamente familiares aos seus ouvidos.

Ecos de um corpo dentro dela.

*

Já era fim de tarde quando desembarcou em Varanasi. Estava ansiosa, não propriamente com o que iria ver, mas pelo fato de não saber o que a esperava, nem o que viera fazer ali. Já estivera em outros lugares antes, mas nunca se sentira assim. Varanasi foi como um chamado, uma ordem. Um dia acordou de um sonho no qual saía completamente limpa das águas de um rio sujo em direção a uma escadaria de duas cores. Decidiu que deveria ir para lá.

*

Ele surgiu, no aeroporto, na fila dos táxis. Ela não sabia que ele existia de fato. Ele não sabia que ela estava lá. Deve de alguma forma ter nascido naquele momento, pois o viu perscrutar com seus olhos negros e turvos algo nela que ela desconhecia possuir até então, ao mesmo tempo em que tentava esconder seu próprio peito esfacelado, enquanto apanhava a mala para conduzi-la ao hotel.

*

Ela só percebeu o calor quando deixou o ar-condicionado. Ele estava à espera num dos táxis parados em frente ao hotel. Ela lhe pediu que a levasse por um tour pela cidade. No banco de trás, em vez de observar o caminho, ela contemplou seu cabelo liso, grosso e preto e o perfil que deixava à mostra parte da pele azeitonada. Levou um cigarro aos lábios e, antes que retirasse o isqueiro da bolsa, ele se ofereceu para acendê-lo, com a mão esquerda, e, como as janelas estavam abertas, ela se inclinou e fechou suas mãos sobre a dele, para manter acesa a chama.

Não queria mais deixar de tocá-las. Eram elas que lhe devolveriam a identidade, eram elas que a moldariam. Soltá-las seria estar imersa na escuridão novamente: seria voltar a estar morta.

E o fogo que iluminava era o mesmo que cegava.

*

"Haady", ele lhe saudou, com uma espécie de humildade altiva, no outro dia, quando esperava na frente do hotel. "Aquele que conduz ao leste".

Ela não lhe revelou seu nome.

*

Sem perguntar, ele a levou ao Ganges, ao rio de seu sonho, onde avistaram peregrinos fazendo abluções, mulheres lavando roupa, crianças ensaboadas e piras funerárias queimando. Ele a acompanhou até a escada enquanto ela se pôs a descê-la pisando os dois pés em cada degrau, como quem aprende a andar. Na beira do rio, tirou os sapatos e mergulhou nas suas águas escuras.

Não sabe quanto tempo ficou submersa. Os segundos se atrasaram, até que o mundo, por um momento, parou. Depois, tudo era esquecimento. Quando emergiu, ele veio em sua direção. Pela mão a conduziu até os degraus mais altos, onde se sentaram e se olharam com reverência. Pela primeira vez conversaram. E era como se já soubessem tudo do outro apesar da distância da geografia, da língua, de deus, dos gestos, dos espantos. Já era fim de tarde quando ela lhe pediu que a levasse com ele.

*

O destino é um conjunto arbitrário de coincidências.

*

Ele beijava as dobras de seus braços como se fosse sugar seu sangue por essas veias que se salientavam tal qual estivessem prontas para uma agulhada; sua boca percorria sedenta o espaço limitado de suas costas (e ela não era um oásis, e não podia matar sua sede) e em vão percorriam todos os desvãos de seus corpos momentaneamente unidos, num gesto último que beirava o desespero de um parto (uma longa espera), como se de dentro deles alguma esperança viesse à luz. Ele arfava sobre ela e ela se submetia ao peso do amor, enquanto sussurravam — aos gritos — palavras em duas línguas.

*

Quando ria, não parecia mais do que uma criança, mas frequentemente estava sério e, assim, seu rosto era o de um homem, com todos os fardos que uma face de homem esconde ao longo de uma vida, mesmo sendo ele tão novo. Havia algo por trás desse muro, dessa altivez, algo que ele deixava apenas entrever na forma como acariciava seu cabelo enquanto conversavam antes de enfim dormir, ao seu lado, de olhos fechados.

*

Seu oriente particular. Para lá desde sempre todas as suas fugas encaminhadas. Para lá os que nunca regressaram. Para qualquer lugar que ele a levasse. Lá o ópio que consola. O alimento de sua alma. Ela tocou seu alimento e ele também, sentado no chão, o gesto majestoso de Shiva, quisesse ele ou não ser o deus da destruição.

*

No dia anterior à sua partida, quando se amavam, ela viu em seus olhos, com assombro, uma luz da cor da aurora dos trópicos. E essa luz projetava todo o universo em sua infinitude. Entre todas as coisas que palavra alguma poderia descrever com inteireza e que nenhuma memória seria capaz de conservar intactas, distinguiu um feto completamente formado dentro de um útero a mover os dedos das minúsculas mãos, os desertos de areias quentes jamais percorridos, todos os templos erguidos por mãos humanas em nome de deus, viu a morte do último homem sobre a terra, uma frágil flor de lótus emergindo de um lago pantanoso, homens escondidos em trincheiras, viu a terra a se mover, viu rostos ancestrais, os sóis fenecendo no espaço como uma vela se apaga num quarto, o primeiro verso do *Rubayatt* de Omar Khayan e os demais versos nunca escritos, viu aquela enorme ferida brilhante se rompendo sobre Hiroshima, viu tombarem, diante do conquistador, um a um, todos os índios da América, uma grande família em volta de uma mesa, rindo num almoço de domingo ao ar livre, viu os guetos de ontem e hoje, viu aquela grande explosão que originou o mundo e dentro dela novamente um feto, e de novo os olhos dele, escuros, a fecharem-se em seu enigma.

*

No dia de sua partida, ele não apareceu.

*

Os que passaram além do Bojador foram transfigurados. E o futuro e o amanhã e a esperança e todas as palavras que remetem ao fim perdem o seu sentido cada vez que ela se recorda: não há depois quando se está dentro do círculo. O final do oriente já é o ocidente e, talvez, só exista mesmo a certeza desse céu acima, o mesmo de sempre, que reflete, como ele, todas as coisas do universo, onde tudo começa e para onde tudo retorna.

*

Todos os dias ela vai a Varanasi.

CONTRA A NATUREZA

I

JEAN-BAPTISTE CHEGOU À CASA PATERNA depois de oito anos de estudos na Inglaterra. O marquês D'Arbanvilliers o aguardava, junto à esposa e ao casal de criados, à frente de sua propriedade em Clamart. Da última vez que o jovem estivera na terra natal, o marquês possuía também a casa em Champs-Élysées e ainda amargava a morte da esposa. Desde então, sua renda caiu de oitenta para sessenta mil libras anuais, ele se estabeleceu definitivamente no subúrbio e contraiu segundas núpcias com Esmée.

Houve codornas, carne de caça e sável, preparados por Sandrine, a criada. Ela e o marido estavam exultantes com a volta de Jean-Baptiste — durante muito tempo eles temeram pelo destino do jovem, a cuja mãe serviram por mais de dez anos até que ela adoeceu bruscamente, emagrecendo e empalidecendo até se transformar num fantasma etéreo e sem vida.

Feliz ou infelizmente o rapaz tivera a ventura de habitar um país que, entre os resquícios do byronismo e a singularidade de

Brummel, o iniciara com elegância no idealismo mais extremado. Jean-Baptiste era o filho do século. Temeroso, pálido, franzino, com facilidade para o pensamento e dificuldade para a ação, só se sentia mais senhor de si quando desperto pelos vapores do absinto ou dormente pela fumaça do ópio oriental.

Esmée, depois de servido o digestivo, acompanhou Jean-Baptiste aos seus aposentos. À porta ela passou a mão pelo rosto dele com a expressão triste dos que não tiveram filhos e indicou o quarto, que ela mesma tratara de preparar para a chegada do jovem. Estava decorado com distinção e bom gosto que o surpreenderam. Ela voltou pelo corredor e Jean-Baptiste, mesmo vendo apenas a nuca, de onde pendiam fios escapados do coque — não se sabe se propositalmente ou não — e o desenho do decote às costas, pôde sentir a melancolia e, simultaneamente, a força vital que emanavam de sua figura.

No quarto, a sós, ele adormeceu em meio ao aroma inebriante de tuberosa, que parecia exalar dos lençóis cuidados pela madrasta, com quem sonhou. No sonho, a madrasta lhe passava as mãos pelo rosto, e se confessava duplamente abominável: por ter tentado tomar o lugar da mãe de Jean-Baptiste no coração do marquês e, ao mesmo tempo, por nunca tê-lo conseguido.

II

Jean-Baptiste só reviu a Paris de sua infância duas semanas depois de seu regresso a França. Ele foi direto à galeria de arte do pai de Louis, um de seus amigos mais próximos, no Marais. Eram de uma família simples, de negociantes, mas sempre tiveram sensibilidade para a arte. O pai de Louis tinha morrido e agora o amigo, que também pintava, tocava o negócio. Entre as saudações e as lembranças dos tempos antigos, Louis quis compartilhar com Jean-Baptiste a mais nova aquisição da galeria, com que estava absolutamente deslumbrado, e que mantinha escondida nos fundos, para que ninguém a comprasse. Quando Jean-Baptiste a viu, ele teve a impressão de que ela dividia toda sua vida anterior de tudo o que viesse depois. Era uma pintura escura, ao mesmo tempo bizantina e moderna, cuja parte iluminada incidia sobre um cisne, que apoiava a cabeça sobre a figura mitológica de Leda, a qual tomava a luz de empréstimo da ave. Tal era a concepção da cena que a Jean-Baptiste pareceu que as asas do cisne eram, na verdade, as de um anjo em forma de mulher.

Louis arrastou o amigo até o ateliê de Gustave, o pintor. Ali, eles o viram trabalhar em suas telas, e depois conversaram sobre arte, a vida monástica do artista e suas inspirações. De lá partiram, deambulando, Jean-Baptiste ainda atordoado com o pintor, até Pigalle, onde primeiramente foram ver a apresentação da amante de Louis, "Alice acorrentada", num obscuro café-concerto, para depois subirem até uma casa de ópio em Montmartre, onde Jean-Baptiste, depois de fumar o cachimbo fino e comprido, viu, flutuando sobre sua cabeça, de forma muito vívida, a figura enorme de um anjo nu cujo rosto lhe era vagamente familiar.

Quando voltou a Clamart, Jean-Baptiste deparou com Esmée sozinha na sala principal, paralisada, de olhos fixos na lareira. Ela não o viu, ou fingiu que não, mas de perfil se notavam seus olhos brilhantes e úmidos.

III

O marquês estava ausente, como costumava fazer por dias, sem avisar Esmée. Esta ora se prostrava, de frente para a lareira, transformando-se numa figura estática em que apenas os olhos emitiam algum brilho de água, ora se punha a cuidar de seu jardim com dedicação. Desta vez estava perto dos antúrios, onde

Jean-Baptiste a abordou timidamente. Esmée, numa fração de segundo, estava certa que o marquês tinha voltado, mas, ao ver o filho do marido, tratou de não demonstrar decepção. Antes, sorriu-lhe e passou a falar-lhe do seu interesse pelas plantas, flores, seus cheiros e propriedades.

Estava ultimamente interessada nas folhas do shiso, que remetiam a Kyoto que nunca veria; nas orquídeas da vanila, no cheiro de limpeza da verbena, na correspondência que julgava existir entre a magnólia e a flor de lótus, na exuberância do jacinto d'água, na ingenuidade camponesa da lavanda, no predomínio orgulhoso do jasmim sobre todos os perfumes.

Dela mesma, que mexia na terra, exalava-se um odor confuso que parecia provir da mistura de tudo o que cultivava no jardim. Jean-Baptiste sentiu-se tonto e afastou-se, pretextando ir ler. No seu quarto, abriu uma maleta e retirou de lá os apetrechos que comprara de um velho perfumista francês que fechara as portas em Londres e se pôs a trabalhar. Extratos, espíritos, alcoolatos, bálsamos. Manuseou o âmbar, o almíscar, a mirra, o óleo de neroli, a frésia, a cássia. À noite, quando julgou que parte do trabalho estava concluída, foi explorar o jardim. Descobriu flores novas, perdeu-se nos cheiros, achou que perderia os sentidos também, deitou-se sobre a relva e, vitimado por um delírio que lhe atacava a visão e o olfato, vislumbrou uma cabeça de cisne sendo abocanhada até a base do longo pescoço por uma flor carnívora que recendia a jasmim-manga. Quando a nevrose abrandou, Jean-Baptiste apanhou flores do lírio-branco, da rosa e do ylang-ylang, folhas do vetiver e outras tantas, guiado apenas pelo nariz, e levou-as ao seu quarto, para apreciação.

Trabalhou intensamente, modificando elementos da natureza que, por si sós, nunca poderiam adquirir a complexidade da arte. De lá saiu dois dias depois, apesar da preocupação e dos protestos das mulheres da casa, com um pequeno vidro de aspecto leitoso como a opalina, em cujo interior descansava um líquido acastanhado, que ele batizou com o nome sinestésico de "O canal dos 5 sentidos". Levou o frasco até a sala principal, onde Esmée se detinha em frente à lareira apagada e apresentou-lhe o invento como um medicamento, um bálsamo que, aplicado ao corpo, poderia curar a alma. Abriu a tampa, molhou os dedos indicadores e médio no líquido e esfregou-os em toda a circunferência do pescoço da madrasta, sentindo-lhe a pele quente e a vibração da jugular contra a ponta das falanges.

IV

A casa parecia mais iluminada, menos opressiva. Esmée estava mais viva e radiante, como um botão de flor que finalmente se tivesse aberto depois que o marquês abandonara os hábitos da ausência. Ele agora quase não se afastava dela e mesmo a procurava em seu quarto. Havia sons de risadas, conversas animadas ecoavam pela casa e mesmo os criados pareciam mais alegres.

Jean-Baptiste assistiu a tudo com desapontamento e horror. Haveria de pagar o preço por intervir assim na ordem natural das coisas? Ao mesmo tempo em que se diminuía e se apagava diante da nova atmosfera da casa, sentia crescer o desejo de tocar aquela pele novamente, embebida em algo que ele tinha criado exclusivamente para ela.

Assim, Jean-Baptiste passou a se ausentar cada vez mais da casa do pai, cuja aura de felicidade conjugal ele não podia suportar. Com Louis, percorria os bares e cafés da Rivoli em tipoias bambas ou em caleças velozes. Também andavam muito, como era o costume da época. Jean-Baptiste bebia o bordéus e a champagne em cabarés onde mulheres faziam malabarismos, ou no Lapin Agile, onde ouvia a poesia dos nefelibatas, e tomava o absinto em bares soturnos, onde os frequentadores tinham olhos injetados e pareciam não reconhecer seus pares. Peregrinava pelas casas de ópio em busca do sono que já não alcançava e dali só despertava para perambular, sozinho, pela ilha da cidade.

Certa vez estava em uma cave onde tinha fumado uma novidade vinda do Marrocos quando foi interrompido por Louis, que o procurava. Louis tentou lhe falar, mas ele só conseguiu compreender o que se passava quando Esmée surgiu na sua frente, de olhos úmidos, para levá-lo para casa. Era preciso exaurir-se, acabar-se, destruir-se para ser digno de contemplar o belo, pensou, enquanto desfalecia num fiacre ao lado da madrasta.

Foi carregado para dentro da casa do pai com ajuda do trintanário e do criado. Esmée e Sandrine o assistiram enquanto se recuperava. O marquês não estava em casa.

Uma manhã, quando abriu os olhos, sentindo-se mais consciente, deu com Esmée, que o fitava. Ela lhe sorriu tristemente, e de sua figura não emanava nenhum odor. O marquês voltava a se ausentar e ela vinha lhe pedir que preparasse mais do elixir.

Jean-Baptiste hesitava. A madrasta lhe falou com uma sinceridade que ele não julgava existir. Depois, como ele ainda titubeasse, amargurado, indeciso, fechado em si mesmo, Esmée se despiu. Mesmo sem o perfume, a pele parecia algo só visto na pintura dos gênios, de uma cor que lembrava o nácar, mas aveludada e opaca. Um território infinito, que poderia ser cavalgado como uma estepe eterna. Ele se levantou da cama e tocou seu pescoço até onde começava a caixa torácica. Após uma pausa, passou os dedos por todo o contorno de seu corpo e beijou cada centímetro de seu tecido branco. Deitou-a e, quando finalmente se pôs sobre ela, invadiram-no o delírio da flor carnívora a devorar o cisne pela cabeça e o delíquio decorrente de uma descoberta. Não conseguiu fazer nada. Não poderia conspurcar aquela beleza. Esmée compreendeu e eles se deitaram na cama, abraçados, e adormeceram.

No dia seguinte, pela manhã, Jean-Baptiste disse a Esmée que prepararia o perfume, mas que gostaria que ela o acompanhasse a alguns lugares de Paris.

V

Passearam, logo pela manhã, pelo Boulevard St. Michel, no Quartier Latin. Da Sorbonne caminharam até o Panthéon, e de lá andaram a esmo, chegando até o Jardin des Plantes, que mais pareceu a Esmée o Jardim do Éden. Ervas, flores, todos os cheiros, para o deleite dela. Ela lhe confessou que seu sonho mais antigo era visitar todos os parques e jardins da cidade que tão pouco conhecia. Jean-Baptiste via a alegria da madrasta e também se alegrava. Depois ainda foram até a Place de La Contrescarpe, onde, no número 74 da Cardeal Lemoine, depararam com uma singela construção, que julgaram o lugar ideal para serem felizes, mesmo se fossem pobres. Logo depois, Jean-Baptiste a levou para a casa do pintor que tanto o impressionara. Lá pediu a Gustave que os retratasse. Gustave, contra seu método, aplicou-se num esboço que comoveu os modelos e os levou a se olharem como sempre se quiseram olhar, quase envergonhados, com cumplicidade e êxtase. Era uma dançarina oriental que apontava, como se erguesse por mágica, com o dedo indicador da mão esquerda, uma cabeça de rapaz que pairava decepada no ar.

LUISA GEISLER

Tem 21 anos. Em 2012, foi escolhida pela revista britânica *Granta* como uma das melhores escritoras brasileiras de sua geração. *Contos de mentira* (Rio de Janeiro: Record, 2011) é seu livro de estreia e conquistou o Prêmio SESC de Literatura. *Quiçá* (Rio de Janeiro: Record, 2012), seu primeiro romance, também foi vencedor do Prêmio SESC de Literatura. Nasceu em Canoas (RS).

PENUGEM

Eu nunca pude ser nada além de um espectador.

A Helena faz de propósito, vestir a Camila deste jeito. Gosto deste vestido de renda, o casaquinho de crochê (ah, como gosto), tudo branco, cobrindo as perninhas brancas e magras com a penugem de criança sem pelos. Criança linda, criança loira que tanto sorri. Ah, a Helena sabe de como (e de por quê) eu nunca quis ensinar a Camila a andar de bicicleta, ah, ela faz de propósito.

Eu sei que a Helena faz de propósito porque ninguém usa crochê hoje em dia, ninguém usa renda, ninguém usa meia-calça branca, a Helena ajuda a Camila a escolher as roupas dela, incentiva:

"Qual você gosta mais? É a renda, não é? É esse? O rosa-bebê, não?"

E assim, a Helena sente o prazer em me ver despedaçar. Nem pra me seduzir com a menina, a Helena tem criatividade.

Camila caminha na sala, carrega sua caneca. Depois de sentar no sofá (o barulho do tecido em contato com as coxas), ela estica o controle remoto rumo à TV. A voz do bicho quadrado e amarelo substitui o som da respiração da criança. Posso sentir o perfume do shampoo que não é (mais) Johnson & Johnson: é o shampoo da

Helena, é qualquer shampoo que esteja no box do chuveiro, no banho apressado, mas em Camila o shampoo é tão branco, é sempre o cheiro da aloe vera, cheiro do sorriso da minha bebê.

Eu, sentado ao lado de Camila no sofá, vejo-a sorrir ao assistir ao desenho.

Tsc, a Helena sabe. Sabe de como eu afasto os olhos quando a Camila come, ah, a Helena faz de propósito, faz a menina escolher as mangas com renda.

Ah, sim, a Camila tem uma caneca em mãos (agora uma caneca sobre o colo (por favor, não suje o colo, não suje o vestido branco, deixe limpo o cetim bonito sob a renda)). "Love" em fonte infantil e vermelha, o fundo laranja, hahaha, bonita a caneca, coraçõezinhos espalham-se por ela, pelo laranja da caneca, o "o" também é um coração. Pois é, umas rachaduras na alça, sim, mas nada de mais, nada que me incomode, não mancha o colo, linda, tsc, a Helena sabe, ah, a Helena faz de propósito.

Ainda que continue encarando a televisão, Camila fala mais alto que o bicho cor-de-rosa pontudo:

"Pai, quando a gente vai?"

A voz delicada, como se tivesse pensado o que diria, como diria, a melhor maneira de dizer pra não ofender ninguém (com calculado, mas afetivo afeto), nunca, nem jamais. A Helena ensinou a menina assim. A Helena que gritou pra menina, gritou: "Olha o que você fala e *como* você fala, caralho!". A Camila aprendeu. Fala baixo, fala doce, doce como o sabor da renda em suas roupas íntimas, como o toque de suas mãos ao andarmos pelo shopping, ao me segurar pra não se perder, ah, a Helena sabe, ela ensinou a Camila assim.

"Não sei, bebê", respondo. "Depende de quando sua mãe chegar."

Imagine que ela se vira pra mim, ela se vira e me olha com seus olhos de silêncio, ah, imagine, por favor, a leveza da respiração da menina que diz:

"Eu gostaria que ela chegasse logo para a gente sair logo."

"Eu sei, amor", digo. "Ela se atrasou um pouco. Cê não lembra de quando ela ligou?"

Ela assente com a cabeça enquanto diz que se esqueceu.

"Esquecer-se": não só esqueceu.

Poxa, a Helena sabe, ah, a Helena faz de propósito, faz a menina olhar pra todos com languidez. A Helena ensinou, porque ela era assim. A Helena, na faculdade, era assim, esse jeito solto, leve, de cruzar as pernas (eram magras, finas coxas depiladas), de quem sente conforto em se existir. E, mesmo aos gritos, ela ensinou a Camila.

Na faculdade, a Helena não gritava. Falava através de gestos largos, abraçava o mundo ao falar, com os braços, com as palavras, com os olhos. Não escolhia sua melhor roupa, mas a naturalidade com que se vestia dava a certeza de que ela tinha roubado as roupas do manequim da loja de departamentos. Não era assim. Era apenas um esmalte novo, ela só tinha lavado o cabelo. Usava detalhes da moda, pulseiras, brincos, cetins, crochê. Já era fã de rendas. Não aparentava infantilidade, afinal combinava com ela: ela gostava de se gostar e de se cuidar. Gostava de vinganças, como a que aplica em mim agora.

Sempre tinha sido vingativa, sim. Quando as colegas que fofocavam dela apresentavam trabalhos, Helena era a primeira a fazer as perguntas difíceis, as perguntas que as colegas eram obrigadas a se virar pra professora e pedir ajuda pra responder. A Helena tinha certeza de que fofocavam e por isso mereciam vingancinhas.

Hoje, Helena só me permite ser um espectador de nossa filha. Ah, Helena, Helena.

A Helena sempre teve a malícia, sempre esteve pronta pra se vingar de quando se sentia injustiçada. Na faculdade, Helena era linda, brincos da moda, pulseiras, tão bem-cuidada, as rendas, muitas rendas. Olhou torto? Helena se colocaria contra.

O atraso da Helena hoje foi proposital. Proposital como as roupas que escolheu pra menina (um gole da caneca que diz

"Love", um bigodinho de leite com Nescau. Ela levanta pra buscar um guardanapo e limpar o rosto), proposital como quando Helena a fez, tão bonita, tão delicada, tão cabelos-loiros-perfumada-de-aloe-vera, eu sei que foi proposital porque eu vi Helena gestar essa pessoa.

Eu vi a Helena escovar os cabelos da Camila, vi a maldade nos olhos da minha esposa enquanto nos afastávamos, enquanto Helena me negava, negava o casamento e os votos (na tristeza e na doença), me negou tudo, me negava, vieram os resmungos, os gritos, os braços cruzados (depressão pós-parto o caralho). Eu a vi amamentar a criança e sabia que a criança recebia os abraços, o peito, o mamilo, ah, Helena me negava, resmungando, o quadril crescendo, as coxas perdendo músculo, ganhando flacidez, a Camila crescia e ela é, ela é linda, o vestido de renda, a voz delicada. Helena colocou na Camila os saiotes, os tictacs pro cabelo, brilhavam. Tirou a franja delicada sobre o olho, tudo planejado contra mim, um calor vinha, as rendas, mas quem usa renda hoje em dia, Helena?

"Fica bonito, Renato", ela acenava pro que eu dizia. Insistiu que era a moda. Bateu o pé que a infantilidade da criança ficava bonita, ela não poderia usar mais tarde, tudo combinaria com a menina, com o jeito angelical que Camila já incorporava.

Deu pra Camila os perfumes, sabonetinhos, Helena insistiu em regras, em obedecer e desobedecer, em quando ser ou não, pediu ajuda pros banhos (mesmo com oito, nove, dez anos, será que eu podia alcançar o sabonete pra dentro do banheiro?), pediu pra que eu avaliasse o crescimento dos seios da filha, eu achava que a adolescência estava perto? Deveriam ver um ginecologista? Quem sabe logo poderíamos escolher um sutiã? Nada exagerado, um desses pra pré-adolescentes mesmo.

"Até as calcinhas com renda, Helena?", eu dizia.

"Fica bonito na gostosurinha dela...", a Helena me manipulava em retorno. Não importava a moda, sempre as rendas, os crochês, os cetins, os bordados, o rosa-bebê, a Helena usava para me manipular, o olhar cheio de vingança.

Pediu ajuda pra comprar calcinhas (roupas íntimas (ah, tão íntimas)), pra escolher, pra lavar tudo, pra colocar na gaveta, gaveta com sabonetinho pra perfumar (gaveta que fica sem vigília das quatro da tarde às cinco e meia, mas só nas terças e quintas).

Tudo o que eu sou é um resultado de Helena. Eu nunca pude ser nada além de um espectador. Nunca me foi dada a chance de nada além de assistir.

Escolhíamos roupa íntima, escolhíamos blusas e Helena observava minhas calças, vigiava meu nariz, ela via que meus braços travavam, dizia pra eu relaxar, eu era pai mas podia ver as calcinhas da filha. Helena procurava meus olhos, Helena procurou em mim a paixão que só existiria pra Camila. Minha esposa sabia e gostava.

Ah, aliás, se Helena procurasse além dos olhos, não encontraria, de tanto que meu corpo se acostumou a ser negado. Helena me negou, cresceu, se deformou, a voz, o tom, o toque áspero, me negou. Helena perguntava se Camila não estava cada dia mais parecida com uma mulher, uma mulher crescida e bonita. Então, minha esposa me encarava, sabendo. Buscou no meu rosto todos os sinais e soube.

Que inferno, a Helena sabe. Sabe de como o cheiro de shampoo Johnson & Johnson me afeta, por isso deixou que a Camila usasse o troço por tanto tempo. A maior maldição: a Helena faz de propósito. Helena agiu como agiu, treinou a filha como treinou com maldade, e sabia.

"...porque quando você tiver um namorado...", e me olhava, esperando uma observação (ah, ela sabia), ela me encarava, esperando que eu fosse me opor e dizer que Camila jamais teria um namorado, ah, Helena sabia.

Helena ensinou Camila a sentar com as perninhas magras (coxas finas, penugem, a calcinha branca recém-lavada) juntando ou cruzando (bem, mas bem lentamente quando eu vejo, cada músculo, cada contração até a panturrilha), era importante...

"...porque quando você tiver um namorado...", e Helena me olhava.

Ah, Helena sabe do que eu quero, sabe dos meus pensamentos antes de pegar no sono, sabe onde minhas mãos se aquecem, sabe e quer uma evidência maior.

Se Helena acha que um garçom se sentiu mal com a gente (como clientes), ela cancela o pedido. Ela aponta pro copo, pro prato, pra mesa, ignora os cheiros-sabores de carne ou massa que vêm da cozinha e diz:

"Ele cuspiu na comida. Eu sei."

E como ela sabe disso? Ela faria a mesma coisa. A Helena gosta de vinganças.

Enquanto escolhiam um perfume de presente pro aniversário da avó (cintura grossa demais, mesmo com cirurgias plásticas), Helena passou em Camila perfume adulto, a menina ao meu lado, a menina com uma regata que exibia seus ombros (ossinhos saltados, princípio de decote). Logo após isso, riu com Camila, disse que a menina em breve poderia usar seus próprios perfumes (embora aquele Chanel nº 5 combinasse com perfeição com a menina) e virou-se pra mim:

"O papai gostou do perfume? Achou que ficou gostoso na filhinha gostosa?"

Imagine uma mãe que diz que a filha é gostosa, ah, a Helena sabe, sabe para onde meus pensamentos flutuam, a Helena fez tudo como parte de seu plano. Plano do qual eu sou uma vítima, eu nunca pude ser nada além de um espectador.

Quando soube que o cachorro dela tinha morrido por negligência do veterinário (que disse que o bicho não teria salvação de qualquer forma), Helena gastou todo o dinheiro da poupança dela com o processo. Pediu a indenização mais cara que o advogado de Helena já tinha visto pra casos como aquele — ele ria, ele ria — e ganhou. Com o dinheiro da indenização, pagamos a viagem da Lua-de-mel.

Foi pouco depois da Lua-de-mel.

Foi mais ou menos no quinto mês de gravidez. A família feliz, a família propaganda de ração de cachorro (um labrador amarelo, nós tivemos uma vez (esse que morreu)), os jovens recém-casados que tinham planejado uma filhinha, e eu tinha ouvido falar que...

"...sabe que é na gravidez que a mulher sente mais tesão? É, por causa dos hormônios."

Mas não a Helena. A Helena queria ficar sozinha com sua barriga imensa, sua barriga de Camila, suas engordas frequentes, eu queria minha esposa, e a minha esposa me empurrava:

"Sai."

Eu saí. E a colega que falou do tesão, a Fran, ela continuou falando do tesão. Continuou vindo me ver no meu cubículo, mandou bolos pra Helena. Helena, ao receber os mimos, Helena, que cinco meses atrás, tão magra e gentil, gritava com os bolos, perguntava se eu a queria gorda, se eu a queria enorme, estourando em estrias e celulites como cordas que se rompem. As lágrimas emolduraram os gritos.

A Fran perguntava o que eu tinha, se ela podia ajudar, dizia que ela se importava de verdade, ela me ligava pra perguntar se eu precisaria de ajuda com o trabalho amanhã, se eu tinha conseguido terminar, ela já tinha concluído o que ela precisava da semana, estava tudo bem mesmo? A Fran tinha visto umas olheiras em mim.

Enquanto isso, a Helena gritando, chorando, crescendo, me negando, me negando, uma Camila crescia dentro dela, tão linda, tão bonita, já vestia rendas no ventre da mãe, vestia meias-calças brancas, já exalava cheiro de shampoo (ah, infantil) de pêssego.

E quando descobriu, quando viu as fotos da Fran no meu celular, a Helena gritou mais, sentiu ciúmes da nudez da estagiária gordinha (peitos grandes, mamilos bonitos e rosados) de vinte e dois anos.

Eu nunca entendi como a gravidez prosseguiu, como o casamento prosseguiu (embora a Helena me negasse, negasse os votos (ah, na alegria e na tristeza)). Continuamos.

Se Helena soubesse de tudo com Fran (as frases, as perguntas, o sorriso, o vinho, a nudez de Fran era irrelevante), talvez tivéssemos parado.

Meu diretor me obrigou a demitir a Fran, a Helena tinha ligado, tinha falado, tinha chorado ao telefone, o vermelho do choro cobriu o rosto, o nariz e os lábios se incharam, sobrancelha se franzia. Com o rosto inchado, vermelho, o corpo inchado, vermelho, a mulher que tinha Camila dentro de si me abraçou e disse:

"A gente vai dar um jeito nisso."

Aquele caroço em Helena me cutucou durante o abraço. Eu sabia que a Helena ia se vingar, assim como se vingou de Fran, assim como fez com que ela fosse demitida, assim como Helena sempre fez. Por uma conclusão a qual Helena (com Camila na barriga) chegou, talvez algo que nem mesmo ela entenda (talvez seja pra, cada vez mais, me provocar), talvez só porque ela prometeu a vingança, continuamos.

Camila ri de algo dito na televisão, a caneca em seu colo (por favor, não suje o colo, não suje o vestido branco, deixe limpo o cetim bonito sob a renda).

Eu sempre soube que Helena voltaria contra a Fran e eu, contra a pessoa ruim que eu fui (sou, sou, sou), sempre soube que os gritos de Helena (vingativa Helena) ficariam em minha mente.

Por isso, veste Camila em vestidos com renda, com o crochê. Helena passa horas fazendo crochê pra menina, experimentando-o no centro da sala de estar.

"Camila, vem cá um pouquinho, gatinha, vem experimentar o casaquinho." Ela faz Camila dar um giro na sala. Helena continua: "O que cê acha, paizão? Os meninos vão achar que ela ficou gatinha?", e Camila dá uma pirueta pela sala, os cabelos loiros perfumam a sala, eu sei que Helena viu o cheiro me drogar, me perturbar.

Helena quer que isso (que só acontece em mim mesmo) aconteça, quer minha vergonha, minha desgraça, minha culpa (que eu não sinto, não, nem um pouco).

Eu nunca pude ser nada além de um espectador do que Helena faz com Camila, pra que outro homem usufrua.

"Experimenta sem a blusa agora, vamos ver se vai servir melhor no verão."

"Olha, dá até pra fazer um biquíni de crochê daqui a pouco", e Helena ri, e Camila ri. Nossa filha é uma simples e pura (e, ah, tão pura, tão linda) ferramenta de tortura, ah, Helena (as mãos ásperas, as expectativas frustradas) quer e sabe e me nega.

Sempre imaginei que Helena agisse assim por essas coisas do casamento. Essas coisas do amor que por ser amor tantos dias seguidos vira parte da corrente sanguínea, do dedão do pé, do fígado, do amor feijão-requentado. Quando Helena decidiu continuar depois da Fran, ela esperava mudanças, que não vieram. Então Helena me tortura, gosta da minha resistência: Helena faz isso (e sabe disso) como esporte, pra ter algo o que fazer além de me amar, que é tão comum e fácil. Desistiu do amor, por essas coisas da rotina que fazem a gente desistir de tudo, ficou com essa obsessão.

Camila toma outro gole de Nescau, bigodinho de leite, que a menina limpa com o guardanapo.

Ela nota que eu a olho. Sorri. Sorriso de jardim de margaridas, dessas cheias de orvalho. É este sorriso que ela sorri. Ah, a Helena sabe e é só por isso que se atrasou. Quer me deixar sozinho com a menina, assistindo: afinal, eu nunca pude ser nada além de um espectador. E a forma que eu vi Camila por todos estes anos, todos estes anos de renda, de cabelos loiros, tudo culpa de Helena: Helena que a programou assim. Eu sempre soube de uma vingança, de como eu seria condenado a ser um espectador.

    Camila junta uma perna na outra, o vestido farfalha contra o sofá. Larga o guardanapo na mesinha de centro de mogno e ele permanece na nossa frente, na mesinha de centro, na nossa frente, branco mas com uma mancha marrom. Eu observo a atenção de Camila em relação à televisão, eu, sentado ao lado de Camila no sofá. O bicho quadrado e amarelo ainda conversa com o cor--de-rosa e pontudo. Camila ri de algo dito pelo bicho amarelo, que também ri. Junto dos dois, rio.

VOCÊ VAI ME VER

Ouvi a campainha, enquanto Filo pulava em mim pra que eu abrisse a porta. Junto do clique da porta fechando, vieram os comentários sobre quão abafado estava ali dentro.
"Pedi pra faxineira ligar a estufa quando ela saiu."
"Não aguentava o friozinho?"
"Tipo isso", eu disse. Eu sabia que ela tinha sorrido ao dizer...
"E fica mais fácil de tirar a roupa."
Por isso ela era minha favorita. Não só por isso. Ela tinha o melhor (e mais fácil de reconhecer) cheiro. Eu era apaixonada pelo cheiro da buceta dela. Era lisa, quente, doce. Cheirava tão bem que eu queria perguntar qual era o sabonete secreto dela.
Senti as mãos dela nas minhas costas, nos meus peitos, ela perguntava o meu dia, se eu tinha progredido naquela receita, se eu iria ao restaurante mesmo com o frio, um tom de voz delicado enquanto ela tirava minha blusa. Puxei-a pro sofá.
"Que bom que você perguntou."
Eu não iria. Ela me ajudou com a ligação, expliquei que me sentia mal. Era quarta-feira, o Renan ia se virar bem sozinho.

Uma das vantagens de ser dona e só ser chef quando quero. Foi nesse restaurante que conheci a Maira.

O acompanhante dela fez um escarcéu. Achou a carne muito mal passada, mas ele tinha pedido assim. Tinha pedido assim pros dois, um pra cada. Detestara o vinho, falou que mudava de gosto conforme as taças passavam, não era nem tinto direito, as cores variavam.

O cheiro da Maira me prendeu. Mal prestei atenção no que ele queria, ele gritando sobre a carne estar muito vermelha, o vinho ser mijo de gambá. O gosto é o que importava, o cheiro, a textura. Eu sabia que estava boa. Sabia que o vinho era um dos melhores. Eu conheço minhas carnes, meus fornecedores.

"Tenho certeza que a sua cheirosa acompanhante só queria um vinho branco."

Soube que ela sorriu. Ele foi embora, aos berros:

"Essa puta que pague a conta."

Ela era carinhosa, exigia poucos presentes, cobrava bem, nem de mais nem de menos. Beijava bem, chupava com vontade, trazia brinquedos. Era mais flexível que as outras.

"Você tem algo programado pra hoje?", perguntei.

"Por quê?"

"Fica mais um pouco."

"Depois?"

"Depois."

"Quanto?"

"Quanto você puder", eu disse.

Ela fez um hummm demorado. Disse que tinha um cliente para as 19h, mas se eu compensasse, ela poderia ficar. Peço que fique mais um pouco, a gente combinaria quanto de tudo. Eu só queria que ela ficasse.

Não perguntei do dia dela. Ela me beijou bem. Eu não queria saber. Queria o gosto delicioso da boca dela. O sabor dela molhada, o cheiro de banho, tudo junto dos gemidos do corpo dela. Ela se coordenava como uma orquestra.

Nunca quis perguntar se me amava, mesmo com tanto tempo, com tanta intimidade. Não queria que ela declarasse amor pelo que eu dava. Fazia muito que tinha cansado de mentiras.

Eu enxergava nesses momentos. De olhos fechados, tapados, com ou sem luz, eu enxergava tudo. O sofá; o acolchoado; Lucky em algum canto; a guia dele; a estufa; a TV só pelas aparências, coberta de livros grandes, textos longos, palpáveis; o GPS, sempre no mesmo lugar; uma bengala; o celular; o laptop, a porta-que-era-só-uma-cortina para a cozinha; a bancada americana; as flores que a faxineira tanto elogiava (cheiravam bem); os óculos escuros atirados de lado; um pouco de bagunça que a faxineira sabia que eu não via.

Mas eu enxergava. Tudo. Apesar do rádio desligado, eu ouvia a sonata para piano número 23 de Beethoven, a *Appassionata*. Eu nos via correndo feito num sonho, difusões correndo, sem rostos, sem certezas. Só a luz, uma área aberta, mas uma selva, mas risos, mas sol, sol, sol, o céu, as nuvens, o vento, o calor abafado da estufa, e eu enxergo tudo. Enxergo, enxergo.

Não precisava dizer, ela conhece o jeito que arranho os ombros dela. Se ela queria que eu a chupasse de novo? Ela negava, me aninhando contra seu peito. Eu sabia que ela estava cansada. Pegamos no sono, ela teria retorno por ficar. Ela sempre tinha. Eu precisava dos abraços todos.

Acordei com um comercial na televisão. Ela tinha ligado a tevê. A novela das seis começaria logo, eu sabia. Quanto tempo?

"Quinze minutos."

Beijei a testa dela. Ela me beijou. Tentei olhar em seus olhos: "Posso te perguntar uma coisa?"

Aham: ela me abraçou. Mexe no meu cabelo. Demorava a falar, demorava as sílabas, para organizar o pensamento.

"Se eu pedisse...". Demorei mais a falar, demorei mais as sílabas, para organizar o pensamento. Eu nunca pedia nada. Talvez apenas pedisse mais tempo, mas eu compensava. Recomecei a frase: "E se eu pedisse exclusividade?"

Eu sabia que Maira me olhava, me encarava.

"Que bobagem, Fê."

"É sério."

"Fê", Maira passava as mãos na minha cintura, "você sabe que não dá. Pô."

"Por quê?"

"Porque não dá, não dá. Eu tenho outros compromissos na vida."

"Você tem outra pessoa?"

"Não é isso, Fê."

"Tem, não tem?"

"Só... não é isso, Fê."

Ela fixava os olhos nos meus olhos, eu tinha certeza, enquanto passava a mão nas minhas coxas, na cintura, no rosto. Todas as perguntas da minha cabeça tinham só uma resposta: Maira. Maira, Maira, ela. Eu tinha fome? Maira comia pão silenciosamente; eu gostava de ler? A Maira leria em voz alta comigo.

Sempre, os olhos dela nos meus olhos, eu gostava da certeza, mas tinha certeza que ela temia que eu visse algo, medo que eu finalmente visse, que as coisas que ela não queria que mudassem mudassem. Eu sabia, eu sabia. Eu sabia que ela só insistia em mim porque sou cegueira pura.

"A novela vai começar daqui a pouco", ela diz. Ouço um suspiro, um comercial.

"Depois de hoje, a gente ainda vai se ver?". Ouço um novo suspiro:

"Fê", ela diz, "eu vou sempre te ver."

FOI ASSIM QUE COMEÇOU

Começou meio assim, sabe como?

* * *

Antes de tudo, façamos os devidos esclarecimentos.

Diz-se que Relações Internacionais é o filho bastardo da Economia. *Not funny, man, not funny.* Se R.I. (de agora em diante, chamemos assim, já que temos intimidade com o bastardinho) fosse filho de alguém, seria filho de uma orgia. Um dia a senhora Ciências Sociais encontrou-se com seu amigo Direito Internacional Público, e a Economia já tava bêbada antes de todo mundo chegar. Junta tudo e de uns cinquenta anos pra cá tem um pessoal falando de sistema internacional, sociedade internacional, sociedade global, sistema mundo e *whatever*. Ninguém sabe o que estudam, vão responder "pois eu tenho uma sobrinha que faz Relações Públicas!" e seu pai vai dizer que você faz Comércio Exterior. Não que estudantes de R.I. sejam vítimas, eles tão muito ocupados nos vestindo todos iguais, fazendo caras sérias e discutindo a taxa Selic. Ou algo assim.

Vítimas (e mal-compreendidos) são os palestinos, eles dirão após um suspiro resignado em relação ao capitalismo neoliberal.
Gio(vanna) fazia Relações Internacionais. E gostava. Não fazia ideia do que fazer com tanta informação, mas gostava.
Ok, estamos esclarecidos sobre isso.

* * *

Cássio fazia Economia. Trabalhava com bolsa de valores, mas não comprando e vendendo ações. Trabalhava numa agência, alguma coisa com cotação, agronegócio, açúcar, *something like that*. Análise de mercado, acho, safras e mercado, acho. Era o que Gio sabia. Adri dissera-lhe que em geral "essa galera ganha muito dinheiro porque eles recebem uma porcentagem sobre os lucros, e tal". E tal. O Adri fazia Economia e era provavelmente a pessoa mais inteligente que Gio conhecia.
Ok, *check*.

* * *

E ele pagava tudo. O tempo inteiro. No início, Gio encarnara a mulher feminista em si, insistiu em rachar a conta, ingresso no final de semana é caro, insistiu que não. Depois, fui cansando. Só deixou. Ele era mais rápido. Gio encarnou a mulher universitária desempregada meio-bolsista-de-pesquisa em si e não sentiu nenhuma culpa. Preguiça, acho, sei lá.
E a última informação: ele beijava bem pra caralho.
Ok, estamos esclarecidos sobre isso.
Ceteris paribus, podemos começar.

* * *

Começou meio assim, sabe como?

Meio uma piadinha de R.I. pra cá, e eles entram naquela fasezinha irritante de "estamos nos conhecendo, eu não sei se vai rolar", meio um comentário sobre o Celso Furtado, ele enrolando sobre gostar mais da Maria Conceição Tavares do que gostava (claro que dava pra notar); ele me largando umas "daí eu olho umas revistas de cultura e me pego pensando: 'é importante, eu sei, o país e tal... Mas isso não influencia no PIB! Porra, tem um monte de outras coisas pra investir'. Pensamento de economista, sei lá". Gio só *faking and smiling along*.

Daí Gio descobriu que ele beija bem pra caralho, e eles entram naquela fase meio intermediária, meio sem eira nem beira, do "estamos nos conhecendo e eu não sei que nome dar a isso". Tinha sms quase toda hora, tinha beijo, tinha sexo, não tinha muito horário, ninguém pensava muito em defeitos alheios, nada irritava muito. Não tinha muita posse, mas não falavam sobre pegar outras pessoas. Não que houvesse fidelidade. Era isso. Só um *isso*.

Foi meio assim que começou, sabe?

* * *

Cássio tinha uma paixão pelo cu de Gio. Um dia, estavam cheios de cocaína, e ela perguntou três coisas que lhe davam tesão.

— O seu peito esquerdo, sua mão e seu cu.

Na hora, riram. Mas Gio lembrava-se. Sabia que Cássio esqueceria, mas ela não. Em especial porque ela não queria. Não tinham tanta intimidade assim. O medo dela de acabar tendo uma diarreia no pau dele sempre foi algo importante.

* * *

— Por que a gente tem que sempre vir na sua casa? — ela disse.
— Oi? — ele disse.

— É sério — ela disse. — Eu fico mó tempão sem tomar banho...

— Ah, Gio — ele disse —, eu moro bem melhor, fica a caminho da tua faculdade e da minha...

— Mas eu queria poder passar mais tempo na minha cama.

— Gio, cê mora lá na Zona Oeste.

— Eu tenho que pegar um táxi pra cá, sabia? Dá uns 20 reais.

— Eu posso te pagar os táxis...

— A Tita fica sozinha em casa por dias. Dá pena.

— É uma gata, ela quer ficar sozinha.

— E sem comida, ela também quer?

— Gio — Cássio disse — (argumento pseudo-racional), (argumento falacioso), (argumento ruim), (argumento falacioso), (argumento machista). Entende?

O quarto dele cheirava a velas estragadas. Como se elas tivessem pegado na janela. Mas Gio nunca viu as velas. Talvez fosse a cocaína de vez em quando.

* * *

Gio nunca tinha sentido vontade de dar o cu. Pra falar a verdade, tinha um misto de curiosidade com nem-ferrando. Já tinha tentado. Doeu, doeu pra caralho. Gio não quis mais. Às vezes tinha a impressão que ele nunca tinha comido um cu, o que atrapalhava tudo, o que só faria doer mais. Preferia alguém com experiência.

* * *

Ela havia bebido uns goles de cerveja a mais e, enquanto pedia que ele a chupasse, sentiu uma lambida no cu. Era normal. Sempre que estava bêbada ou chapada, lá vinha ele. Ela afastava Cássio, insistia que não. Pra piorar, fora de casa. E se precisasse tomar um banho? Gio não teria uma muda de roupas limpas.

— A gente não tem tempo suficiente junto — ela sentava na cama até que Cássio parasse de tentar. Fixava os olhos na televisão por algum tempo: era a única luz que entrava no quarto.

* * *

Ele passou a mão por dentro da blusa dela.

— Já vai fazer uns três meses que a gente tá junto... — ele tirou a própria blusa.

Ela muxoxou em resposta.

— Cê tá ficando com mais alguém? — ele terminou de tirar a blusa dela e começou a arrancar o sutiã.

— Mais ou menos...

— Como assim?

Gio não estava, essa era a verdade. Mas Gio não queria dizer pro cara-que-queria-lamber-o-cu-dela que ele era o único cara que ela via. Tinha aquele bonitinho do curso "Comprei uma câmera: e agora?", mas ele não sabia que Gio existia.

Gio disse mais ou menos porque sabia as intenções dele.

— Ah — ela disse —, às vezes sim, às vezes não...

— E agora, agora? — ele disse.

Ela fez um shhh de leve, pôs o dedo sobre seu lábio. Ele cheirava a desodorante quando tirava a blusa. Os lençóis eram macios, provavelmente algodão egípcio. Gio deu de quatro pra não encará-lo.

* * *

No dia seguinte, terminaram, ao menos para Gio.

Terminaram de um jeito tranquilo, pode-se dizer. Um dia, Gio cansou. Todos os não-me-incomoda-mas-deveria começaram a incomodar. Os comentários com cultura, os discursos sobre "a natureza humana", a história toda do cu, o querer namorar.

"Para de tentar, caralho, deixa meu cu" foi uma frase que ficou na garganta de Gio. "Para de tentar tudo."

Tranquilo, pode-se dizer: Gio bloqueou-o das redes sociais, parou de responder qualquer coisa. Muito tranquilo. Quase como apertar uma tecla delete, só que com uma outra pessoa envolvida.

* * *

Tem a fase do "agora fodeu tudo". Nela, ou se começa a namorar ou se olha e diz "é, pois é, foi bom e tal, mas não rola". De qualquer forma, fode tudo. Mas nunca chegaram a isso. Chegaram perto, mas nunca a isso. Se separaram, cada um pra sua vida. Uns sms em dia de chuva, mas Gio nunca respondera. E foi mais ou menos assim que começou, sabe? Gio e Fabrício. Com o fim.

A MELHOR AMIGA
(OU "WHITE LIES")

O MAR À FRENTE CHIAVA SEM CESSAR, deixava as ondas dançarem, sugando a extensão da praia. O ar à volta esquentando. Renata sabia. Catorze pés de distância, Emma se sentava sobre uma toalha. À direita, Juliano, de cabelos curtos e escuros. Renata via. Uma caixa de isopor com resquícios de frio junto dele. Ele disse:

— Você já quer acordar elas ali?

— Tá cedo.

Atrás dos dois, duas garotas dormiam: as cabeças e cabelos na toalha, costas e corpo na areia. Junta delas, Renata também projetava calor. Emma puxou o short jeans pra baixo, mas ele era curto demais pra cobrir mais que um terço da perna. Renata sabia. Areia áspera, toalha macia de algodão. Chiados do mar. Renata via. Renata ouvia.

Juliano tirou a tampa da caixa de isopor, pegou uma garrafa de Heineken de dentro. Removeu a tampa metálica com um abridor de garrafas. Fabian ouvia.

— Não sei... — ele levantou e se espreguiçou. Ainda segurava a garrafa de Heineken. — Acho que loguinho o sol vai nascer.

— Não vai, não — ela respondeu, olhando pro céu em chamas. As cores do céu brigavam entre azul-acinzentado, tons de laranja e amarelo. Uma camada de vermelho se sobressaía, uma fina camada de pó de pimenta. Renata via. Emma falou:
— Você vai agora?
— Acho que sim — ele disse. — Você pode ver o sol com as meninas.
— Custa você ficar mais um pouco?
— Pra quê?
— A gente pode conversar.
Renata não queria conversar. Emma não ia acordar as outras meninas, Renata sabia.
— Do que a gente vai falar? A gente não tem cabeça pra pensar.
— Mas custa?
Ele suspirou e sentou na toalha de novo. Bebeu sua cerveja.
— Tô achando que chove daqui a pouco — ela disse. — O que você acha?
Juliano riu:
— "Custa ficar mais um pouco" pra falar da chuva? — ele ainda ria. — Essa pobre menina só vai ovular se falar do clima...
— Porque pra ti tanto faz se a gente não se falar mais, né?
Renata sabia que importava para Emma.
— Qual é a diferença da gente ficar em silêncio ou da gente falar da chuva?
Ela não respondeu.
Emma respirou fundo. Cheiro de peixe, de areia molhada, cheiro de gosto de cerveja. Renata também sentia. Toalha macia. Emma nunca falou com firmeza de Juliano. Falava muito sobre como gostava de sua presença, mas também como odiava sua permanência. Contava que gostava das conversas, mas que odiava os monólogos. Com Juliano, eram sempre monólogos. Tudo em volta dele era um holofote. Renata, a amiga mais do que boa conselheira, ouvira, ouvira, ouvira.

Renata viera antes, bem antes, na terceira série do Fundamental. Emma tinha conhecido as duas adormecidas — Manuela e Beatriz — durante a faculdade de Jornalismo. Juliano veio depois, aquele molho que acompanha a salada que ninguém pediu e ninguém queria. Eles e outros amigos queriam ser escritores e queriam revolucionar. Encontravam-se pra trocar contos, Renata julgava, poemas, livros em construção, Renata achava, clichês, palavrões, clichês com palavrões, *graphic novels*. Renata sabia deles. Renata também ouvia. Em séculos de literatura, ninguém tinha sido como eles. Emma trabalhava num romance histórico desde sempre. As garotas trabalhavam em licenças poéticas em forma de contos desde dois meses atrás.

Renata gostava de cursar Arquitetura. Mas gostava de Emma. Talvez gostasse de gostar de Emma.

Os últimos encontros pra leitura, contudo, resultavam mais em álcool do que em críticas literárias. Renata sabia. Prova disso era que se reuniram, "pra ler", na casa de praia de Juliano durante o feriado. Renata ia. Ao ouvir sobre a intensidade dos textos, ele convidou pessoas que não queriam escrever ou ler os textos deles. Comprou energéticos, camisinhas, garrafas de uísque, cerveja e vodka. Renata acompanhou.

Naquele momento, Emma e Juliano trocaram apenas sons de respiração. Circulavam rumores bêbados de que ambos tiveram um casinho. Um desses casinhos que nunca deram certo, cujo começar era um desafio às Leis de Newton. Numa noite alcoólica como aquela, Juliano e Emma tanto desapareceram como voltaram juntos. Renata sabia dos olhares, sabia de quando Emma achava que havia algo acontecendo. Houve um dia em que Emma não quis mais falar a respeito. Só não quis. Como se tivesse esquecido do assunto. Renata suspeitava.

Juliano e Emma permaneceram amigos, ainda se falavam, trocavam confidências, histórias íntimas. Renata sabia, estava junto para ver. Naquele momento, os dois se tocavam demais para serem meros amigos, Renata sabia. Os abraços, os risos, os beijos na bochecha, os sentar ao lado, os esbarrões, as cócegas convenientes aos amantes, Renata julgava. Mas jamais, nada oficial, nenhum escândalo público.

O sol não tinha nascido ainda.

— Me alcança uma cerveja aberta — Emma disse. Ele abriu uma cerveja e alcançou-lhe. Ela bebia a cerveja. Gosto amargo e gaseificado na boca. Ele perguntou:

— Como tá o seu livro?

— Devagar.

— Melhor devagar e bom do que rápido e ruim.

— E devagar e ruim?

Ele tomou um gole de cerveja. Renata quis cerveja, mas quis ouvir.

— Você leu — Juliano sorria falando — os textos delas? Do livro que elas vão publicar juntas?

Ele tomou um gole de cerveja. Talvez ele quisesse se inclinar, passar a mão pelos cabelos dela, dizer que sentia muito por tudo que tinha acontecido. Dizer que tinha sido culpa dele. Renata sabia.

— Li — Emma virou o rosto pra elas. Logo após, virou o rosto pra frente de novo.

— Achei uma merda.

— Quando a gente leu o capítulo da Manu junto — ela tomou um gole de cerveja —, cara, eu me senti uma imbecil. Não entendi nada.

— Nem eu.

— E o pessoal dizendo que tudo é simbolismo, que tudo é muito bonito. O caralho que era! A mina não sabia o que tava fazendo — Emma disse. — Simbolismo é desculpa.

Talvez Emma quisesse dizer "O que você fez, você não sabia o que tava fazendo. Usou desculpas esfarrapadas". De olhos fechados, Renata não entendia, mas sabia que seria daquela forma.

— Fiquei confuso nos diálogos, uma hora era travessão pra pontuar, outra hora pra fala de personagem, misturou com aspas...

— Quão difícil é escrever um texto decente?

— Se lembra de quando ela escreveu — Juliano ria com tons asmáticos — "Maria se atirava nele com braços queirosos, a buceta peluda e úmida"?

Emma fez uma pausa, tentando lembrar. Talvez um pensamento invasivo do corpo nu de Juliano atravessasse a mente dela. Renata sabia, Renata queria. Um pensamento do corpo nu de Juliano atravessara a mente de Renata. Mas por dois segundos. Ele era da amiga, afinal de contas.

— Te lembra de quando ela escreveu "Rose com os mamilos eretos e Eduardo com o pênis rígido"?

— ..."pênis inflexibilíssimo escapando da cueca"!

Renata queria o pênis rígido de Juliano. Mas era da amiga. Em breve, Juliano se jogaria sobre a amiga. Trocariam beijos. Renata ouvia-os e sabia-os. As mãos deslizariam, entrariam em roupas, ririam das dorminhocas, dedos deslizariam, línguas ganhariam mais utilidade, se a areia não atrapalhasse.

— Ela poderia escrever contos eróticos — ele tomou um gole de cerveja — pra crianças retardadas com distúrbio de atenção.

Olharam pra areia. Em breve Emma iria se levantar, encostaria o calor de seu corpo sobre o dele, beijaria Juliano, Renata sabia. Os dois confessariam os erros, Renata ouviria. Perdoariam tudo, Renata sabia. Emma seria feliz pra vida inteira por dez minutos com Juliano. Renata queria.

Emma enterrou sua garrafa de cerveja na areia. Tudo coreografado. Renata sabia que se beijariam. Deveriam, ao menos, Renata sabia. Emma disse:

— Daí eles vêm e perguntam o que a gente achou. Nunca sei o que dizer, acabo mentindo — tomou um gole de cerveja. — As minhas críticas são sempre um pedido de desculpas.

— Eu não, se eu não tenho nada de bom pra dizer, não digo nada. Sempre digo a verdade.
— Mas se perguntam "o que você achou?"
— Eu enfatizo os pontos positivos, mas digo o que eu penso. Não escondo nada, não minto.
— Falar "ei, isso tá errado no seu texto" deixa a relação esquisita depois — ela disse. — Você não acha que colocar um elogio, mesmo que forçado, alivia as coisas?
— Acho que colocar um elogio mentiroso é uma maneira da pessoa que fala se sentir bem. Não faz bem pra quem tá ouvindo.
— Mas se você só xingar a pessoa, ela não vai te ouvir tanto.
— Se você só elogiar, ela vai achar que escreve bem — Juliano tomou um gole de cerveja. — Todo mundo ali vai ganhar o prêmio Nobel. Não adianta dizer que tá criticando quando gosta de tudo.
— E o conto da Bia? Aquele da mulher com o ferro de passar?
— O que tem?
— Todo mundo gostou e você não falou nada. Você não gostou mesmo?
— Eu não gosto dela. Fiquei procurando, procurando e não achei nada pra criticar — Juliano disse. — Não quis dar o braço a torcer. Fiquei quieto.
Emma tomou outro gole de cerveja. Renata conteve um bocejo, engoliu saliva. Adormeceu de novo enquanto Emma dizia:
— Acho que você só não gosta de felicidade alheia.

MÁRCIA DENSER

Ficcionista, jornalista, publicitária e editora, com passagens pela *Folha de S. Paulo, Interview, Vogue*, etc. Publicou, entre outros, *Diana caçadora/Tango fantasma* (reedição de dois livros em um — São Paulo: Ateliê Editorial, 2003), *A ponte das estrelas* (São Paulo: Best-Seller, 1990), *Caim* (Rio de Janeiro: Record, 2006) e *Toda prosa II — obra escolhida* (Rio de Janeiro: Record, 2008). Traduzida em nove países: Alemanha, Argentina, Angola, Bulgária, Estados Unidos, Espanha, Holanda, Hungria e Suíça. Dois de seus contos — "O vampiro da Alameda Casabranca" e "Hell's Angel" — foram incluídos em *Os cem melhores contos brasileiros do século* (Rio de Janeiro: Objetiva, 2000 — org. Ítalo Moriconi). Mestre em Comunicação e Semiótica pela PUC-SP. Foi curadora de literatura da Biblioteca Sérgio Milliet em São Paulo. É paulistana.

*

"Relatório final", "O diário de Juliah" e "O animal dos motéis" integram o *Diana caçadora/Tango fantasma*. "Adriano. com" pertence ao *Toda prosa II — obra escolhida*.

RELATÓRIO FINAL

"Recordo só um dia que talvez nunca me foi destinado, era um dia incessante, sem origens, 30/12/77."

Assim eu pretendo começar a contar a história toda como uma espécie de relatório dos fatos ocorridos no dia e na noite de 30 de dezembro de 1977 e talvez lhe dê o nome de antevéspera, pois foi a palavra que me ocorreu quando atravessava a praça naquela manhã pensando que o melhor da festa é sempre a sua antevéspera e que havia lido algum conto com esse nome e que o fim do ano prometia muito mais na antevéspera, dia 30. Consolo-me unicamente por saber que esta vai ser a abertura do meu livro e que não será o fim de coisa alguma, um ano, talvez, quando então já começava a morrer num carrossel que iniciou a girar em meados de 1976 e deu a sua última volta precisamente no dia 30 de dezembro de 1977, às 23 horas e alguns minutos, no poço escuro de outra praça a 500 metros desta e jamais poderia adivinhar, a menos que as coisas ainda não estivessem suficientemente claras para uma criatura inconsciente como eu, naquela manhã do dia 30, como um automóvel promovendo a última arrancada antes da reta final que, possivelmente, fosse o abismo, não havendo nenhum prêmio para o vencedor, salvo este saltasse a tempo. Eu fiquei. Mas as coisas não são tão simples. Posso até dizer o momento em que ambos caímos, ou ele caiu, não posso precisar, quem quis realmente ficar fui eu, ele não teve escolha — é uma questão mecânica, física, matemática.

Quanto a mim, equação indisposta, era por mero acaso que me encontrava lá dentro e por mero acaso agora estou catando esses cacos, tentando recompor as peças desse quebra-cabeça chamado literatura, esse jogo sujo com o qual tento abafar meu grito anterior tapando os ouvidos e gritando junto, botando compressas sobre a ferida enorme aberta sem piedade ou contemplação, nadando nesse mar de restos, emergindo às vezes para respirar mais merda sob a noite da praça, um poço escuro sem nenhuma atmosfera. Permaneço ali (ou aqui) tentando balbuciar fiat lux, não é? É mais ou menos isso. O medo é o sentimento mais coletivo que existe e estou com medo. Mas a única coisa que realmente importa é que vou começar a contar os fatos ocorridos no dia 30 de dezembro de 1977 tentando ainda me agarrar numa prosa de relatório, quando muito mais fácil e cruel seria tatear metáforas, abrir-lhes as coxas e paradoxalmente descobrir que as desejo e sinto um terror ancestral por elas e todas as vezes que eu estiver mentindo botarei a cabeça no meio delas e dormirei profundamente.

Enfim, ainda estou tentando a forma mais indolor de contar — para mim e para os outros — porque a dor de um filho já não é mais a nossa, a pele cortada é outra e assim podemos, no quinto degrau do anfiteatro, observar atentamente essa cirurgia. E tudo isso quer dizer literatura: a requintada crueldade de poder observar as próprias vísceras expostas refletidas no espelho e imaginando não ser as nossas, como se este refletisse toda humanidade agora — a desumanidade estará dentro de nós, como o olho cego da câmera fotográfica, as lâminas frias da cortina que fecha e abre a objetiva, o vidro da lente, inopinadamente a sangrar, a sangrar, amigos, a sangrar, o fluxo maldito chamado literatura, a sangrar...

Optarei sempre e de qualquer forma pelo caminho mais fácil que é o de remexer minhas entranhas, alisar a ferida, morrendo como morro de medo dos outros, enfiar a mão nas gangrenas alheias a ponto de saber que se confundem com as minhas e a dor dos outros então me doerá tanto, ao limite do insuportável, que então será preciso me matar e pronto e chega.

Eu não sei também até que ponto fiz mal àquele que não tem rosto e não tem nome (tem, mas não posso dizê-lo, não tenho direito algum a ele), aquele que encontrei às 16h20 do dia 30 de dezembro de 1977 e teve o incrível mau gosto de se sentar à mesa de quem já estava suficientemente bêbada a ponto de não recusar nem o Nosferatu como companhia. Pela cabeça dele (ou por seu coração) deve ter passado tudo isso, mas ele não podia sequer se dar conta até onde eu o levaria, se o carregaria para o fundo do abismo ou ao menos tentaria, ele, que ficou lá embaixo (ou lá em cima), me observando cheio de terror e pena e nojo.

Que se despediu de mim assustado, dizendo morar em Osasco e mais longe gostaria de estar, talvez naquela cidade do interior de onde nunca deveria ter saído: eu bem que disse a ele, no bar, olhando para sua camisa listrada azul-celeste, suas abotoaduras de cristal, eu disse que ele deveria ter ficado por lá, olhando para o seu uísque nacional passando do fundo do copo para dentro da sua garganta caipira de gogó saliente e o seu bigode grosseiro e o seu paletó axadrezado verde e branco e repeti que você nunca deveria ter saído da sua cidade, cara, e depois, enquanto eu comia um peixe requentado, a massa de tomate rançosa e ácida furando o esôfago, você disse que eu sabia pedir e tinha gosto e também porque eu estava bebendo um bom vinho rosado e eu olhei de novo para você e tive vontade de te mandar embora, olhei para aquilo que não tinha nome nem rosto, olhei para a camisa, as abotoaduras, o uísque fajuto e então insisti pela última vez pra você dar o fora para a sua cidade do interior de onde nunca deveria ter saído, e você a pensar o quanto estava sendo esperto e se aproveitando, e você a preencher meu cheque, porque eu estava bêbada demais até para isso, com sua caligrafia de escolinha do interior, redonda e ereta, como um molequinho saído do banho, o cabelo grudado com sabonete, antes de ir para a tal escolinha do interior, e você a pensar como era vivo porque eu pagava a conta e eu não ia te cobrar nada depois, mas então eu notei que já era noite na cidade, estava grudando nos vidros do restaurante, noite de 30 de dezembro de 1977, oito horas de uma noite leitosa que caiu em cima de uma mulher ao lado de um homem sem rosto.

A cidade, a partir desse momento, desapareceu, ao mesmo tempo que foi subindo pelos meus pés, meus joelhos, agarrando-me pelos cabelos e me afogando numa torturante ejaculação monstruosa, um ruído de motor a óleo diesel permanente na minha cabeça, mas eu não cedia, não desacordava, não morria de uma vez, vivendo debaixo de seu cheiro de merda seca fermentada, abstrata casa de máquinas ininterruptas a fabricar eternamente merda, merda e merda, a cidade turbulava em meu peito e seu coração batia junto ao meu podre descompassado implorando perdão, por favor perdão, quando então acordei ao lado de alguém que curiosamente prosseguia sem rosto como a cidade. Eu era mulher transportada ao acaso por um homem encontrado vagamente e nos despimos como para morrer ou nadar ou envelhecer, e é possível que o amor tenha caído no pó de tanta merda e não haja senão carne e ossos velozmente adorados, enquanto o fogo se consome e nossos cavalos vestidos de vermelho galopam para o inferno? Todavia foi uma só noite longa como uma veia, e entre o ácido e a paciência do tempo enrugado, transcorremos, separando as sílabas do medo e da ternura, interminavelmente exterminados. Não me lembro se fui possuída (se essa possessão também não fosse da cidade, o monstro louco e amigo), se não sentisse depois os músculos internos das coxas doloridos. Ele deve ter feito um esforço muito grande, como penetrar num saco de batatas sem furos. Vi um corpo nu ao meu lado. Não lembro detalhes, a configuração das pernas ou dos ombros, alguma cicatriz, nem a cor da pele, nada. Agora penso e me revolto pelo fato dele ter estado lúcido o tempo todo e de existir na sua recordação alguém frouxo e esparramado na noite de 30 de dezembro de 1977, mas ele não mencionou a minha bebedeira nenhuma vez, isso eu lembro, e não entendo por que um bêbado é perfeitamente reconhecível a vinte quilômetros ou a vinte centímetros de distância e seja qual for o ângulo de visão e eu não fujo à regra e então? Então nada. Não ia dizer nada disso. Vou tentar novamente. Nalguma parte da conversa no bar (quando então eu já me encontrava debaixo de uma grossa camada de resíduos, como um peixe espiando as pessoas através de um aquário turvo que o dono não limpasse há semanas) ele sugeriu o hotel e fofamente devo ter concordado. Posso também ter concordado depois de beber o licor ou na rua, tropeçando num canteiro e ele me puxando pelo braço, sentindo pena e sugerindo um lugar onde esperássemos a tontura passar. Tudo isso pode ter ocorrido se eu não soubesse que não foi nada disso e ele agora está morto para responder a essas questões que me atormentam, quer dizer, a sequência dos fatos.

Mais recentemente um amigo consolou-me dizendo que esses remorsos seriam puramente de ordem estética porque, pela descrição, o sujeito seria algo entre bancário e representante de bebidas — lembro de um pinguim em seu cartão, podia ser também um pavão — dessas impressões borradas, desses cartões ordinários, assim como todo o resto, assim como ficaram meus olhos horríveis no espelho, mas sobre a mobília do quarto falo depois. Estava nas aves. Meu amigo é sofisticado e eu também, logo nos entendemos, então para me consolar racionalizo que tenha razão, que meus remorsos tenham sido puramente de ordem estética — eu sempre desprezei esses tipos remelentos de cidade e ele me compreende. Falta ainda dizer como cheguei àquele bar tão bêbada e que bar era aquele.

Houve uma festa na agência. O pessoal trouxe bebidas e salgadinhos e começou a picar papel bem cedo pelas janelas. Às dez da manhã já estávamos alegres, fazendo chover memorandos rasgados e sem querer ainda perfeitamente legíveis, para nossa grande dor, porque não é assim que se altera a ordem do universo, não é não, Deus sabia o que estava fazendo ao lançar sua loucura no espaço e determinar que o caos se fizesse retórica bem mais tarde inventada por uns gregos malucos. Eu e um amigo discutíamos sobre isso, liquidando mais uma garrafa de uísque e a merda de mais um ano absolutamente igual aos anteriores e absolutamente igual aos que viriam (se viessem), Amos, Atos, Obros, eternamente, era inevitável, assim como mais um gole. Pelas 4 da tarde eu desci, resolvida por perversos propósitos caçar alguma coisa ou alguém, porque ainda estava sedenta de mais bebida e amores proibidos.

Hoje eu sei que por amores proibidos entenda-se trepar com bancários, escriturários, balconistas e picaretas adjacentes da zona azul, de preferência celeste. Eles adoram o azul-celeste. Depois vomitar bílis verde. O amor é colorido — o arco-íris estabelecido entre Deus e os homens. E estava com fome, no que deu o peixe rançoso. Admira muito, porque naquele bar a comida costuma ser boa, é um bar tradicional com cadeiras estofadas em vermelho e garçons específicos e bebedeiras específicas, como a minha, só não era específico aquele sujeito sentado na mesa ao lado, enviando olhares azul-celeste especificamente para a dona desacompanhada. Talvez a coisa tivesse sido melhor com os três executivos ansiosos, duas mesas além à direita, também interessados na dona desacompanhada. Mas não foi assim. Foi só levantar a cabeça e lá estava o sujeito na minha frente, implorando para puxar a cadeira. Concordei. E desse momento em diante estabeleceu-se o reino de Satanás e suas falanges, engrenando uma quarta ladeira da misericórdia abaixo e *adio, mamma, abia misericordia di noi.*

Sei que você deve ter sentido nojo, teve pouco tempo para isso, mas teve. O meu desprezo recendia num raio aproximado de trezentos quilômetros e nem a um molequinho do interior esse sentimento passaria despercebido e você não era um molequinho do interior, era, digamos, um representante de bebidas que foi molequinho do interior e isso faz uma grande diferença. Eu não desprezo molequinhos do interior, desprezo aquilo no que eles se transformam, é isso. Um dia casam na igreja e vão ficar assistindo ao programa do Sílvio Santos domingo à tarde e ouvindo o jogo pelo rádio e levar a mulher ao zoológico ou pra comer pizza numa pizzaria de bairro cheia de gordas e crianças e é isso. Você não era nenhum idiota. Digo era, porque agora está morto e pronto e chega.

Daí nós chegamos no hotel. Lembro bem onde fica: atrás do Hilton e no meio de boates de putas e travestis e, no mínimo, agora imagino, o único que você conhecia, porque algum travesti deve ter te levado lá num sábado de azar, só pode ter sido assim. É sempre assim. Completamente bêbada, o cara de sapo do balcão ainda pediu para eu deixar meu documento e eu deixei minha credencial de jornalista — esqueci de dizer que sou jornalista — e a jornalista e o representante de bebidas subiram umas escadas tortas e entraram num quarto. Era grande. Tinha até cama redonda. Mas tudo dava nojo. O banheiro estava molhado, lembro disso porque uma hora fui lá e molhei os pés e molhei os pés em toda parte, estava todo alagado. E é só. Depois devo ter apagado. Apagado, apagado, até acordar com a calcinha enrolada nas pernas e uma coisa mole do lado direito tentando falar ou fazer ou pegar ou não sei e falando de uma fonte em quintal ou varanda e dos sobrinhos e de um irmão a chegar de viagem e a coisa tentando, minhas coxas morenas e grossas, e daí apaguei de novo e a coisa foi socando como um pilão e eu gemendo, socando e eu hum, socando e eu hum, hum e então fingi que acabei e a coisa parou e me deixou em paz, em paz, em paz, mas eu já tinha acordado e levantei e agora sim, me olhei no espelho e vi os olhos borrados, estavam horríveis, mas não me importei, deu uma urgência de me vestir, perguntar as horas, procurar a cinta, as meias, não sei até hoje onde as achei e enfiei e como subi nos sapatos e onde calcei e de que lado vesti a blusa no avesso da saia e implorei: vamos embora. Perguntei o nome dele e ele disse, mas eu não lembro não lembro não lembro.

Fomos saindo e o cara de sapo gritou ei o documento! a minha carteira de jornalista e daí eu ri porque a jornalista e o representante de bebidas saíram e foram beber no bar da praça com mesinhas na calçada. Ali, as coisas pioraram ainda mais. Inventei que por ali tinha muitos amigos, o que é verdade, naquele bar estou sempre com meus amigos, e que o meu negócio era mulher, o que é verdade e é mentira, estava ficando muito excitada e louca, então falei de pegar uma mulher e deixei ele assanhado e ele disse eu nunca fiz isso eu topo, vamos pegar uma mulher e daí eu não, é tarde, outro dia, tem uma amiga casada que eu amo, eu amo aquela mulher, por que, você sabe, sou uma grande vaca e ele disse não eu não acho e eu repeti sou a maior vaca de todas e daí então ele me olhou duro e falou sim, que eu era uma vacona bem grande e falou mais coisas terríveis depois teve pena de mim porque eu estava só fazendo farol porque estava excitada, só por isso, esse negócio de tesão faz a gente falar muita besteira. Bebemos dois chopes, mas eu ainda estava excitada e ele também por causa da história da mulher e não sei quem lembrou: e se a gente fosse dar uma ali no meio da praça da igreja? Fomos.

Este é o relatório dos acontecimentos do dia 30 de dezembro de 1977. Às 23h45, precisamente, porque eu olhei para a torre da igreja que tem no meio da praça, enquanto estava de bruços com a saia levantada apoiando as mãos no capim fedendo merda velha e ele por trás mole e mole e com nojo e de ver aquilo tudo sem dizer nada dizendo estar machucado e eu lembro que estava louca e isso era bom, mas não queria sujar as mãos na terra e queria que aquela coisa entrasse dura e rija e forte e explodisse aqui dentro e me deixasse mais louca mas ele mole, ele não presta para nada mesmo, ele é um frouxo, daí eu subi as meias, a calcinha, a cinta e catei a bolsa pendurada numa argola de ferro da igreja e falei, no meio do mato, piscando para as luzes, porque minhas lentes de contato já começam a arder nessas horas: você é um frouxo. E fomos embora. Ele me ajudou a pular o murinho, quieto e moreno, e falou outra vez que estava machucado, mas eu sabia que era nojo, que ele era um cara cheio de preconceitos e coisas assim na cabeça, negócio de mãe e pai lá no interior e noiva e tudo isso que eu já falei e já estávamos, quer dizer, eu estava na Consolação louca para ir embora e você perguntou se eu ia para lá e eu disse não, vou pegar um táxi e você sussurrou acho que vou para Osasco e eu pensei como Osasco? e então veio um táxi, eu fiz sinal, abri a porta e te olhei: você era um estranho e falei tchau. Dentro do táxi fui embora imaginando você morto lá em Osasco enquanto eu moro no Morumbi e amanhã vai ter uma puta festa.

ADRIANO.COM

DE ÓCULOS FICAVA COM UM AR DEPRAVADO, exatamente ao contrário do que deveria, evidenciando os lábios sensuais, uns olhos oblíquos, os cabelos em estudado desalinho.

Nascida em 55, Júlia Zemmel era judia, refinada, escritora e ainda uma bela mulher, principalmente com aquelas lentes claras, transparentes, os homens adoram isso: preferem sempre as vesgas.

Óculos acentuavam aquele seu ar idiota (eles também adoram mulheres idiotas) e dizer-se judia e escritora não seria um ato de fé? Não, pensa Júlia: uma vocação para a infelicidade, algo visceralmente fora de moda, tanto quanto ter quarenta e cinco anos, oito quilos a mais e todas as ilusões a menos, noves fora: não exagere, Júlia, nem todas.

Sexo, por exemplo, nunca fora problema, problema moral, queria dizer, e, se não havia pecado, culpa não havia, nada além de remorsos de ordem estética — o que significava trepar com escriturários, mensageiros & acompanhantes anônimos meio aleatoriamente, depois se arrepender amargamente e dormir na pia — isto eram remorsos de ordem estética. Nos confins dos anos 80, essa havia sido a fase da promiscuidade, algo atualmente impraticável e ainda mais fora de moda.

Porque sexo agora era todo o problema, pensou Júlia examinando-se no espelho.

Nesses tempos ruços impõe-se o maldito patrulhamento em nome de "sexo-seguro-anti-aids" e é tão eficiente que Moisés teria vergonha do seu decálogo e respectivas interdições e ameaças com o fogo da geena, imagine, que o inferno é aqui mesmo, onde é quase impossível materializar o corpo do desejo, convertido numa espécie de martírio tantalizante de ter tudo tão perto e, ao mesmo tempo, inatingível. Na realidade, o patrulhamento social é o moderno sucedâneo da lei mosaica.

Porque Júlia detestava ficar só na imaginação — aliás, não tinha muita imaginação —, inclinava-se pelo que podia pegar e pegava o que podia.

Começava a ter vergonha de sentir tesão.

Então, por razões de fora e de dentro (e idade era um *fato*), tinha que desbaratinar o tesão, conquanto a imagem no espelho lhe desmentisse a paranóia, sugerindo que, por ora, nada teria a desbaratinar, seu corpo ainda dispensava as roupas e os fatos abstratos de ordem cronológica.

Então o problema era a idade daquele Gabriel.

Quando ele lhe disse ter 30 anos, Júlia sentiu uma zoeira distante, como se fosse sair do ar, desmaiar.

Porque ele disse a idade intencionalmente, o olhar falsamente distraído, um risinho imperceptível no canto dos lábios, atento à minha reação, o filha da puta. E Gabriel era um homem bonito, diga-se, não do tipo explícito, gênero comercial de gilete. Fazia mais a linha *casual look*.

Era um jovem arquiteto. Não. Um arquiteto jovem. Não. Era um jovem, arquiteto de profissão e escritor por vocação. Talvez. Era muito jovem de qualquer forma. No futuro talvez se tornasse mais escritor que arquiteto, como podia ser ao contrário. Sabia por experiência que pessoas bonitas não escolhem a literatura por destinação (e se o fazem hão de ser geniais, o que não era o caso), porque não é uma profissão, antes uma vocação para a infelicidade, que não exclui o celibato como pré-condição para se casar com a humanidade.

Em dado momento da vida, Júlia também vendera a alma, fizera seu voto — essa espécie de moratória às avessas, de compromisso não escrito com a divindade, a desobrigá-la de marido & filhos e condená-la à solidão e à promiscuidade, à perseguição do pecado perfeito, atando-a voluntariamente e para sempre às cadeias da condição humana.

Humanidade que aliás anda muito desumana ultimamente, suspirou Júlia desligando o computador, fechando as janelas: virou algo como uma pós-humanidade da qual, presumo, esse pós-Gabriel — pós-graduado aos trinta anos em arquitetura, no que pretende pós-doutorar-se, e que se pretende escritor por mal dos pecados — faz parte.

Júlia saiu, batendo a porta: ia almoçar com aquele Gabriel.

II

Aquele Gabriel levantou-se acenando, quando a viu entrar no Carlino.

— O que vai ser? — olhou-a interrogativo abrindo o cardápio, após trocarem cumprimentos numa efusão de pastas e livros.

— Para dizer a verdade... — Júlia fixava o cardápio sem ler.

Ele esperava, com amável simpatia.

Tempo.

Saco, pensava Júlia perfidamente — espera que eu termine a frase e peça supremo de frango com creme de milho e suco de laranja.

Tempo, tempo.

— Enquanto você pensa, vamos beber — disse ele acenando ao garçom.

— Perfeito. É o que eu ia sugerir e não me atrevia — fechava o cardápio, sorria, surpreendia-se Júlia.

— Por quê?

— Hoje em dia somos patrulhados se fumamos, se bebemos, até se fazemos amor sem ca-

— Trepamos, você quer dizer. Se trepamos sem camisinha, vou te patrulhar os eufemismos.

— Por razões de ordem estética, suponho.

— Ética, eu acho. A honestidade consigo mesma não está sujeita a modismos, segure seu copo, isso, esse vinho merece que brindemos às musas, tin-tin.

Sempre sorrindo, Júlia cerrou os olhos: não era só uma bela figura de homem, o sujeito tinha senso de humor, um espírito nobre, sem contar a presença de espírito. Júlia sentia-se malditamente em desvantagem: a não ser a recomendação de um escritor amigo — que aliás ele também não conhecia —, além do fato dela trabalhar na Fundação e poder ajudá-lo no projeto de pesquisa, sua persona não a precedera. Ele não a conhecia nem de nome, nem de obra, de forma que não podia lançar mão de sua fascinante persona. Ele parecia aceitá-la com uma espécie de celestial placidez. Bastava-lhe ser mulher simplesmente, e ser mulher simplesmente, sem insígnias de poder e na idade de Júlia, não era grande coisa.

— Podemos ser amigos — disse Júlia hipocritamente, pensando em voz alta. — Mas você ainda não disse o que acha do patrulhamento e tudo o mais.

— Não sei, não conheci o mundo em outras circunstâncias, suponho que antes devia ser diferente, mas não sei, não vivi.

— Então confessa que *não viveu!* — Júlia observava-o, ele não entendera a alusão à Neruda. — Pois é — prosseguiu acendendo um cigarro —, é isso aí, o buraco no tempo, assim fica difícil a gente se entender, porque não basta saber intelectualmente, você mesmo disse, sua experiência se restringe ao presente.

— Então por que não me ensina? A ver as coisas de modo diferente, quero dizer — Gabriel hesitou, mordeu os lábios, arriscou: — Atualmente você se arriscaria a transar com alguém tipo *ac*, acompanhante anônimo? Aposto que não.

— Não tem clima, não tem mais — disse Júlia com ar ausente. — O lance talvez seja atualizar as fantasias... falando nisso, devolvo-lhe a pergunta, e você?

— Para quê, se é melhor com a namorada?

— Veja só, então você saca muito bem o patrulhamento, em 70 também tinha, mas era diferente. Proibiam-se manifestações de afeto e sentimentalismos idiotas, eram *burgueses*. A independência em altíssima, bem como o ativismo literário, sabe, íamos mudar o mundo, mas em 80 veio a Aids, a guerra do Golfo, caiu o muro de Berlim, o regime soviético e o mundo mudou a despeito de nós e para infelicidade geral. Naturalmente tem gente que não acha, a esmagadora maioria, essa aí, tão preocupada com tua saúde, tua eugenia, tua sanidade, visto não te deixar fumar, beber, trepar com ou sem. Sabe por que se fala tanto em sexo? Sim, você já está adivinhando. Fala-se porque não se pratica.

— Não entendo mulher bonita com problemas existenciais, no duro mesmo — Gabriel fitava-a, preocupado. — Esta é a terceira garrafa de vinho. Devia comer alguma coisa.

— Está bem, está bem — Júlia levantava-se, tateava os sapatos sob a mesa, as pastas, a bolsa: aquele Gabriel desmoronava, era um babaca, mas ele a reteve: espere. Num instante pagou a conta e voltou: te levo para casa.

O automóvel estacionou na porta do prédio.

— Tenho a impressão que você me odeia — lascou ele.

Meio tonta, sem pensar, abria a porta, saía do carro Júlia:

— Não é você, não odeio você, é outra coisa, é malditamente outra coisa. Olhe, desculpe o vexame.

— Bobagem, você não se livra de mim assim tão fácil. Da próxima vez trago minha namorada para te conhecer. Achei divertidíssimo, cuide-se.

Júlia olhou-o duro, meditou um instante, então disse:

— Sabe, se eu fosse homem e tivesse que me virar, meu nome de guerra seria Adriano, Adriano Ac (fazia duas homenagens que não explicaria porque aquele Gabriel não ia sacar mesmo):

— Claro, muito engraçado, mal posso esperar para conhecê-la também, adeusinho.

III

Sempre havia Rudi Woolf — que reaparecia em momentos de aguda dor-de-cotovelo, uma espécie de inimigo íntimo —, o ex-namorado dissoluto e meio veado, a quem o celibato também escolhera, mas por razões inconfessáveis. Pelo menos, enquanto a mãe estivesse viva e pudesse deserdá-lo.

Nos entendíamos.

Pecar é trair?, perguntava-se remotamente Júlia enquanto se despiam, as mãos desvencilhando-se de botões e zíperes: separar as coxas e tomar a primeira estocada, a segunda, a terceira, fechando os olhos, imaginando ser outro a possuí-la, girando de bruços para imaginá-lo melhor, ainda que parcialmente, mas esta possessão por trás é tudo o que não é Gabriel e a ausência do Arcanjo Anunciador é a instância do Traidor, daquele que acaricia e arranha e uiva na treva.

IV

Houve um tempo que era a ausência daquele Gabriel que foi se revelando e firmando a partir de tanta promiscuidade e dissolução, daquilo que me dissolvia e derretia e revolvia e que era a saudade daquele Gabriel bocó/ingênuo/tolinho que não seria escritor futuramente pois teria oito filhos com aquela namorada que ia me achar engraçadíssima, que mais 10 anos estaria com mais 30 quilos enquanto eu, enxutíssima aos 55, podia apostar que ele daria adeus à carreira de ex-futuro escritor, arquitetaria sabe-se lá, um pós-doutor desperdiçando-se com filhos, futebol, shopping, MacDonald, se tornaria o quê diante da tevê? daqui a 20, 30 anos, ao fim e ao cabo do pós-capitalismo tardio como seria lembrado postumamente? como um pós-consumidor? e assim caminhou a humanidade nesses 15 dias em que ele não deu o ar da graça na Fundação, nem pelo correio eletrônico, dia após dia era sobretudo a ausência daquele pós-Gabriel que se amarrava na Web.

V

Reapareceu no início do outono sempre na Fundação, pelo correio eletrônico sobrava eventualmente um rabo de conversa, donde o chopinho ao cair da tarde.

— Não entendo este voto de celibato — dizia Gabriel. — Uma coisa não tem a ver com outra.

— Se fosse veado, entenderia — disse Júlia só de sacanagem.

Ferido nos brios, levou-a a um motel. Possuiu-a quatro, cinco vezes com um ódio que não era ódio, mas tesão reprimido. Porque o sexo é um louva-a-deus, uma luta de vida ou morte, a perseguição implacável do pecado perfeito.

— Isso é literatura — disse Gabriel assoprando-lhe um fiapo grudado nos cílios: venha cá, ainda não *te odiei* o suficiente, tin-tin.

Então é comemorar e compreender, comemorar e compreender e arder e queimar e murmurar roucamente (porque estava resfriada de tantas curtições) que te amo, te amo, te amo, mas não te amo, não é mesmo? Na cama, enquanto Gabriel armava jogos, fazia planos e o futuro e os projetos, etc., eu ouvia — não conseguia pensar — e perdia novamente meu coração traiçoeiro nesse braço de ferro, nesse mano a mano com a vida, vagamente pensando em como dar o fora e se ainda com alguma dignidade. Minha dignidade, no momento, era cor-de-rosa e balançava mansamente no cabide do quarto de motel, porque ventava e a janela estava aberta.

Assim não é possível, assim não é possível, desesperava-se Júlia a propósito dessa paixão que se multiplicava e estendia-se inexoravelmente pelos trabalhos e dias e meses de êxtase e agonia.

Contudo, uma noite ele apareceu com olheiras fundas, dizendo não ter dormido nada, ter bebido todas, ter chorado potes, ter dito um monte para a namorada e ato contínuo ter rompido com ela. Para sempre. Por você. Para ficar com você.

Júlia ficou em silêncio: se alegasse os motivos de sempre, da idade, do tempo, do insólito celibato, não colaria, ele iria me enrolar até que o tempo realmente se fizesse imperioso, mostrasse sua face horrível e daí seria a vez dele cair fora sem remorsos sem choro nem vela e azar seu, Júlia, que então decidiu-se. Contou-lhe sobre Rudi Woolf.

VI

Não o viu mais. Passaram-se cinco, seis, oito meses, um dia chegou a participação de casamento de Fulano e Beltrana. Ótimo, pensou Júlia abrindo o correio eletrônico, recebendo a mensagem:

Sozinha? Esplêndido. É assim que eu quero você.
Visita & preliminares sem compromisso.
Adriano.com

Ora, ora, pensou ela, na Web, discurso de biscate e de bandido se confundem, esse aí parece querer certificar-se se estarei só pra me assaltar, mas por que não? Fosse por tédio ou cinismo ou indiferença, clicou ok, pensando que doravante ia ser isso aí, precisava ir treinando, se acostumando. Ainda doía, mas isso era bobagem. Afinal, não tinha muita imaginação (e dor de amor é por conta disso): inclinava-se pelo que podia pegar e pegava o que podia.

Às oito a campainha soou pontualmente. Júlia abriu a porta: no limiar da noite, do pecado perfeito, sorria-lhe Adriano-Gabriel.

O DIÁRIO DE JULIAH

MEADOS DE ABRIL — POR QUÊ, JULIAH? Por que botar esse "h" perfeitamente inútil, semelhante ao manco que custa a passar e sumir da vista, imprimindo-lhe porém um contorno em negativo, saturado de pena, ridículo como a combinação aparecendo, um rabo de fora? Já digo por quê. O "J" tende a soar como "h" aspirado que por sua vez chupa o "h" inútil, assimilando-o ao primeiro, aspirante também, então o círculo se fecha ou se desencadeia em "Huliahuliahuliahuliahuliahuliahuliah...", geratriz, e terão descoberto a cadelinha mordendo o próprio rabo, a judia intelectual que me proponho a ser, não obstante meu nome e nacionalidade serem outros.

Julia, simplesmente, lembra mulher alta, morena, cadeiruda, mechas negras fugindo do coque na nuca, longas pernas de mula que adoram sapatos "anabela". Descrição perfeita da Giulia mediterrânea, aquela que se despenteia de paixão, fica vermelha à toa, arma escândalos e ainda por cima quer ter razão (não sabe do negócio do rabo, mas morde igualzinho a mim). Foi ela que vi num espelho sujo com propagandas de cigarro, num bar da cidade, embriagando-se, depois do expediente, de pinga com limão, ácida feito urina, e invocando, nos vapores da terceira dose, seu coração traiçoeiro. Abraçada com *Giovanni Il Due*, intimamente perguntava-se por que tanto tempo (três meses) perdia com ele. Não se envergonhando do boteco imundo, da pinga com limão e do bauru gordurento. Jantar? Nem pensar... Romântica e supersticiosa, inventara o *Il Due* porque o signo dele é Gêmeos, desdobrando-o como *Il Pazzo* e *Il Furbo* — o bobo e o esperto, coincidindo com o seu (o nosso), desdobrada na Juliah intelectual-calculista-impotente e giulia-passional-impulsiva-incompetente, ambas apaixonadas por *Il Due*, tão latino, tão analfabeto, tão casado e tão suado (a julgar pelas perpétuas rodas escuras nas cavas do paletó, aureoladas de suor e que ele não deve tirar nem pra cagar, eu acho).

Giulia pediu-me para não trespassá-los ainda com os fatais alfinetes, magia negra da minha língua, o que seria muito triste (mesmo que inevitável), pelo menos para *Il Due*, por enquanto em pleno estado de efervescência biológica/ilógica = amor.

Aquilo que os devoraria na comum fogueira do ridículo e debaixo das cinzas seriam encontrados: dois corações derretidos, rascunhos de cartas de demissão dos empregos, originais carbonizados, três filhotes abandonados (dele), uma esposa traída, duas amantes antigas mas despeitadas, pais desesperados (dela) e, no fundo desse caldeirão sem tampa, que aliás o diabo não faz, o lodaçal dos parentes, amigos, colegas de repartição, vizinhos — platéia ideal dum teatro de quinta categoria e seu *show* de variedades, a atirar nos atores principais, ambos péssimos, tomates, ovos podres, pipocas e pontas de cigarro. Dá até enredo de fotonovela a cores nos seguintes processos de impressão: Flertokhrome, Guampokhrome, Escândalokhrome, Prantokhrome, Reconciliokhrome e Amplexokhrome final/fatal/matrimonial. Nesse Departamento de Ficção Amorosa, sinto-me, juro, como personagem dos únicos seis argumentos existentes, sem, ao menos, constar das oito variações propostas a serem lidas por secretárias bilíngües (com trema).

Por tudo isso, Giulia, irei vigiá-la. SEI que só vai fazer besteiras — é cega, surda e sem imaginação, mas eu tenho de alimentá-la senão acabo sem assunto. Afogá-la em comida, sexo, paixão e lágrimas senão ela me devora!

19 e 20 de julho — Ora, até o presente momento constam apenas divagações. Vamos aos fatos: Juliah, cujo fim de semana foi péssimo, volta à mórbida condição *innamorata* segunda-feira. Giulia, portanto. As razões:

a) Na sexta, a mulher dele recebeu um bilhete anônimo assim: "Cuide de seu maridinho. Deliciosos encontros com uma colega de serviço..." etc. e tudo;
b) Grande escândalo, não só devido ao item *a* mas em virtude de suas calças sujas de maneira indiscutivelmente suspeita;
c) A filha mais velha infeccionou o joelho (oportunamente), logo, idas e vindas aos hospitais do INPS madrugada adentro;
d) Sábado cedinho ele foi caçar (lembra... deixa pra lá) para, no silêncio agreste, meditar em profundidade;
e) Domingo prosseguiu meditando copiosamente;
f) De fodida, Giulia permaneceu os referidos três dias mergulhada numa forte depressão (ele me ama, ele não me ama, ele me ama...), desfolhando duas cismas bestas em torno do mesmo eixo crucial. Isso é ordem? Isso é harmonia? Isso é vida? E acionando cartomantes, prometendo a alma ao demônio caso ele retornasse já e já. Nada. Tudo *because* cientificara-se somente até os itens *a* e *b*.

Na segunda-feira fez-se a luz. Retorno à paixão, mil confissões e juramentos de amor eterno. (Só que *Il Due* precisava estar em casa antes das onze, como bom maridinho. Fazendo rapidamente amor com ela, deixou assentado que Giulia não seria, em *assoluto*, a causa desse lar desfeito, cujos laços matrimoniais já estavam em processo de decomposição há anos).

22 de julho — *Il Pazzo* — defino-o assim quando diz coisas como: "Se *Gesù Cristo* for bom pra mim, *per que io acho* que sempre fui positivo com Ele, se *Gesù* for bom, Ele me faz ficar com você pra sempre!" ou que sou a *mamma* que o alimenta (lambendo meus seios) ou quando telefona gritando cinco vezes seguida que me ama e *"tanti, tanti bacci!"* ou "se você *me laciare* eu te mato, juro que te mato e depois me suicido, eu me suicido!" ou quando implora que eu faça uma "pequena *operaçón*" e volte a ser virgem (a Santíssima) para dar-lhe a sensação de ter sido *"il primo"* e mesmo que "sua filha da puta, tenha tido mais de trezentos homens e como saiu disso tão bela, tão ilesa, tão, tão, hein?" e que no seu *"io"* recusa-se a me levar para a cama (embora, estranhamente, prefira trepar em locais como bancos traseiros de automóveis, escadarias de prédios, escritórios vazios, quartos de hospitais, reservados de restaurantes, *confessionários*). Sem cama oficial permaneço intacta — a primeira namorada e sua prometida — com a qual se casará e acordará manhã após manhã, olhos nos olhos, boca na boca, corpo com corpo, em delícias de pecados santificados, adiados, desviados, masturbados. Meu *Pazzo*, como te adoro mesmo assim. É a parte que vivo matando, sufocando, negando — mistura moral/imoral tentadora, pseudo-moral, eu sei, desvio sexual, também sei, mas depois de tantas fodas antissépticas é isso mesmo que eu quero, porra!

Il Furbo — É quando me pede dinheiro emprestado, rotativamente, ou pra descontar cheques geladíssimos (provavelmente destinados ao dentista das crianças) ou quando seu membro se encolhe, ele me acusa: "Você estava se masturbando!" e maldita hora que fui lhe contar esse vício secreto! Devolve-o feito batata quente, bem em cima de mim, junto com todos os seus complexos (fracassos — o problema o meio pau). Perpetra encanações (fica remoendo tolices) à minha revelia e vem com aquelas conclusões absurdas, próprias do estreito repertório dum semianalfabeto, *lavoratore* incansável, mas inteligente e cheio de dúvidas. Crente de que é muito esperto. Afinal, versado em putas e artistas de TV (sua profissão: mix de cinegrafista de aluguel e fotógrafo público) acumulou "grande experiência" nos assuntos: prostituição, pederastia, lesbianismo, cafetinagem (os termos são meus, porque os dele...), cujas cores lhe são bem definidas e nem pensar em semitons — sua moral é férrea (falo assim quando me refiro a um cabeça dura): pau é pau, pedra é pedra. E isso quer dizer que eu tenho que falar a língua dele e enfiar a cultura no cu. E finalmente, quando expõe seus planos nebulosos (mentirosos, lógico, fala só pra me impressionar) de ganhar rios de dinheiro, montar estúdios fantasmas, enquanto mantém três empregos públicos nos quais "diz" que nem aparece, piscando e rindo, pondo aquela de *bon vivant*, daí pede mais dinheiro emprestado, mixaria, coisa de cem contos, pra pagar os aperitivos (ele NUNCA tem trocados). O pior é que dá um duro desgraçado pra sustentar a família. Envergonha-se de confessá-lo. Senão, como defini-lo *Il Furbo*?

27 e 28 de julho — mas o que estaria acontecendo com os dois? (anotações feitas num caderno de dever e haver). Bom. O negócio não evoluiu, nem deu frutos, sequer *fleurs du mal* (Bodeléééééérrrrr — dá impressão dum momento de profunda disenteria). Essa semana terminamos o tal filme. Ia esquecendo de mencionar a origem dessa história: tudo começou porque sou uma insistente e idiota cineasta amadora, cheia de ideias plenamente irrealizáveis, dada a ausência de conhecimentos técnicos, equipamento, dinheiro, etc. Já falei que *Due* é um cinegrafista de aluguel — é só abaixar a bandeirinha —, desses bem profissionais, especializado em casamentos, batizados, convenções, reportagens oficiais e cortes de fitas simbólicas, bispos abençoando no interior feiras de louça, de bordado, de uva, de bananas, de abacaxi, de autoridades engravatadas, de basbaques acenando adeusinho pra mãe, enfim, qualquer evento que mereça o registro de sua real importância.

Ele vive disso — disso que ocorre geralmente aos sábados, domingos e feriados —, carregando nos ombros fortes a sua cruz de 35 mm, entrando depois em cadeia nos telejornais do país, via Satélite. Seria a união perfeita do fotógrafo público com a cineasta privada. Todavia, terminamos o filme quase nas coxas (local onde mergulha frequentemente seus dedos grossos em busca de minhas regiões abissais e eu nas suas, em busca, sôfrega busca de seus cumes tempestuosos, *Wuthering Heights*, sabem, Emily Brontë também incluía símbolos fálicos, disfarçadamente). Mas caí, quinta última, numa "última coma alcoólica" no estúdio de gravação, talvez por nervosismo, ou emoção, ou estômago vadio (vazio, corrija), ou uísque vagabundo, vomitando exuberantes cataratas verdes, vermelhas, castanhas (metamorfose gástrica do bauru), recebendo incessantes visitas de Giovanni no banheiro a grudar beijos preocupados em minha boca. Expulsava-o: apreciar os destroços da *dolce* Giulia? E no fundo, satisfeita: Isso é que é amor! Que nada. Um pai de três filhos está pra lá de acostumado com retumbantes diarréias, dispepsias, gases bem ao lado, sonoramente pungentes, hemorragias pós-partos, cheiro de urina incidindo, através da porta do banheiro, nos bifes fritando na cozinha, a catarrada sobre o prato das crianças e agora vem cá que eu vou te cantar aquele bolero: *Tu me acostumbraste / Com todas esas cosas y tu...* Sutil. A esposa o acostumou pra mim. Ótimo. A desajustada sou eu. Mas o produto acabado que é meu corpo, numa embalagem de doces formas arredondadas, pele de cetim, boca flamejante, língua de cobracarinhos, isso ele aprecia de qualquer forma. Até ameaçou bancar o siciliano: "Me raptar / dar-me uma chave de braço (já foi pugilista) / um golpe na nuca / desacordada, jogar-me no banco traseiro do automóvel / e se eu gritar vai me bater até ficar quietinha / levar-me pra bem longe /

trancar-me numa casa sem janelas / nua, pra seu prazer constante (é o rei da foda abstrata!). Pura maluquice andropáusica latinóide. Demonstro por quê: com o tempo os peitos cairiam pela força da gravidade (que há) ou da gravidez (se houvesse), o ventre viraria bucho, a bunda, essa, nem se fala, alimentada por pizzas e canelones, olhar baço das mulheres que esperam enquanto engordam. Você não quer isso, quer *Due*? Não. Óbvio que não quer. O que você quer de mim é aquilo que não pode reter (nem em mim, nem em você), por isso inflama-se nessa verborragia mágico-trágico-amorosa. Catarse, caro. É a areia entre seus dedos, enfiados na ampulheta que acusa seus 45 e meus 25 anos, cruelmente.

"*Amore mio*, no que vai dar tudo isso?" — murmu-lacrimeja Giulia ao telefone. Do outro lado da linha ele estala um sonoro beijo e o odor de molho de tomate permanece no ar por longos minutos...

Anotações mijadas no sofá — Passada a efervescência, os sais acomodam-se no estômago, e mergulho num marasmo besta — e aí reside o imo da fotonovela: como permanecer contigo, se te encontro, Giovanni Dos Cachos, penca composta por 16 anos de mulher e amásias, filhos, sogros intermitentes, cunhados, irmãos, papagaios etc., tão ocupado? Por Giulia, a farsa estender-se-ia eternamente. Essa criatura falsa, caprichosa, manhosa, vaidosa, adorando mesmo que usada, abusada, fornicada, pois enganada, adorando, pois enganando. Face de Juliah perversa e pervertida, essa faca que você pensa estar enfiando no cu dos outros é no seu que está enterrada e nem sangra mais, moral petrificada. (Obs.: Escrevo isso só pra acalmar a consciência, claro, varrendo a casa mas enfiando o lixo debaixo do tapete ou aqui, no papel; se limpasse a bunda com ele talvez o líquido voltasse a jorrar, desmanchando esse fruto podre chamado impotência.) Petrificado, porém, parece que o tempo escorregou e caiu, no compasso de sete por oito, aliás inventado por Joe Morello, baterista do Dave

Brubeck Quartet, hoje extinto, num velho disco em homenagem a Juan Miró, que, aliás, não tem nada com isso.

30 de julho — *Il Due* nunca soube das Julias, mas hoje ele veio com uma história de achar-me parecida com a Giulietta Masina (o Fellini da Bela Vista é ele), uma feia simpática com olhar de tonta e de todas as donas amadas a mais feia, porém a mais amada (o cu dele): *Per que* você é livre, sem escrúpulos (sem vergonha), *evolucionada* e gosta de fazer tudo que eu sempre quis fazer e até *hodge* (literalmente ele fala assim) não pude me expandir. Fico *stonatto* de escutar *no! no! no!* da *mia* mulher. Nó — enredado Giovanni. Carinhoso, chamou-me Giuliettina (lembra, deixa ver... pequena vagina de porcelana na cor pérola). O pior é que sou mesmo parecida com a Masina — não tão corcunda, edição revista, mas persistindo o ar abobalhado de bagre fresco. Ferida, toco no ponto fraco: "E você que nunca me levou pra cama? / (cara de tonto) / Trepada adiada... / Não seja vulgar! / Não sou vulgar, você sabe / É sim / Eu NUNCA sou vulgar! / Tá bom, não é / Como você é bonzinho! / Está querendo me deixar *complessado*, é? / ÔÔÔÔÔ, saco! / (levo um soco na coxa) / Desculpe, bem / Deu pra valer, hein? / Desculpe! / Por enquanto não sinto nada, mas depois vai ficar roxo... / *Perdona-me* / Que nada, eu aguento / Machona!... / O que é que tem que ver? / Eu sei, eu sei, me dá um *baccio*, hummmmmmmmm!!!!!! / (se os italianos fodessem tanto quanto fungam seria ótimo).

2 e 3 de agosto — Domingo, Giulia acordou com duas estrelas na testa — *amore mio* — até que toda a galáxia explodisse ensopando o travesseiro com os vestígios da magia decomposta. Para ser mais objetiva, os restos de maquiagem que havia feito para esperá-lo e ele não veio. Mesmo assim, persistia a puta vestida de verde, deitada na cama ao lado: esperança, Giovanni. Sua memória auditiva reproduzia com perfeição as ligações feitas na noite anterior, sábado: Aeroporto, boa noite / Boa noite, por favor, queria informar-me sobre o voo de Araçatuba que deve ter chegado hoje, às 18 horas... / Senhorita, aqui não temos condições de informá-la, ligue para 60-2937 / Podia repetir, por favor? / Pois não, 60-2937 e olha, dona, essa música aí tá jóia / O-Obrigado, boa noite (prelúdio para órgão do *Le clavier bien tempéré* de Bach; esse cara não tava me gozando?) / Varig, boa noite / Não, a Companhia não opera para Araçatuba, tente a Vasp, ligue para / (Toca a campainha. É um primo, quase da minha idade. Quer saber o endereço da manicure que trabalha no salão de beleza ao lado. Todo de branco, apesar dos dentes estragados, ele esforça-se, sábado à noite. Como um gato pardo na esperança duma presa parda, sábado à noite) Não sei, não conheço / Vasp, boa noite / Sim, senhorita, realmente, o voo de ontem partiu às 18:00 horas / Não, não operamos esse voo aos sábados / ...talvez algum voo extra / Só na Coordenadoria do Aeroporto / Boa noite / Já disse que não sei o endereço da manicure, merda! Já vai? Bate a porta / Coordenadoria do Aeroporto, boa noite / Não, nenhum voo extra de Araçatuba hoje / Não, temos certeza / Boa noite".

Mentira n° 2, n° 3, n° 4; quantos fins de semana tantas mentiras. O retângulo negro acusa: nove horas. É tarde... mas ele liga. Ainda liga. Algum imprevisto. Agora, Debussy, isso, reconfortante. Campainha novamente. É o vizinho / pianista / organista / *entretainer* / bicha / ex-caso / imagine! / Ôi! Desce. Desço. Na porta, sinto-lhe o perfume doce porém másculo (o problema seria assumir esse porém). Espero um telefonema... hoje não dá... tudo bem... então, um beijo. Boa noite. Uma lagartixa resvala em meu pescoço, gelada e viscosa. Desgruda. Desligo Debussy. Acendo outro cigarro. Já amarguei um cinzeiro de pontas por ti, amore. No tapete, brinco de ler a sorte nas cartas: Ás de Espadas e Rei de Ouros (coração amargurado) — Dois de Paus e Dez de Copas (uma viagem com acidentes) — Dama de Espadas e Sete de Espadas (a mulher dele atrapalhando) — corte três vezes — Dama de Ouros, Ás de Espadas e o Rei de Ouros (separação). *Não mentem jamais*. Na TV, o *gangster* Paolo Massetti chama

Shirley MacLane de *fitanzatta* (*Dio Mio*, tudo lembra *Il Due!*). Eles dublavam coisas como: Os italianos são amorais... Estereótipo ianque. Os latinos são uns impotentes, cagões, não sabem nada de amor e isso não quer dizer que eu considere os suecos o máximo. Quando muito o máximo do tédio. Então, quem? Nos extremos da corda, um negro e um professor de matemática. E você, *Il Due*, a meio caminho, digo, na puta que o pariu, debaixo desse poste mal iluminado, eu juro que te arrebento, seu italiano de merda, eu juro!

4 de agosto — Giulia corria, engolia o viaduto. O casaco pesando, ventando, dizendo adeus, sentia calor, sentia frio: *Amore*, está me esperando no bar da Rua Genebra. Não. Francisca Miquelina. Aquele bar de mesinhas com toalhas roxas. Não. Cor de laranja. Teu rosto vermelho no quinto banco desce um beijo que engulo. Engulo tudo que me for enfiado, agora. Teu membro esgotado, teus lábios secos, minha boca sem emoção engole tudo, como remédio amargo, leite de magnésia: não me conformo por ser capaz de esquecê-lo, enfeitando-o só na distância. Ser capaz de tanto. Aceitar teus problemas com indiferença, mesmo protestando, suplicando: te quero, te amo. Eu sou capaz. Chamando este ato de maturidade, até de covardia. Não. Chamando-o ainda e mais uma vez de impotência, para qualquer ato.

Sento. Exijo explicações. Ombros tesos, olhar de *lady* ofendida. Peço um *scotch* enquanto ele bebe cuba-libre: Você só bebe coisas ridículas / É. *Io* sou todo ridículo / (Sinto-me bela e imponente — impotente — porque *Due* está perdido para mim) / *Alora, adio* / Ela adoeceu / Não vem com essa / Não vou feri-la / Teus filhos / Um pé no cu / Mais tarde / A ingratidão / Eu sei / Você sabe / Não se importa / Não. Prefiro fazer papel de babá e prosseguir *innamorato* / (mistura moral/imoral. Isso. Misture tudo e engula rápido!) / Não quero nada / Eu sei / Só um romance. Concilie... / *No*. Ou tudo ou nada / Fica com o resto então e não me enche mais o saco! / Fica quieta, você, me dá um *baccio*... faz *amore* comigo *hodge*?

Ainda 4 de agosto — Por que, Giulia? Por que tanto tempo perdia com Giovanni *Il Due*, esse maldito continuar, te encontrar de novo no Viaduto, as batidas ácidas de limão, os bares do centro, uma gravata vermelha, as ruelas da Bela Vista... Andaram perdidos por lá, aquela noite, procurando o carro dele, e Giulia batia com o guarda-chuva nos barrancos das casas em demolição (mais acima, acima de tudo, os *outdoors* da quinzena), xingando aqueles cortiços, odiando aquela gentinha que faz beringelas recheadas com *mozzarella* que faz casamentos aos sábados que faz filhos da puta, terríveis e confusos subtipos humanos que é você, que foi capaz de fazer, apesar desta cadeia insana, a tal chama acender, me devorar, derreter, esfriar e depois engolir tudo, tudo, tudo.

Estava bêbada e você foi tirando minha roupa de baixo: meias, cintas, calcinha, tudo: "Fica com a saia escocesa, *amore*. Assim parece uma colegial que *io rapitei*". Para variar foi no carro mesmo. Fico por cima, para não cansá-lo. Depois teria uma ejaculação dolorida e culposa. A seu gosto. Debruçou-se, fitando-me tranquilo. "Mais calmo, agora? / *Si*, te amo, juro que te amo, pela alma da *mia* falecida *mamma*!". Mas Juliah está cansada para pensar, despedaçar. Pensamentos são pássaros fechados; sente só o golpe por trás, sem revide, sem defesa. Amanhã *io* te levo uma flor, posso? Detesto flor, jogo no lixo! / Tá bom, então não levo / Suma! / *No* e *no* vai me proibir de te amar, não pode me tirar esse direito! / Grande merda, suma! / Tá bom, tá bom, então me dá um *baccio* / Não, chega! (saio do carro) / Não vai dar? / Não, suma! E engulo a noite para que ela não me engula, enquanto eu souber que você existe, *Il Due*, e está vivo, a vinte metros da minha sala, das oito ao meio-dia, enquanto isso engulo o mais rápido que

O ANIMAL DOS MOTÉIS

*"Mas sempre acabo em seus braços/
na hora que você quer"*
Roberto Carlos, "Desabafo"

DEITAMOS OUVINDO ROBERTO CARLOS, a voz dos motéis, *por que me arrasto aos teus pés?* Porque sexo é isso mesmo. Essa gana de rastejar com Roberto, no coito dos motéis. Ele diz: esse motel já foi bom, e eu olho o banheiro, caixa amplificadora de fibroplast, as toalhas embaladas em sacos plásticos, os lençóis castanhos com ramagens duvidosas entre encardido e vestígios de cor, os três espelhos redondos montados em curvim (um em frente ao outro, no meio a cama, o terceiro no teto, sobre a cama), claro que para nos transformar numa espécie de confuso coquetel de siris assados: pernas, braços, carnes vivas, canteiro de patas, antenas, pelos moventes, espiando de esguelha uma outra hidra em perspectiva no espelho da frente, de trás, de cima, de baixo, devassados, misturados, confundidos, ao preço da diária, porque (e então eu sei por quê) todos os motéis são sempre o mesmo motel, o animal mitológico, a quimera que se arrasta interminavelmente na madrugada ao som de Roberto Carlos.

Apoiada nos cotovelos, a cabeça dela surge no horizonte do espelho. A brasa do cigarro, no ponto quase central da bola ensombrecida como o primeiro sol de um universo, inflama-se:
— Você já leu Hemingway?
— O quê?
— Perguntei se você já leu...
— É importante? — ele soergue-se ligeiramente.
— Fatos. Parece que ele só se preocupa com os fatos, no princípio. Naquele conto do toureiro, não lembro o título. Começa que o sujeito bate na porta do patrão, quer voltar às corridas, o patrão não está interessado, diz: só nas noturnas, 300 pesos, discutem o salário. Muito seco, direto. De repente, o patrão olha bem na cara do toureiro e pensa: é assim que todos morrem. E pronto. Eis a cabeça do monstro, a cutilada na boca do estômago, Hemingway nos pega despre...
— E o cara? Morre ou o quê? — reprime um bocejo.
— A morte só o rodeia. Toda a tourada. Ele a persegue. Ela o arranha e o abandona. Mas ele volta a provocá-la. Como um cego. Ou um tolo. É inútil. Duas vezes entre os chifres do touro. Debaixo das patas dos cavalos. A espada se parte. Não acerta — o que é muito simples para um veterano — o local exato no dorso do animal, do diâmetro de uma moeda de prata. A morte apenas o maltrata, como se estivesse brincando, como se ele não a merecesse, como
— Mas ele morre ou o quê?
— Não sei, o picador...
— Como não sabe? Então esse Hemingway...
— Precisaria ler a história.
— Certo. Você já me contou.
A brasa desaparece no espelho, se apaga.
É como uma sina, ela pensa, contemplar esta cabeça com fria ternura ou recorrer mais para trás, para uma piedade distante detonada pelo álcool, pela solidão, aquele sanduíche cinzento

de noites de leitura e insônia e cigarros, como uma única noite boreal, amanhecer e crepúsculo, luz intermediária e intermitência de neon, de café, de galeria, de esperar sem mais esperar, suplicar, implorar por aquilo que sequer tem nome. O toureiro não merecia a morte.

É como uma sina. Rastejar com Roberto, *você é mais que um problema / é uma loucura qualquer,* porque ele sabe sem saber de uma porção de coisas, coisas que eu ignoro, lembra a Maga, aquela personagem do Cortázar que, por sinal, ignora Hemingway e este, claro, além de você e todos, todos nós, amantes e condenados e Roberto.

Um touro espreita no fundo dos olhos dele: duas faíscas cúmplices transmitem a ordem ao dedo áspero que vadiamente começa a percorrer a coxa, cilindro macio de luz negra. O dedo vai subindo, pincelando as penugens invisíveis — há partículas fosforescentes na superfície da pele —, o dedo, e então são os dedos, vão se abrindo, agarrando, numa fofa mordida, a região de pelos, capturando os lábios, separando-os com delicadeza: o indicador resvala pela fresta úmida. Imobiliza-o um instante lá dentro e então o leva à boca. A cabeça está inclinada sobre seu ventre, mas ela sabe que ele sorri: um garoto mergulhando o pão na panela e experimentando o molho. Olha-a, a mão agora pousada no seio, o tato pegajoso, feito clara de ovo.

— Você complica tudo — os olhos são faíscas perversas.

Como se fosse possível o amor, como se fosse muito fácil, muito simples. Possível. Fácil. Simples. Do diâmetro de uma moeda de prata. Uma fresta úmida. O ponto exato. Amor.

— Nunca estive na Espanha, ou no México — ela acende outro cigarro.

— Ou aqui. Está precisando de um homem.

— Já pensei nisso. Aliás, não faço outra coisa.

— Pergunto se você já fez algo a respeito.

— Sinceramente...

— Por você mesma. Imagina que eu sou um idiota. Sei o que está pensando. Essa história de toureiros fodidos e do tal Hemingway. Muito complicado, não acha?
— Então nada de romance?
— As mulheres não mudam...
— Nem os homens. É bobagem. Penso: sinto-os pulsar aqui dentro, cegos, surdos, solitariamente, me tocando até a loucura, me penetrando até a loucura. Certo, o prazer também é meu, mas duplamente solitário, uma tarefa que cumprimos tão distraidamente, tão alheiamente como um violino que se tocasse a si próprio num dormitório de quartel, tarefa da qual só poderia, só deveria, nascer amor e música, no entanto...
— Roberto Carlos — ele aponta o alto-falante.
— Não estou falando de fundo musical e depois isso é outra história (*por que me arrasto?*).
— Está querendo dizer que eu só me masturbo?
— Que nós.
— Isso. Que nós.
— Também não sente assim?
— Sei lá. Às vezes...
— É isso.
— O que quer? É bom pra mim, bom pra você...
— Exato. Bom-mim, bom-você, um em Guadalupe, outro no Japão, se fodendo pela internet.
— Garota engraçada, você. Vamos beber? — fisgou o cardápio na mesinha.

A brasa inflamou-se novamente no espelho: uma erupção solar. Mas este já é um outro capítulo: agora beber, começar a beber e ladeira abaixo.
— Vodca. Quero vodca.
— Pura? — o telefone suspenso na pergunta, a expressão surpresa.
— Não. Com gelo.

Pousa o fone no gancho. Fita-a intrigado, ajustando o travesseiro. O corpo enorme, em potente repouso, não faz parte do rosto. Coça os cabelinhos do peito. Ela está enrodilhada ao pé da cama (como se camas redondas tivessem alguma referência. São como o universo, não há direção, norte, sul, direita, esquerda, em cima, embaixo, esses caras são mesmo diabólicos, Deus é diabólico, ou seremos nós que...).

Ele inclina-se acariciando-lhe as ancas dobradas, avaliando-as no espelho às suas costas, as nádegas projetando aquele invisível biquíni de sol. Afaga-lhe o rosto, hesitando, ganhando tempo, com medo de falar:

— Bebe sempre vodca pura?

— As bandejas passeiam no pátio repletas de coquetéis de frutas, martinis doces...

— O que há de errado?

— Para as garotas boazinhas.

— E você? Não é?

O dedo contorna os lábios dela: vai me calar, me silenciar com esse beijo, entupir-me com essa língua, porque esses encontros são acidentes vertiginosos cujo resultado é o titã de mil olhos, mil bocas famintas que murmuram te amo, te amo, e que respondem te amo, te amo, zumbindo num cercado de mentiras ciciantes de sons no espelho, dimensão da penumbra da vida, caixa de música abafando um só tema a repetir te amo, te amo, perseguindo o elo de uma cadeia prisioneira que nos abandona assim que sai da boca, e a sua repetição implica na perseguição eterna daquilo que já esteve atrás da boca, do travesseiro. Ao formularmos com os lábios o rolo doce da língua e da saliva, saltamos à frente do tempo e imediatamente nos sentimos abandonados por esse pássaro fugidio que se debate, te amo, te amo, ato irrefletido do cuspir, separar as coxas e tomar a primeira estocada, recuar, avançar, senti-lo rígido como um cilindro de aço vivo e então capturá-lo de leve, uns cinco centímetros, não mais, e sugá-lo para dentro, frente a frente, de cócoras, como crianças agachadas brincando com bolinhas de gude, hipnotizadas pelo movimento das bolinhas que rolam, evoluem, param, prosseguem, o entrechoque das bolinhas líquidas, nova fisgada, novo recuo de quadris, as bocas navegando nas bocas, no rio das bocas, no mar das bocas, nas cavernas dos dentes e da língua, na correnteza das bocas, gargantas, ventres molhados e lá embaixo o borbulhar estourando as margens que recuam, cedem, enquanto ele bombeia, macho e terno, e bate e bate, martela o limite viscoso, implorando para nascer de novo, e combate e se estimula e a maltrata porque ela uiva, sussurra obscenidades — as primeiras palavras que um homem escuta e as últimas —, evoluindo, insuportável, maldita, insuportável, adorável, não é mais prazer, não é mais dor e é o milagre, a vertiginosa erupção, um terremoto visto ao longe e o centro de um furacão, assistir a uma catástrofe atômica e ao mesmo tempo estar no centro, como Deus, como Deus, como Deus.

Depois do violento crepitar frio, o movimento cessa e então voltar a ouvir o vento se lastimando nas marquises dos edifícios, nas estruturas de aço da cidade industrial mais próxima e, não fosse o vento, poderíamos ouvir até a nós mesmos (que é a última coisa que gostaríamos de ouvir na frequência dos motéis), por isso nosso ego logrado retorna, monstro rugidor e oceânico, às cavernas interiores, lá se aferrolhando.

Lá em cima, no espelho, duas, quatro, seis, oito larvas rotas, libertas do emaranhado.

Termina a cerveja e dá-lhe uma palmada na coxa:

— Vamos embora (*pensando bem / amanhã eu nem vou trabalhar / e além do mais*).

— Ainda tem vodca — ela aponta um dedo preguiçoso para o copo, dois terços vazio.

— Fica pra outra vez — ele já veste a camisa.

Ao saírem, nos espelhos, Roberto Carlos.

Esperando. Prometendo. Rastejando.

MARILIA ARNAUD

Autora de O *livro dos afetos* (contos — Rio de Janeiro: 7Letras, 2005) e *Suíte de silêncios* (romance — Rio de Janeiro: Rocco, 2012), entre outros. Participou das coletâneas *Mais 30 mulheres que estão fazendo a nova literatura brasileira* (org. Luiz Ruffato — Rio de Janeiro: Record, 2005), *Contos cruéis: as narrativas mais violentas da literatura brasileira contemporânea* (org. Rinaldo de Fernandes — São Paulo: Geração Editorial, 2006) e *Capitu mandou flores: contos para Machado de Assis nos cem anos de sua morte* (org. Rinaldo de Fernandes — São Paulo: Geração Editorial, 2008). Nasceu em Campina Grande (PB).

*

"Os inocentes" integrou a *Mais 30 mulheres que estão fazendo a nova literatura brasileira*. "Senhorita Bruna" foi publicado na *Coletânea Osman Lins de contos* (concurso promovido pela Fundação de Cultura Cidade do Recife — 2007). "A passageira" foi extraído de O *livro dos afetos*.

OS INOCENTES

O PLANO RESUMIA-SE A LEVAR Davi até a casa de praia dos pais de André, desabitada naquela época do ano, e mantê-lo quieto e encafuado no local combinado, com os olhos bem abertos, até o final. Só que, em algum momento, as coisas se desgovernaram, com todo aquele cheiro áspero de naftalina, a respiração difícil, o calor, os músculos tensos, as câimbras nas panturrilhas e, além disso tudo, uma sensação pungente, como uma ferida que não para de latejar, alastrando-se por todo o corpo. Quando nos demos conta, já estava acontecendo, e não havia como retroceder, alguma coisa que recendia a medo e prazer foi escapando ao nosso controle, meu coração num tropel, meu corpo crescendo, uma fera açulada e faminta forçando e rompendo a jaula, e a coisa redemoinhando e se avolumando e se acelerando e explodindo intensa e violentamente dentro de mim, e logo já havia acontecido, e estava tudo acabado, inclusive a nossa amizade, tudo que nos ligara até aquele dia.

Depois, Miguel chegou a insinuar que não teríamos tido força para ir contra André. Isso não é verdade. Ele não nos impôs nada. Sequer nos incitou. Permitiu, apenas, e assistiu em silêncio, com o olhar esfolado, que fingíamos não perceber, apertando os dentes para controlar o tremor do corpo, possuído, por certo, pelo mesmo demônio que nos atirou naquela quase irrealidade, numa espécie de transe, de demência, como se estivéssemos bêbados ou alucinados, ou encarcerados em um sonho denso e avassalador.

Dissemos sim a André. Eu e Miguel sempre lhe dizíamos sim. Relutamos durante algum tempo, porque daquela vez seria diferente, seria mais que uma brincadeira cruel, e temíamos que alguma coisa não saísse da maneira planejada, que ocorresse algo maior e sem conserto, que fôssemos apanhados, ou denunciados mais tarde. Não sei de Miguel, porque não me disse, nem cheguei a lhe perguntar, mas o que me seduziu na proposta de André e me fez decidir acompanhá-lo foi a possibilidade de ver Diana Farida. Sem que desconfiasse, eu a compartilhava com ele. De tanto ouvir seus pormenorizados relatos, que aconteciam logo após os encontros dos dois, bastava-me estar sozinho, na cama ou embaixo do chuveiro, fechar os olhos e chamá-la, que de pronto ela vinha surgindo e me alcançando por trás das pálpebras, ali onde tudo se fazia possível, reiteradas e prolongadas vezes, imagens que se enchiam de sussurros, afagos e estremecimentos, que se ordenavam numa exatidão penetrante, como se fossem lembranças.

Convivíamos muitas horas por dia, papeando, vagabundando, na escola, na praia, no cinema, na quadra de esportes do clube, no quarto de André, onde costumávamos nos reunir para ouvir música em volume ensurdecedor, fumar maconha e assistir a filmes pornográficos que ele furtava da gaveta secreta do pai. E embora tivesse apenas dezessete anos, um a mais que nós, sabia nos conduzir como um irmão mais velho, livre como se não fosse filho, seguro de si mesmo, do fascínio que provocava em nós e nos outros colegas, principalmente nas meninas. O mundo, repleto de possibilidades, corria sempre em sua direção, e a vida, que lhe parecia uma excitante e ilimitada brincadeira, estava do lado dele, o lado que queríamos para nós, que buscávamos tentando imitá-lo nos trejeitos, no modo de falar, andar, se vestir, de abordar as meninas, de menosprezar os professores, de debochar dos puxa-sacos.

Quando Davi chegou em nossa classe, no início do segundo semestre, com aquele jeito de bom garoto, e soubemos que vinha de uma cidade do interior, como bolsista, filho de uma professora e de um pai ausente, não lhe demos nenhuma importância. Introspectivo e arredio, sempre debruçado sobre livros e cadernos, não falava a nossa língua, tampouco nos importunava, não valia a nossa atenção.

Aos poucos, contudo, fomos percebendo sutis demonstrações de perplexidade e respeito por parte dos professores. E logo começou o assédio. Nos intervalos das aulas, os colegas, e aí se incluíam as meninas, caíam-lhe em cima, e Davi, pacientemente, tirava-lhes as dúvidas. Das intrincadas equações de segundo grau às regras da análise sintática, da tabela periódica às intrigas das duas grandes guerras mundiais, nenhuma indagação ficava sem uma resposta consistente e satisfatória.

Estimulados por André, nós o provocamos algumas vezes, mas ele não reagia, não nos dava essa confiança. Encarava-nos com um olhar desarmado, onde não havia sinal de medo nem de arrogância. Seguia tranquilo, revelando aos quatro cantos a nossa ignorância, massacrando o nosso orgulho besta com a sua curiosidade intelectual, com os seus versos que, descobertos por um dos nossos professores e avaliados como românticos e idealistas, eram lidos na sala de aula em meio a murmúrios de admiração.

Achávamos que poesia servia unicamente para fazer coisas insignificantes parecerem valiosas, uma embromação, e que todas aquelas sutilizas e ambiguidades, tão maçantes e alheias a nós, eram próprias das meninas, e também dos veados, e por isso, durante um certo tempo, andamos farejando algo assim em Davi, que pudesse desmoralizá-lo e pôr fim àquela bajulação.

É certo que andávamos meio enfezados, mas ainda não havia motivo para preocupações maiores. Então, aconteceu. Nós os vimos, ao final das aulas, sentados nos degraus da sorveteria que ficava em frente à escola, somente os dois, e pareciam cúmplices, as cabeças inclinadas e encostadas uma na outra, entretidos com a leitura de um livro. Permanecemos do outro lado da rua, enquanto André foi até eles e, após arrancar-lhes o livro das mãos e examinar o título com desdém, humilhou Diana, dizendo a Davi que não perdesse seu precioso tempo lendo-lhe versos, pois, enquanto posava de boa moça, a poesia que ela apreciava era outra, e estava mais embaixo, precisamente no meio das pernas dele. Em seguida, deu-lhes as costas e veio voltando em nossa direção, pisando duro e franzindo o rosto numa expressão concentrada e desagradável que já conhecíamos, os olhos enfiados no calçamento, e vimos Diana escorregar a cabeça para o ombro de Davi, e o vimos enxugar-lhe as lágrimas com as pontas dos dedos, sussurrando-lhe algo, oferecendo-lhe um olhar trôpego de piedade e de uma outra coisa que naquele momento não soubemos identificar.

Depois desse dia, passamos a vê-los sempre juntos, e muitas vezes nos perguntamos se Davi saberia o que fazer com uma garota como Diana Farida, e o que ela fora buscar nele, tão magricela e desajeitado com aquelas orelhas de abano, sobre o que poderiam conversar, quando ele vivia enfiado em livros e abstrações, e ela, em revistas que ditavam a moda e contavam as vidas dos artistas de televisão, um universo em que qualquer tipo de leitura reflexiva logo se tornava um aborrecimento, uma perda de tempo.

O que afinal em Davi atraíra Diana, a menina mais popular da escola, a que podia ter a seus pés o garoto ou mesmo o homem que desejasse, pois André não nos contara que o pai dele ficara paralisado de desejo quando vira Diana tomando sol na piscina de sua casa?

André a cercara durante quase um mês para conseguir arrancar-lhe uns beijinhos. As carícias mais íntimas vieram em seguida, e a partir daí as coisas foram acontecendo numa progressão alucinante. No início, viviam enroscados, beijando-se, apertando-se, esfregando-se, siderados com o descobrimento de tantas delícias. André gostava de exibi-la, carregando-a na garupa da sua moto, ou desfilando com ela de mãos dadas pelo pátio da escola, e nas festinhas que organizávamos nos finais de semana para dançar grudados nas meninas. Por fim, embora negasse com veemência, apegara-se a ela, viciara-se em Diana, e se tornara visivelmente melancólico e intolerante, às vezes, ciumento de uma maneira agressiva, chegando ao extremo de lhe perguntar, na nossa presença, para quem olhava com insistência, por que não se livrava do costume vulgar de sorrir para todo mundo, ou onde se escondera por tanto tempo, quando sabia que ela estivera apenas num desses lugares onde se arrumam os cabelos e se pintam as unhas.

Diana não lhe respondia, apenas o fixava com um olhar que vinha de cima, que o fazia desmoronar, e André engolia as palavras, detestando-se por aquela fraqueza e detestando-a por ela ser capaz de ignorá-lo, de esquecê-lo tão facilmente. Depois se afastava envergonhado, e então percebíamos que aquilo que o tornava especial aos nossos olhos, que lhe dava poder sobre as garotas que conhecia, não valia para Diana Farida. Havia nela uma distância que o atormentava. Havia também uma inquietação, uma espécie de apetite pela vida, que a fazia voltar os olhos e o sorriso em todas as direções, e que em algum tempo encantara André, mas que àquela altura abalava suas certezas e o ameaçava de uma maneira indefinida, e tínhamos a impressão de que tentava a todo custo dominar, ou mesmo destruir, e nós nos perguntávamos o que afinal restaria a Diana Farida se lhe roubassem a alegria honesta e descuidada, sua essência, ela própria.

Apesar de seus quinze anos, tinha porte de garota de dezoito, e quando passava, serpeando em suas calças compridas justas ou em saias mínimas, vez em quando afastando do rosto meio sardento os cabelos da cor de lua cheia, com o mesmo gesto vagaroso e exato, os seios balouçando sob blusas de tecido levíssimo, devia sentir todos os olhares pendurados nela, o embaraço que sua presença provocava em nós, o poder que exerce sua beleza, o que a tornava mais petulantemente sedutora.

Até envolver-se com André, jogava charme para muitos garotos, mas apenas poucos haviam conseguido desfrutar dos seus encantos. Comentários maliciosos se espalhavam pela escola, escandalizando as garotas, que na verdade se engasgavam com inveja dela. André sabia disso tudo quando se aproximou de Diana. Além do mais, era um cara esperto. Nós o julgávamos quase invulnerável. Cobiçado, vivia escapulindo de garotas obstinadas de quem se enfastiara, enquanto nós seguíamos colecionando rejeições. Porém, com Diana, a coisa se inverteu. Foi ela quem o abandonou, e André andava amargando aquela ausência, que absolutamente admitia como definitiva, quando nós a encontramos com Davi na entrada da sorveteria.

Tentamos dissuadir André daquela empreitada, afinal ela não era a única garota bonita da cidade. Não valia a pena ir tão longe. Que ele desse a Diana o que ela valia, desprezo. Já Davi merecia uma boa surra, murros de punho fechado e pontapés na cara magra de passarinho, que ele tentaria proteger com as mãos, o nariz amassado, a boca espirrando sangue, estendido no chão, estropiado, derrotado. Isso, porém, não servia de consolo para André. Além da frustração de não ter mais Diana, fora desbancado por outro, o que nunca lhe ocorrera, e tudo o que desejava era ir à forra, o que aconteceria, nós não duvidávamos, com ou sem a nossa aprovação e ajuda. Estava obcecado com a ideia de punir o desgraçado do Davi, e nos dizia que iria esmigalhá-lo sem tocar em um único fio de seu cabelo, de uma forma tão extraordinária que ele nunca mais ousaria se aproximar de uma garota como Diana Farida. Porém, eu e Miguel achávamos que, na verdade, queria punir os dois.

Fomos instruídos por André a convencer Davi, tarefa que nos parecia difícil, pois andava cismado conosco desde o incidente na sorveteria. Como uma prova de matemática havia sido marcada para a manhã seguinte, deveríamos pedir-lhe que nos desse uma ou duas horas de aula. Sabia das nossas dificuldades e acabaria cedendo, como de fato aconteceu.

Foi fácil levá-lo até a casa da praia. Depois o amordaçamos, e prendemos suas mãos nas costas e as pernas nos tornozelos com cordas de náilon, e lhe dissemos que o que estava sendo feito era para que deixasse de ser babaca, bem como que estaria ferrado se desse com a língua nos dentes, e em seguida nos acomodamos, os três, dentro do armário vazio do único quarto que ficava no andar superior, mantendo a porta entreaberta o suficiente para que Davi pudesse ver, logo mais, o que tinha de ser visto.

Mesmo amordaçado e amarrado, recusou-se a entrar no armário e a ficar quieto, estrebuchando feito bicho em arapuca, e foi preciso que lhe déssemos uns safanões para que se acalmasse. Acho que só se deu conta do inferno que estávamos lhe preparando, quando viu Diana surgir seguida de André, e nem foi necessário vigiar seus movimentos, pois se estatelou na surpresa e no pânico, a respiração curta, os olhos metálicos.

Por um momento ficaram parados no meio do quarto. Pareciam embaraçados, e Diana disse num tom de voz impaciente, quase ríspido, que não tinha muito tempo, e nesse instante percebi a inutilidade de toda aquela estúpida armação, ela não o desejava mais, e eu não podia compreender por qual razão viera até ali, como André havia conseguido dobrá-la, e senti uma imensa pena dos dois, e também de mim mesmo, sei lá por quê. Talvez porque fosse triste demais constatar que as coisas perdiam a graça, que simplesmente acabavam, e me enchi da vã esperança de que ela suspeitasse, de que olhasse na direção do armário e nos salvasse, desmascarando-nos a tempo.

Com um gesto mecânico, nem por isso menos gracioso, Diana Farida fez o vestido escorregar pelo corpo e sentou-se na beira da cama, balançando os pés e olhando para um ponto fixo na parede à sua frente, como se o que estivesse para acontecer não lhe dissesse respeito, uma menina subitamente envelhecida, de rosto inexpressivo e olhos opacos, olhos que pareciam já ter visto tudo, dezenas, centenas de vezes.

Não sei se André contava com aquilo. Se chegou a se sentir desconcertado, não deixou transparecer, pois, despindo-se rapidamente, aproximou-se de Diana e buscou-lhe a boca, mas ela esquivou-se com um movimento quase imperceptível. Então, ele sussurrou-lhe algumas palavras num tom delicado e persuasivo, como se falasse com uma criança, e imediatamente as feições dela suavizaram-se num breve sorriso, e ele tornou a acalantá-la, e o sorriso alongou-se, e logo André a beijava ao mesmo tempo em que a livrava da calcinha, numa habilidade impressionante, e foi enfiando a mão entre suas pernas, e amassando o rosto contra todas as partes do seu corpo, e a língua seguiu lavrando desenhos invisíveis na pele de Diana, e quando enfim se abraçaram e rolaram sobre a cama, cheguei a imaginar que me enganara, que ainda restava alguma coisa nela que pudesse ser oferecida a ele, pois, embora do nosso campo de visão não pudéssemos mais enxergar os olhos, nem a expressão dos rostos, ambos gemiam e se contorciam como se dançassem uma música desesperada que só a eles fosse dado escutar.

Não sei quanto tempo se passou até que a visão interminável dos dois embolados sobre a cama, a proximidade de Davi, petrificado em sua raiva, dor e impotência, e o desassossego quase doloroso do meu corpo me fizeram chutar a porta do armário e pular para fora. Miguel seguiu-me, puxando Davi. Num salto, Diana desvencilhou-se de André e, reconhecendo-nos, arregalou os olhos e gritou. Em seguida, balançando a cabeça e as mãos, muda, desfigurada, foi recuando e se encolhendo até esbarrar na parede e abraçar as próprias pernas, com um olhar desamparo, suplicante, que me arremessou de volta a mim, afrouxando-me o corpo por um breve momento.

Surpreendentemente, como se as regras do jogo não houvessem sido rompidas, nenhum limite ultrapassado, André permaneceu em silêncio e seguiu adiante, arrastando Diana com firmeza de volta ao centro da cama, ali onde sua crua nudez deixava um rastro de inocência e horror, e nem precisou machucá-la para mantê-la imóvel — estava horrorizada demais para resistir, as pernas retesadas e bem abertas, o sexo inteiramente revelado, para o nosso deslumbramento.

Durante todo o tempo, Diana chorou, um lamento solitário, ritmado e profundo, entrecortado por soluços secos, que parecia vir de uma outra pessoa, uma pessoa a quem a vida atropelou, contando um segredo brutal. Chorou, espalmando as mãos sobre o rosto, resguardando os olhos, que eu, aliviado, não precisava enfrentar. Não queria enxergar o que estava acontecendo à sua volta, além do seu corpo. Não queria enxergar Davi, seu rosto rígido de náusea, o assombro, a repulsa e a acusação em seus olhos.

Em algum momento, Miguel arrancou André de cima de Diana e tomou seu lugar, sem que ele articulasse uma palavra, sem que esboçasse a mínima reação. Poderia ter dado um basta naquele instante, e então tudo teria sido de outra maneira, sim, se nos tivesse impedido, mas não creio que pudesse, estava tão ou mais enlouquecido do que nós. Nada havia nos preparado para o que estava acontecendo.

Então, chegou a minha vez, e lá de longe uma voz me chamava, um outro eu se esforçando para se fazer entender, um eu exilado de mim tentando me dizer algo que eu não queria ouvir, martelando junto com o meu coração, um fio de voz que suplicava, volte, e eu não podia mais — aonde iria, se ali, tão próximos, ao alcance das minhas mãos, estavam a brancura transparente do ventre e da parte interna das coxas, o fino azul das artérias, o tom rosado dos mamilos, a castanha penugem em torno do casulo de carne, e a rubra e precisa fenda, tudo tão complexo, harmônico, perfeito?

Algumas poucas estocadas, secas, rápidas, e fui empurrado num despenhadeiro, uma onda elétrica me varrendo as entranhas e dispersando-se em múltiplas ondas menores, o fogo dos meus olhos se esmaecendo e minha visão se embotando e meus joelhos amolecendo, e o mundo foi se despregando de mim numa espécie de sucção, eu me desintegrando em arrancos quentes e intermitentes.

Uma mão segurou-me pelo ombro e eu me ergui, abotoando-me, esbarrando em alguém. Saí sem olhar para trás e voei pelas escadas, uma gosma amarga aportando em minha boca. Lá fora esperavam-me um céu alaranjado de fim de tarde e uma solidão que era como respirar na escuridão sanguinolenta e repugnante das minhas vísceras, onde nada tinha rosto ou nome.

SENHORITA BRUNA

Ela me roubou quase tudo. Primeiro, a alegria de Mamãe. Depois, a atenção carinhosa de Vó Bela. E, ainda, Julinho. Tirou-me o que eu tinha de melhor, a confiança nos adultos e a minha inocência. Arrancou-me do meu ninho. E isso não se pode perdoar numa pessoa, mesmo que ela seja gentil, generosa e bonita. Mesmo que não tenha a mínima intenção de tornar sua vida um pesadelo. Porque foi isso que aconteceu. Eu queria acordar, mas não havia ninguém ao lado para ouvir meus gemidos de impotência e horror, para me inserir novamente na claridade do mundo lá fora. Se não tivessem me ocultado o que vim a saber depois, tarde demais, quando eu já apodrecera de desamparo e ressentimento, teria olhado para ela com outros olhos. Com assombro, talvez, ou com compaixão. Nunca com amor, que não se pode amar quem não se conhece.

Foi nas férias em que completei treze anos. Costumávamos passar o mês de julho em "Santa Pedra", eu, meus pais, tios e primos, a família reunida em torno de Vó Bela. Tempo de fazer coisas que não se podia fazer o resto do ano. Tomar banho de rio, comer goiaba madura no pé, montar, caminhar pelo meio do mato, ir para cama tarde da noite sem hora de acordar, ouvir histórias de assombração, procurar ninho de passarinho. E, o melhor, o que eu só tinha descoberto nas férias passadas, beijar Julinho na boca e apertar-me contra ele até sentir uma espécie de desfalecimento.

    Durante uma semana, preparou-se um tudo para a chegada de Naíla. Vó Bela mandou pintar a casa, ajeitar a palha desfiada das cadeiras, comprar roupa nova de cama e mesa, cortinas para o quarto que a neta iria ocupar, e ela mesma tratou de arrumar os canteiros de flores e de preparar os filhoses, sequilhos e compotas de banana, manga e goiaba. Tudo num frenesi e num contentamento que eu não enxergava nela desde a morte do meu avô.

    Naíla viria sozinha, porque os pais, advogados de muitas e importantes causas, não podiam largar o trabalho. Era o que diziam. E em casa só se comentava sobre ela, sobre a neta sulista que estava para chegar e que vinha conhecer a família e o lugar onde a mãe nascera e se criara. Tia Helena não visitava "Santa Pedra" desde que brigara com meu avô e saíra de casa, ainda muito jovem. Na época em que ele era vivo, e Vó Bela referia-se à filha, fazia-o em voz baixa, com reticências, como se Tia Helena fosse um segredo. Dela, não se tinha nem fotografia. Meu avô destruíra tudo que pudesse lembrá-la. Tinha um gênio difícil, e meu pai, durante anos, também andara afastado de "Santa Pedra", por conta de uma rixa com ele, num tempo em que eu sequer havia nascido. Somente vim conhecer meus avós por volta dos cinco anos de idade, quando os dois, meu pai e meu avô, abaixaram a guarda e puseram fim à desavença.

    Logo que vi Naíla, a imagem que me veio à cabeça foi a da Virgem Maria, que ela tinha uns olhos assim claros e serenos, e as feições delicadas, e a pele bem alva, e os cabelos longos e lisos repartidos no meio, e um sorriso que era uma promessa de sorriso, e o caminhar parecia mais um pisar no nada. Estávamos todos no jardim, quando ela desceu do carro do meu tio, que tinha ido buscá-la no aeroporto. Vó Bela foi a primeira a abraçá-la, e repetia, a voz alterada de emoção, "Meu Deus! Como você se parece com sua mãe! Vejam! Ela é Helena todinha!". Depois, fomos sendo apresentados a Naíla e todos sorriam e a tocavam e lhe davam boas-vindas.

Nessa mesma noite, quando estava quase adormecendo, escutei meus pais discutirem, no quarto ao lado, que as paredes tinham uma abertura junto ao teto, e Mamãe chorava, numa tristeza que me causou um embrulho no estômago, e embora eu não pudesse distinguir o que falavam, pois o som de suas vozes se perdia no abafamento das coisas ditas na cama, pude ouvir, em meio a um soluço de Mamãe, os nomes de Helena e Naíla, e aquilo me deixou vagamente intrigada.

Na manhã seguinte, após o café, quando todos estávamos no alpendre, numa conversa de se fazer perguntas e de se ouvir as respostas de Naíla, Vó Bela anunciou que tinha algo para ela, um presente pela passagem dos seus quinze anos. Chamou João de Zuca, o vaqueiro, e disse, traga. Ficamos quinze minutos na impaciente espera, até que o avistamos lá fora, puxando o "Soberano" pelas rédeas. Fomos para a frente da casa, assistir ao espetáculo. Naíla dava umas risadinhas contidas, de surpresa e prazer, e tapava os olhos com as mãos e os descobria em seguida. Vó Bela abraçou a neta presenteada e, no momento em que a cobria de beijos, começou a chorar. Olhei em derredor e todos os adultos tinham os olhos marejados, com exceção do meu pai, que se mantinha duro e seco, naquele jeito que sempre me fazia sentir medo e culpa. Meu coração veio até a boca, e como não pôde pular para fora, ficou saltitando na garganta. Eu me perguntava por que Vó Bela entregava, assim, de mão beijada, o manga-larga que ela tanto amava, o mais lindo cavalo de "Santa Pedra", cobiçado por todos os criadores da região, que nenhum neto, até àquele dia, tivera permissão para montar, e, ainda por cima, para Naíla, uma neta em quem nunca antes deitara os olhos, de quem nunca sequer falava.

Quis correr dali, mas as pernas empacaram, e tive que permanecer onde estava, e ver Julinho correr para ajudar a prima estrelada a se escarranchar em "Soberano". Depois, segurou as rédeas e saiu puxando o bicho com um sorriso idiota, embasbacado com a boniteza da prima, que parecia uma princesa de um reino encantado, acenando para aquela gente, seus súditos, que acenavam também, reverentes, sussurrando uns ah! de encantamento, e Vó Bela atrás, na recomendação, cuidado, Julinho, vá direito com ela, ouviu? E ele foi, e foram tão longe que, numa curva do caminho, saíram do alcance das nossas vistas, e cansamos de esperar que voltassem, e acabamos retornando para a sombra do alpendre, e então se fez um silêncio pesado, e Mamãe escorregou para o quarto, e eu fui zanzar pelo mato, com aquele negócio ruim chacoalhando dentro de mim e quase me impedindo de respirar.

Dias depois, quando Mamãe me perguntou o que estava me deixando tão amuada, desviei o olhar para o teto e fiz força para não desabar, mas acabei caindo no choro, e pela primeira vez ela chorou junto comigo, como se as nossas lágrimas tivessem a mesma motivação, o que, ao invés de me consolar, acabou por me deixar mais cabreira, que eu nunca tinha ouvido dizer que gente grande pudesse chorar com "tolices" de criança.

Naíla sentava-se bem aprumada, cruzando as pernas e colocando as mãos sobre os joelhos, toda moça, e falava num tom suave e pausado, naquele sotaque do sul, palavras que, às vezes, nós, os primos, não atinávamos com o sentido, mas que nos causava uma impressão profunda, e também os mais velhos, com quem ela conversava com desenvoltura, comoviam-se com tanto saber e delicadeza. Tudo isso enfeitado daquele esboço de sorriso e do olhar firme, cativante. No riacho, enquanto os primos se esbaldavam no banho, saltando das pedras, mergulhando para catar pequenos seixos no fundo, brincando de pega-pega, e eu fingia me divertir também, que de verdade não relaxava, na constante vigia dela e de Julinho, Naíla estendia uma toalha no lajedo e ali se espichava, um tempo de barriga para cima, outro, para baixo. Usava um biquíni encarnado, pintado de florezinhas amarelas, e na cabeça um chapéu da mesma padronagem, que me provocavam um desconforto de inveja e, ao mesmo tempo, de vergonha, como se ela pudesse adivinhar o que ia dentro de mim. Julinho, de cão de guarda, vez em quando, a pedido, esfregava o bronzeador em suas costas, em movimentos demorados, o olhar aceso, concentrado de fascinação. E quando começávamos a implicar uns com os outros, entre nós, que ninguém se atrevia a desafiá-la, a fazer-lhe qualquer tipo de troça, e a coisa degringolava em confusão, num bombardeio de chutes, puxões de cabelo, arranhões de tirar sangue e até pedradas, era ela quem interferia, com a sua presença determinada e conciliadora, ordenando que parássemos já, e nós lhe obedecíamos, como se ela fosse uma avó ou uma mãe. Todos, inclusive eu, queriam estar nas boas graças de Naíla.

Até Vó Bela, que costumava me pôr no colo e me desalinhar os cabelos e, entre carícias e cócegas, chamar-me afetuosamente de "senhorita Bruna", passou a me observar com olhar de reprovação e a me repreender por atos, ou pela ausência de atos que, até então, eu julgara serem insignificantes para ela. Por que eu deixava o banheiro molhado e esquecia de pôr a roupa usada no cesto, e por que não cortava e limpava as unhas, nem penteava os cabelos, e não aprendia de uma vez por todas a não falar com a boca cheia e a usar os talheres de maneira civilizada? Eu sabia o que de verdade ela queria dizer. Naíla fazia tudo aquilo sem que ninguém mandasse. Não podia ignorá-la. Só me restava reconhecer. Diante dela, eu era a mais chinfrim das criaturas, magrela, desajeitada, os cabelos crespos, o rosto coberto de espinhas. E, ainda, desleixada, burra, mal-educada. Estava, sem dúvida, em imensa desvantagem. Ela, a rosa. Eu, a erva daninha.

Antes da presença de Naíla em "Santa Pedra", bastava que eu e Julinho nos olhássemos para saber o que o outro estava pensando.

E querendo. E corríamos para uma casa desabitada próxima ao riacho, de teto ruído e paredes enegrecidas, o nosso esconderijo. Ver e senti-lo, tão de perto, punha meus olhos rasos d'água, que ele, embora não pudesse se afirmar que fosse um belo rapaz, tinha um quê dos anjos que ilustravam os calendários e diários da escola, o rosto imberbe, os olhos grandes, meio arredondados, a boca rosada feito botão em flor, os cabelos caindo-lhe na testa em cachos alourados. Beijá-lo, então, era como visitar o céu, uma sensação de calor e derretimento me engolindo inteira, como se eu fosse um doce apurado em fogo brando.

Foi depois dela que Julinho passou a me evitar, e se eu o encarava, pedinte, suplicante, fazia cara de aborrecido e me dava as costas. Nos passeios e brincadeiras que nós, os primos, fazíamos todos juntos, ele sempre dava um jeito de nos excluir, de estar a sós com ela, e se eu os interrompia em suas conversas sem fim, ele dava de ombros e se fazia de surdo-mudo. Quando se dignava dirigir-me a palavra, gracejava, chamando-me de "senhorita Bruna", imitando Vó Bela, mas com o propósito perverso de desdenhar da minha condição de menina na frente da outra. Como não queria ficar por baixo, eu o xingava com a voz tremida de choro embargado, porque nunca antes me sentira na obrigação de dizer palavras feias e duras para uma pessoa a quem eu quisesse tanto bem, e depois fugia correndo para o mato, aos emboléus, imaginando o riso de deboche nas minhas costas, corrompida de rancor e de um desejo violento de vingança.

Mamãe passou a se deitar cedo, logo após o jantar, abrindo mão das noites no alpendre, do bate-papo e da partida de gamão ou de canastra com os demais adultos. Às vezes, em meio à algazarra dos primos, quando o olhar de adoração de Julinho para Naíla tornava-se insuportável, eu ia me encolher junto dela, e ficávamos bem caladas, ouvindo umas músicas no rádio, ou falávamos sobre banalidades, nunca sobre o que nos torturava. No início, meu pai ia chamá-la a se juntar a ele e aos outros, e ela alegava um cansaço ou uma enxaqueca, e se desculpava dizendo que sozinha, ou comigo, estaria melhor. Ele não insistia. Ninguém insista. Aceitavam aquela reclusão como se fosse a coisa mais natural do mundo, quando não era. Eu sabia que não. Vó Bela e os demais adultos também deviam saber. Então, por que ninguém perguntava o que havia de errado com Mamãe?

Todas as noites, antes do sono vencer a minha inquietação, eu tentava escutar o que se dizia no cômodo ao lado. Em outros julhos, costumava ouvir risos e gemidos, que se fundiam com palavras breves, sussurradas em tom de agrado, e algum tempo depois o ronco do meu pai. Pela manhã, saíam juntos do quarto, com ar de contentamento, e à mesa do café olhavam-se cúmplices, como gente que se gosta. Naquelas férias, não. Podia escutar Mamãe, num fio de voz partido, atormentada, lamentosa, e era como se falasse em sonho, porque embora ele estivesse lá, deitado junto dela, bem acordado, não pronunciava uma única palavra. Eu chorava baixinho, numa agonia de coração marretado, e todas as coisas pareciam confusas demais, e a minha aflição e o meu medo grudavam-se ao medo e à aflição de Mamãe, e parecia que meu pai, Vó Bela, Julinho, Naíla, os tios e os primos, todos conspiravam contra nós.

Desapareceram uma primeira vez. Ninguém sabia do paradeiro de Julinho e Naíla, tampouco havia qualquer preocupação com isso. Procurei-os por todos os lugares onde íamos com frequência e, para minha desolação, não encontrei nenhum vestígio deles. Talvez tivessem saído de "Santa Pedra". Montados em "Soberano", poderiam ir longe. Surgiram na hora do almoço e ela parecia a mesma, corada de sol, exalando um cheiro adocicado de bronzeador e sorrindo com naturalidade. Mas em Julinho percebi algo que me fez perder o fôlego e a fome, a comida se entalando na garganta, o coração se enchendo de escuro. Estava risonho e tagarela além da conta, exageradamente satisfeito consigo mesmo, e em sua voz se insinuava algum coisa que eu não podia precisar, algo sutil e transbordante, que o traía, e relanceava para Naíla um olhar desconcertante, que eu não conhecia, e que ela lhe retribuía, num entendimento mudo.

Entrei em pânico quando sumiram na manhã seguinte. E, novamente, na outra. Fui enredar a Vó Bela sobre esses passeios para os quais não tínhamos sido convidados, e ela me falou numa entonação de censura, erguendo as sobrancelhas, que Julinho pedira sua permissão para levar Naíla até as fazendas vizinhas, e que não havia nada de mal nisso, estava tudo bem assim, que eu deixasse de ser ciumenta e fosse ler alguma coisa ou brincar com os outros. Encarei-a sem piscar, com uma única lágrima, que teimava em não escorrer, turvando-me a visão de um dos olhos, e afastei-me com o desejo de que alguma coisa terrível a atingisse, de que fosse castigada por bajular a outra e me amar de menos.

Naquele dia, levantei-me cedo e tomei café sozinha. Vó Bela já estava acordada, rezando, quando a interrompi para avisar que iria assistir a uma doma lá em Seu Zé Inácio, um compadre dela, que tinha uma terra colada à "Santa Pedra". Ainda perguntou se eu pretendia ir sozinha, mas nem cheguei a responder, pois já havia lhe dado as costas e batido a porta e ganhado o alpendre.

Selei "Trancoso" e me danei para o Alto da Ema, de onde eu poderia avistar qual o caminho que Julinho e Naíla tomariam no passeio daquela manhã. Esperei duas horas, pinicando de ansiedade, o olhar especado no tapete verde que se estendia lá embaixo, cortado pela serpente castanha das águas do riacho e pelos contornos acinzentados e compactos dos lajedos. Então, eles surgiram, levantando poeira nas patas de "Soberano", Naíla na sela e Julinho na garupa, as duas mãos bem seguras na cintura dela. Vi quando atravessaram a revência do açude novo, a cancela de arame farpado que Julinho abriu sem desmontar e, por fim, rumaram na direção da pedreira abandonada. Eu estava certa. Não iam conhecer fazenda nenhuma. Quando a distância não me permitiu mais enxergá-los, montei "Trancoso" e saí no encalço dos farsantes. A uma certa altura, apeei do bicho e o amarrei no tronco de uma oiticica. Avancei, na macieza de um gato, abrindo passagem pelas ramagens e galhos de imburanas, juremas e marmeleiros, milhares de abelhas zumbindo enlouquecidas dentro de mim.

Então, lá estavam, e nada havia me preparado para o que se desenrolava à minha frente, numa quase irrealidade. Quis recuar, mas não resisti à curiosidade, maior que o espanto, e me deixei ficar, agachada por trás de umas moitas. Naíla estava nua em pelo, deitada, de olhos cerrados, e Julinho, sentado ao lado, escorregava uma das mãos por todo, todinho o corpo dela, e ela gemia suave e continuamente, e ia se abrindo, e, abrindo-se, ia se mostrando mais, e ele não afastava os olhos dali, hipnotizado por aquele espaço entre as pernas dela. Depois de algum tempo, gemeu mais alto e mais agoniado e chamou Julinho pelo nome seguidamente, como se ele não estivesse ali, e se esticou e se torceu e puxou-o para cima dela. De repente, sossegaram, e eu pensei que a coisa tinha acabado, mas então se sentaram e se beijaram longamente na boca, e ele foi abrindo o zíper da calça, e de dentro dela saltou algo surpreendente, um pássaro sem plumas que oscilava pra lá e pra cá, em sobressaltos, e Julinho falou alguma coisa, e Naíla sentou-se sobre suas pernas e segurou-lhe o pássaro, e apertou-o na palma da mão fechada em anel, e a mão foi se movendo num ritmo compassado, para cima e para baixo, e depois, com mais ânimo, freneticamente, até que Julinho foi ficando meio vesgo e começou a estremecer e a caretear, como se aquilo lhe causasse dor, e do pássaro jorrou uma gosma leitosa, que escorreu lentamente pela mão de Naíla. Então, tornaram a se deitar, dessa vez, um ao lado do outro, beijaram-se levemente nos lábios e depois ficaram bem quietos, e pelo silêncio que se fez, pensei que tivessem adormecido, o anjo malsão e a Virgem maculada.

Levou um tempo razoável até que eu me sentisse em condições de fugir dali sem chamar-lhes a atenção. Debaixo do sol escaldante, sentia-me gelada, numa frieza de morta, e minhas pernas não me pertenciam, nada em meu corpo respondia ao meu comando, queria respirar normalmente e o ar me faltava, uma mão enfiada em minha garganta, forçando para baixo, para o coração, que se contraía, patas de cavalo passarinhando sobre ele. Disparei, não pela estrada, mas pelo enredado de galhos e cipós, às cegas, arremetendo-me nos carrapichos que abriam lanhos na minha pele, a terra tremendo e desmoronando sob as patas de "Trancoso".

Vomitei o café antes de chegar em casa, e o almoço e o jantar, e tudo que me fizeram engolir durante dois dias, inclusive os remédios para febre e dores no corpo. Durante esse tempo, não sabia dizer se estava dormindo ou acordada, apenas ouvia os ruídos domésticos e as vozes monótonas de Mamãe e de Vó Bela, e fazia força para lembrar daquela manhã, dos detalhes que se esgarçavam em meio a sonhos que se repetiam e me faziam gritar de pavor, como o de Naíla cavalgando "Soberano" e eu agarrada às crinas, sendo arrastada na capoeira braba, açoitada pelo cactos e urtigas, numa opressão crescente, e, depois, o golpe surdo, a consciência do meu corpo quente na cama, o olhar entre angustiado e compassivo de Mamãe, e eu me acalmava, e de novo me abandonava ao oco, a tristeza momentaneamente suspensa.

Em algum momento, quando Vó Bela e Mamãe pensavam que eu estivesse dormindo, quando até eu mesma acreditava nisso, ouvi a história, em fragmentos, que os segredos de família são os piores, os mais sufocantes e difíceis de serem passados a limpo, vidas de um mesmo sangue aprisionadas ali, no erro, na sujeira, na crueldade, e fui seguindo os rastros daqueles fantasmas, habitantes de um território proibido, e juntando as peças do quebra-cabeça que se chamava passado, em meio a nomes sussurrados, frases interrompidas, repetições, palavras mal articuladas, ambíguas, precárias, e tive a certeza de que não era refém de mais um pesadelo, porque, então, tudo se explicava, a mágoa do meu avô, o repúdio a Tia Helena e a meu pai, o afastamento dos dois de "Santa Pedra", o pacto de silêncio em torno dela e, ainda, àqueles dias, a melancolia de Mamãe. Sim, Tia Helena e meu pai, irmãos não tão irmãos assim. A verdade tirava a máscara e me mostrava sua cara negra e deformada. Aquilo era tudo. Quanto a Naíla, não havia a certeza de que fosse filha dele, porque só a própria Tia Helena podia confirmar, e isso, ela nunca fizera.

No terceiro dia, levantei-me, e disseram-me que, enfim, eu estava curada. Ninguém suspeitava que a doença me rendera a alma, partida em pedacinhos latejantes. No meu delírio secreto, estava lá e não estava, e os primos e as brincadeiras me eram estranhas, como se eu nunca tivesse feito parte daquele universo, como se uma obscura "senhorita Bruna" tivesse usurpado o lugar da outra, a de um tempo que me parecia distante, desbotado, que não podia mais me ser devolvido, fechado para sempre no baú das coisas perdidas, difícil de crer que houvesse existido.

Teria gostado de dizer a Naíla que não se pode ter tudo impunemente, porque era nisso em que eu pensava, que nada lhe faltava, e de como era injusto que para outros, muito, ou quase tudo lhes fosse negado. Também teria gostado de lhe enfiar as unhas e os dentes na cara e cobri-la de saliva e insultos, que fosse embora, que regressasse lá para a cidade dela e contasse aos pais sobre uma prima selvagem, uma absurda "senhorita Bruna", que não a perdoara por ela simplesmente existir. Mas Naíla me intimidava com o olhar e o sorriso e a fala, que vinham de cima, do alto da sua perfeição e invulnerabilidade.

Quando ela me veio, a ideia, não a rejeitei. Pelo contrário, aferrei-me a ela numa obstinação de aranha na tecedura da sua teia, uma monstruosa e solitária aranha, e afiei-a junto com a minha raiva, e ela foi tomando forma, fio a fio, crescendo e dando voltas, até finalmente estar pronta. O medo se fora. O que existia era o que estava dentro de mim, a força e a vontade furiosa que eu fora encontrar no mais fundo, ali onde as pessoas, as trepadeiras de jasmins, os campos, as pedras e as nuvens do céu não podiam alcançar, no limite da minha dor.

Escolhi mal a noite, porque no céu havia menos que uma meia-lua, e eu me vi forçada a usar a lanterna para descer pela trilha que contorna a casa de João de Zuca e alcançar a cocheira. Lá dentro, preferi esperar que meus olhos se acostumassem com a escuridão, e só então, tonteada com o cheiro azedo e abafado de couro, urina e fezes de cavalo, deslizei pelas baias, no reconhecimento do lombo castanho-avermelhado de "Soberano". Nunca me esquecerei de como ergueu o focinho e pousou seus olhos, dilatados de inocência, nos meus. Farejou o açúcar e relinchou, erguendo as patas dianteiras. Travei os dentes para que parassem de fazer aquele ruído esquisito dentro da minha boca. No momento em que estendi a palma da mão e ele lambeu o açúcar envenenado, arreganhando os dentes e as ventas de satisfação, quase sorrindo, não foi em Naíla nem em Julinho que pensei, mas em Vó Bela, e hesitei, mas logo em seguida lembrei-me que também ela me traíra e me abandonara, e segurei a bacia bem embaixo do focinho dócil, que ali se afundava, o bafo quente roçando meu rosto, e me deu uma dó asfixiante do bicho, e meu estômago começou a dar cambalhotas, e até pensei que ia vomitar, mas não consegui, mesmo tendo metido o dedo no fundo da garganta, e tive a impressão de que alguma coisa se esvaía de mim, e que eu afrouxava, pastosa, prestes a despencar ali, ao lado de "Soberano", como se tivesse sido eu a provar o açúcar da morte.

Voltei para casa debaixo de uma chuva forte, o caminho alumiado por umas tochas de relâmpagos intermitentes e fantasmagóricos, os estrondos dos trovões e o cavo mugido do gado ecoando dentro de mim, e demorei a adormecer, com aquela água triste tamborilando nas telhas e o vento chiando e gemendo nas fendas da janela.

As coisas se complicaram logo na manhã seguinte. Acordei com o escarcéu lá fora, no alpendre. Vó Bela chorava e fungava, repetindo incessantemente, num tom cantado de oração, meu Deus, como ela pôde fazer isso com o pobre do animal? Mamãe gaguejava, exibindo embaraço e perplexidade, tentando me livrar daquela acusação, quem poderia assegurar que tivesse sido eu? E o judas do Julinho berrava, a voz vibrando de indignação, e a lanterna, a lanterna que ela esqueceu lá, e as roupas molhadas, e a lama nos sapatos, hein? E as vozes se altercavam, e desciam e subiam de intensidade, em frases desalinhavadas ou repetitivas. Todos queriam dizer alguma coisa, qualquer coisa. Somente meu pai e Naíla mantinham-se calados, incapazes de me julgar, como se soubessem, e sabendo, quisessem me oferecer, com os seus silêncios, um mínimo de conforto.

Permaneci quieta, escutando, abrigada no calor dos lençóis, sentindo o aroma de terra molhada. Aguardando. Logo me chamariam. Por certo, esperavam que eu me defendesse. Custava-me pensar no que iria dizer. Falar, para quê? Quem poderia me obrigar? O que tinha de ser feito estava feito, e o que estava feito era quase uma proteção. De repente, lembrei-me. Era meu aniversário. No ano anterior, Vó Bela preparara um bolo e o confeitara com o seguinte dizer: "Senhorita Bruna, nós a amamos". Daquela vez, não haveria bolo. Não haveria nada.

A PASSAGEIRA

NAQUELA SEXTA-FEIRA, saí mais cedo do escritório e tomei três cervejas no bar da esquina antes de ligar para Una, que já estava me esperando, como de costume. Tínhamos o hábito de uma vez por semana sair para jantar em algum bom restaurante e conversar um pouco fora de casa. Nessas noites, ela sempre se mostrava mais leve, mais alegre, mais cheia de vida, como nos primeiros tempos, quando nos conhecemos.

Pelo telefone, disse-lhe que estava faminto e que em meia hora chegaria em casa para um banho rápido.

Logo que entrei no carro, começou a chuviscar e o trânsito tornou-se mais lento e exasperante. Liguei o rádio para relaxar e, lembro-me bem, Janis Joplin cantava *Summertime*, a música preferida da minha mulher.

Foi nesse momento que a moça apareceu. Havia parado quase em cima da faixa de pedestres e esperava o luzir verde do semáforo para arrancar novamente, quando ela se deteve em frente ao carro, estreitando os olhos, como se estivesse tentando me identificar. Eu observava distraidamente a chuva fina que escorria pelo para-brisa entre um ir e vir do limpador, quando a enxerguei, pequena e empertigada, indiferente à mudança iminente do sinal e às pessoas que cruzavam a avenida.

No instante em que o sinal esverdeou, joguei luz alta no rosto da moça. Porém, ao invés de se afastar, veio vindo na direção da porta do passageiro, acenando com a mão, avisando-me que deveria esperá-la, e antes que eu pudesse entender o que pretendia, a porta estalou e ela saltou para o banco, ordenando numa voz rouca, vai, anda!

Por segundos, não consegui me mover, espantado demais para qualquer reação. Buzinas estridentes soaram atrás de mim, exigindo-me o mesmo que ela, que me pusesse em marcha. Obedeci, mudo, olhando-a de esguelha, atento aos mínimos movimentos à minha direita. Recostara a cabeça no descanso e olhava para frente, tão quieta que por um instante julguei ter adormecido. Pareceu-me óbvio que não se tratava de assalto nem nada parecido. Então, era tão somente uma carona, ainda que inusitada.

Uns quatro ou cinco quarteirões adiante, decidi perguntar-lhe onde iria ficar, e ela sequer demonstrou ter me ouvido. Desliguei o rádio e repeti a pergunta. Nada. Desconcertado e, àquela altura, já irritado com a invasão e o descaramento da moça, soltei um palavrão brabo, e nem assim deu-me sua atenção. Definitivamente, só podia ser louca. Sim, somente a loucura explicava aquele comportamento.

Sinal fechado, tornei a observá-la, desta vez, sem nenhum pudor. Nem gorda, nem magra, as rijas coxas à mostra na saia que, ao se sentar, repuxara para cima, os cabelos despenteados pingando sobre o perfil jovem e ao mesmo tempo envelhecido, marcado por algo mais contundente do que rugas ou linhas de expressão, consumido, quem sabe, por alguma experiência dolorosa.

O que você quer?, perguntei, e ela disse, cravando-me uns olhões pestanudos e um tanto estrábicos, na voz, uma tristeza ressentida, quero que me leve para casa e fique lá comigo de uma vez por todas.

Sorri para disfarçar a perturbação. Como podia me querer se não me conhecia, se nunca antes me vira? Só me faltava aquela! Ser o objeto do desejo de uma mulher das ruas, maluca, drogada, ou sei lá o quê, e nem ao menos bonita. Azar, o meu.

Não sabia mais lidar com aquele tipo de situação. Lembrei-me de um tempo em que não desperdiçava nenhuma oportunidade de me deitar com alguma garota que se mostrasse disponível, no ritmo da urgência e do anonimato.

Agora, havia Una. E eu podia imaginá-la, naquele momento, em frente ao espelho, vestindo-se ou maquiando-se, preparando-se para a nossa noite. Se me atrasasse, iria fazer perguntas e eu acabaria lhe contando sobre a desconhecida que me abordara no trânsito e que se aboletara em meu carro, e teria que jurar que fora sem a minha permissão, e até que Una chegasse a alguma compreensão do que me ocorrera, teríamos ambos perdido o entusiasmo para sair e nos divertir.

Enquanto seguia guiando pela larga avenida com cheiro de asfalto molhado, olhava de viés a estranha sentada ao meu lado. O rosto, a nuca, o colo, tão brancos. Os cabelos finos, caídos sobre os ombros, que podiam ser ruivos ou castanhos claros, eu não sabia, nem poderia vir a saber, pois estavam úmidos e não haveria tempo para que secassem, não haveria tempo para certezas. As mãos, que torcia com desassossego, e, em torno dos olhos, os borrões do rímel que se diluíra com a chuva.

Não, decididamente aquela mulher não me agradava. Contudo, havia nela algo que me inquietava. Talvez em outra época, quando ainda solteiro, pudesse, sim, tê-la levado comigo para uma cama pública ou até para a cama dela mesma, pois não havia me convidado?, e como um bom homem fazer-lhe todas as vontades. Tinha dúvidas de que pudesse aceitar algum dinheiro. Uma prostituta jamais se comportaria daquela forma insolente e fria.

Ocorreu-me que estivesse me confundindo com alguém, mas não ousei perguntar. Contava que em alguma hora ela iria justificar toda aquela confusão, embora eu não pudesse esperar. Naquele instante, Una estaria pronta, ou quase, tão linda que ainda me atiçava o desejo de amá-la, mesmo após dezoito anos de vida em comum.

Continuei guiando, como se tivesse todo tempo do mundo, como se o meu tempo pertencesse àquela desconhecida, e não à mulher que me aguardava em casa. Na avenida que ladeia o mar, e eu não sabia mais aonde ir, peguei-me perguntando se não poderíamos nos ver em um outro dia. O mais absurdo é que, ao falar, tive a súbita consciência de que realmente queria voltar a vê-la. Para quê, se ela não me impressionara como mulher?

Conduzi o carro para uma calçada, desliguei o motor e acendi a luz interna. Queria que me enxergasse com clareza, este sou eu, veja, moça, não sou o homem que imagina, que se convencesse do seu equívoco, enfim, que se desfizesse aquela trapalhada toda.

Na verdade, era eu quem queria vê-la. Queria vê-la mais, muito mais.

O que me atraía naquela mulher? Disse-lhe que àquela noite não seria possível, tinha um compromisso inadiável, até já me atrasara, que compreendesse, poderíamos nos ver em outro dia, sem pressa, na manhã seguinte, se ela quisesse, se lhe fosse conveniente.

Como se não atinasse com o significado das minhas palavras, a moça, num gesto fácil, fez a alça da blusa escorregar pelo ombro, oferecendo-me um seio alvo, redondo, inturgescido, e indagou-me num tom lamentoso, não sente saudades?

Estendi a mão para o seio, e ela estremeceu quando lhe toquei a pele suave, o mamilo duro, quando o enfiei na boca, sugando-o com uma afoiteza de iniciante. Foi-se encolhendo e escorregando para o meu abraço, os olhos cálidos, cheios de garras que me puxavam para dentro dela, e abriu-me o zíper da calça e tocou-me o sexo inchado de um desejo obscuro, indomado, violento.

Nesse momento, o celular, do qual me esquecera, começou a trinar. A moça retornou ao seu lugar, enquanto eu murchava de frustração e culpa ao enxergar o nome de Una piscando no visor. Silenciei o aparelho e enviei uma mensagem para minha mulher falando-lhe de um imprevisto que me impedira de estar em casa na hora marcada.

Não queria que Una me fizesse indagações, não naquele momento. Nunca fui bom com explicações. Como poderia dizer-lhe que não iríamos mais sair para jantar, porque naquele exato instante eu estava tentando me livrar de uma carona sem juízo, que queria me levar com ela para casa? Além do mais, estaria mentindo, coisa que não costumo fazer com facilidade, ao menos para Una, porque, na verdade, àquela altura eu não estava mais certo de que me livrar da moça misteriosa que me oferecia o seu amor fosse a melhor coisa a fazer àquela noite.

A moça guardara o seio, que ainda incendiava minha boca, abaixara o vidro da janela e olhava a noite lá fora. Examinei-a com atenção. Não era mais uma garota; os traços, comuns. Olhos eurasianos, queixo curto, nariz e lábios finos. Em qualquer lugar me passaria impercebida. Não. Não tínhamos nada para fazer juntos. Como era possível eu estar ali, àquela hora, com uma mulher surgida do nada, sem nome, sem atrativos, uma maluca, que insistia em me confundir com outro homem? Quanta insensatez!

Seria tão fácil expulsá-la do carro, se quisesse, e correr para casa, para os carinhos de Una, para o conforto do seu amor. Por que eu não conseguia fazer o que tinha de ser feito?

Quis saber como se chamava e ela desatou a rir, um riso de criança, espontâneo, agudo. Ria e se dobrava para frente, os cabelos respingando as coxas nuas. Tomei-lhe uma das mãos e implorei que continuasse me acariciando. Louca ou vadia, não importava, eu a queria, não tinha mais dúvida de que sim, e aquele querer confirmava-se em meu corpo, crescente, premente, bruto.

Apertei-a em meus braços, afundando o nariz nos cabelos que cheiravam a erva-cidreira, apalpando a seda das coxas, beijando-a sofregamente no pescoço, orelhas, boca, olhos. E lembrei-me de que Una me falara certa vez que só se beija os olhos de quem se ama.

Não havia mais tanto movimento de pessoas na rua e os carros passavam em velocidade. A moça se aninhou, pequena e morna, em meu colo, e nós avançamos nos afagos, meu corpo alvoroçando-se como se ela me fosse a primeira mulher. Não podia crer que aquilo estivesse acontecendo comigo, depois de anos e anos de amor sossegado com Una, de beijos mornos, palavras e fantasias repetidas, suave satisfação.

Logo estava dentro da desconhecida. Ela gemia e ciciava, eu me esforçando para alcançar o sentido daquelas palavras sussurradas numa voz ofegante, entrecortada, suplicante, por favor, faça como eu gosto, como sempre fizemos. Merda! O que era aquilo? Não queria pensar em nada, não naquele momento, e ainda assim atravessou-me o peito um ciúme daquele homem com quem ela em algum tempo se deitara, e com quem me confundia, mas nem isso fez minguar a minha vontade de permanecer onde estava, pelo contrário, acendeu-me uma vontade áspera e perversa de vê-los juntos, e bastou-me imaginar que era ele quem a penetrava naquele instante para eu morrer dentro dela.

Ao final, permanecemos abraçados, como se fôssemos um casal, como se nos amássemos. Não queria deixá-la partir. E estava pensando justamente que aquilo não fazia o menor sentido, quando ela quis saber por que eu a abandonara, a ela e ao nosso filho, como eu conseguira esquecer tudo que vivêramos juntos.

Larguei a rir, entre incrédulo e assustado, e afastei-a de mim num gesto brusco. Aquela brincadeira de mau gosto tinha de acabar imediatamente. Perdera a hora com Una, ia precisar explicar-me, mentir, sem contar com o transtorno de enfrentar seu mau humor durante dias, que estupidez a minha, fazer sexo com uma desvairada, no meio da rua, como um adolescente irresponsável. O que, afinal, havia comigo? Tudo que eu tinha de fazer era sacudi-la fora do carro, ir para casa e tentar esquecer aquele incidente que arruinara minha noite.

Respirei fundo. Pretendia aparentar uma serenidade que não estava em mim, quando lhe perguntei quem pensava que eu era e de onde achava que me conhecia. Naturalmente não esperava nenhuma resposta coerente. Desatou a chorar, o rosto escondido nas mãos, cheia de uma tristeza que, estranhamente, doía em mim.

Queria que se fosse sem que eu precisasse conduzi-la para fora do carro. Tinha que ir para casa, não podia passar a noite ali, amanhecer na rua. No entanto, enquanto ouvia seus soluços e imaginava uma maneira de me desenredar dela e daquela situação insólita, fui tomado de uma compaixão de mim mesmo, como se aquelas lágrimas na verdade estivessem sendo derramadas por mim, e num instante compreendi que também necessitava dela, daquele amor equivocado e inconsequente, daquela loucura.

Tinha uma esposa, filhos, uma família, pessoas que me amavam e me respeitavam. Depois de Una, não me envolvera mais com mulher nenhuma. E agora me aparecia aquela, afirmando-se minha desde sempre. Aquilo mais parecia um pesadelo!

Quis dar-lhe a chance de me esclarecer aquela história. Pedi que parasse de chorar e me contasse sobre aquele homem cruel que a abandonara, e que terminantemente não era eu, enquanto a levaria em casa, era tarde e eu estava exaurido, nos veríamos outras vezes.

Seu olhar molhado atracou-se ao meu, e mal pude respirar com a dor que enxerguei boiando ali, uma dor que eu podia fazer desaparecer, bastando levá-la em casa e ficar lá, ao lado dela, dentro dela, amá-la mais uma vez.

Olhou-me com espanto e falou num tom de deboche, a voz esganiçada, que história é essa de fingir que não nos conhecemos?

Atordoado, e num impulso, ordenei que saltasse do carro ali mesmo, que sumisse da minha vista, senão eu mesmo me encarregaria de arrastá-la para a calçada. Falei, e imediatamente me arrependi. Como pousar os olhos naquela mulher, dona do meu amor sem que eu nunca soubesse, e não fraquejar? Tomei-a nos braços novamente. Tudo que eu desejava naquele instante era desobrigar-me de todos os compromissos e convenções para me entregar a ela, tornar-me vassalo do seu delírio, do seu alucinante amor. Talvez estivesse certa. Eu não sabia mesmo quem era, não sabia mais. E naquele momento minha vida pareceu-me uma mentira; eu, um grande blefe.

Surpreendi-me uma vez mais quando ela retirou a fotografia da bolsa e me entregou. Reconheci-me de imediato, mas, não, não era possível que aquele homem, flagrado ao lado dela e de um bebê rosado com um sorriso de um dente apenas, fosse eu. Uma família em pose no jardim de uma casa que eu não conhecia; ao fundo, samambaias e um gato espichado sobre um muro de pedras.

Ia perguntar quem afinal era ele, quando meu olhar caiu sobre a camisa que me fora presenteada por Una em um dos meus aniversários e sobre o anel no dedo anular da mão direita, presente do meu pai no dia da minha formatura.

O medo zumbiu em meus ouvidos e escoiceou-me o estômago. O coração no compasso difícil. Se tivesse uma centelha de lembrança daquele outro eu... Não. Eu me negava a acreditar no que estava vendo. A camisa? Mera coincidência. O anel? Já vira outros por aí. Todavia, lá estava a cicatriz, adquirida na infância, numa queda de cavalo na fazenda do meu avô.

O que estava acontecendo comigo, meu Deus? Aquela mulher me trouxera a morte! Podia atirá-la na rua, chutá-la para longe de mim e retornar para o meu previsível mundo, para Una, para o alcance das nossas noites iguais.

O que me empurrava de volta para onde eu nunca tinha ido, para uma vida que era minha e que eu ignorava até então?

Levei-a até a casa que ela dizia ser nossa; dois pavimentos, uma rede na varanda, vitrais nas janelas, buganvílias no jardim. Um dia, há muitos anos, tive a ambição de viver numa casa como aquela, mas Una acabara me convencendo a comprar o apartamento onde morávamos.

A chave da porta principal, eu mesmo fui apanhá-la, escondida sob um vaso de begônias. Então, eu não era um estrangeiro. Ali mesmo, o meu lugar, dentro da enormidade do sonho daquela mulher, do seu induvidoso amor.

Na sala, fotografias de uma história em comum, meus discos e livros prediletos, a minha assinatura em alguns deles. Por toda casa, objetos pessoais impregnados de um cheiro conhecido, o meu.

Ao entrar em um dos quartos, um garoto, que um dia fora o bebê da fotografia, e que parecia ter acabado de acordar, berrou papai!, abrindo-se num sorriso de dentes miúdos. Ajoelhei-me para que ele pudesse fazer o que fez; veio correndo para mim e agarrou-me pelo pescoço, soltando gritinhos de alegria, e depois me puxou pela mão e exigiu que eu lhe contasse uma história.

Vomitei até me sentir oco. A sensação era a de ter sido arrebentado com uma picareta, pedaços de mim à deriva num corpo que eu não sabia se era meu.

A mulher veio limpar-me e acomodar-me na cama onde havíamos feito o garoto, num tempo que eu nunca imaginara ter existido. Depois, deitou-se ao meu lado e, pela primeira vez àquela noite, sorriu para mim. Ficava tão bonita quando sorria; seus traços suavizavam-se. Quis falar-lhe sobre isso, sobre seu sorriso, sua beleza, que acabara de me ser revelada, mas antes que pudesse fazê-lo, adormeci.

Quando acordei, Una dormia ao lado.

TÉRCIA MONTENEGRO

Autora dos livros de contos O *vendedor de Judas* (3ª ed., Fortaleza: Demócrito Rocha, 2009 — Prêmio Funarte 1997; seleção do PNBE 2008), *Linha férrea* (São Paulo: Lemos Editorial, 2001 — Prêmio Biblioteca Nacional 1999; Prêmio Redescoberta da Literatura Brasileira/Revista Cult 2000), *O resto de teu corpo no aquário* (Fortaleza: Secult, 2005 — Prêmio Secult-CE 2004) e *O tempo em estado sólido* (São Paulo: Grua, 2012 — Prêmio Governo de Minas Gerais de Literatura 2010). Participou de várias antologias, como *25 mulheres que estão fazendo a nova literatura brasileira* (org. Luiz Ruffato — Rio de Janeiro: Record, 2004) e *Capitu mandou flores: contos para Machado de Assis nos cem anos de sua morte* (org. Rinaldo de Fernandes — São Paulo: Geração Editorial, 2008). Seu conto "Semelhante ao mar", que integra *O tempo em estado sólido*, será publicado em uma antologia na Alemanha. Nasceu em Fortaleza (CE).

CURIOSIDADE

COM POUCO TEMPO DE CONVIVÊNCIA, ele mostrou seus verdadeiros desejos — ou luxúrias, como dizia. Primeiro quis me ver agachada, andando de gatinhas, e tentou me filmar desse jeito, dando voltas no carpete da sala. Depois reclamou que não era nítido, eu bem poderia facilitar as coisas — se deixasse tudo limpo, sem pelos, era melhor, mais gostoso. Falava enquanto me lambia a orelha, e eu nunca resisti a esse tipo de carícia, de modo que no dia seguinte lá estava no salão de beleza. Contive os gritos a cada arranco de cera quente, sofrendo mais do que se fosse pelo a pelo extraído com uma pinça. Olhei no espelho para me sentir irrisória, uma simples menina no quadril grande demais. À noite, não quis deixar que ele visse aquela linha tímida no meu baixo-ventre, um risco que me reduzia à infantilidade. Mas ele insistiu, dessa vez com mordidas no bico do seio. Quando me revelei, exaltou-se, no êxtase de quem descobre uma escultura sob ruínas. Era minha nudez completa, e agora ele queria expor-me, primeiro para mim mesma, e depois para o mundo.

Disse que eu não reagisse sem antes experimentar, que não tivesse preconceitos — e ensinou minha mão a descortinar a pele, revelando o que me pareceu o símbolo do infinito em pé, diante do espelho. Minúsculo, mas infinito e rosado. Os dedos exploravam o labirinto dos lábios, um sexo complicado e flexível. Então ele fez o que sozinha eu não poderia, e foi provar-me com boca e dentes, no mais exposto e entranhado. Dessa vez não contive nenhum grito, e até parece que ele calculara o efeito que aquilo teria em mim, porque em seguida eu estava disposta a fazer tudo para que a angústia acabasse, explodisse no prazer. Novamente ele me acalmou, falando que a tranquilidade era o segredo da luxúria.

Fez com que eu fosse à varanda, assim nua e indefesa, e à meia-luz do poste alguém do prédio em frente nos veria, ele atrás de mim, num abraço profundo de idas e vindas, eu com uma das pernas apoiada sobre uma cadeira, de modo que quem estivesse diante de nossa varanda veria tudo com detalhes, e nem seria preciso binóculo. Por momentos cheguei a perceber um vulto passando no que talvez fosse o quinto andar do prédio adiante. Saí da posição, no susto dos flagrantes, mas ele me convenceu a voltar, sentando-me no parapeito. Dessa maneira, eu não via a sombra parada do homem que nos observava, e não me constrangia. Ele, sim, olhava para o desconhecido na penumbra, iluminado pela brasa do cigarro.

Quando tudo terminou, fiquei de pé, ainda com o pulso acelerado. Ele me disse que voltasse ao labirinto e aos dedos. Se aquilo não adiantasse, que eu esperasse até amanhã, quando ele tornaria, para fazermos novas coisas. Beijou-me de um jeito exausto e bateu a porta, mas eu, que tinha ficado parada no carpete da sala, não tive outra saída. O desconhecido ainda esperava no prédio em frente. Foi por ele que voltei nua à varanda e me sentei na cadeira, aberta a toda curiosidade.

SESSÃO DAS SEIS

Aí está: você diz que me ama, que faz tudo por mim, sou sua vida, sua paixão. Pois a ideia é essa — você, eu e ele entrando num cinema, sentando na última fileira. O filme não importa; se não vamos sozinhos, não será nada romântico, pipoquinha ou bombom. Não, meu anjo, o único doce serão pirulitos, dois, bem roliços e saborosos, entende? Então, eu, você e ele sentando na última fileira, sem saber qual o filme, esperando com ansiedade que as luzes se apaguem, porque enquanto isso as conversas nervosas que inventamos não conseguem esconder... Estamos excitados, doidos para começar, mesmo que haja medo, e outras pessoas na sala, os outros fazendo o que deve ser feito num cinema — atenção na tela! Mas nós também estamos atentos; fitamos as imagens em frente, as legendas confusas, amarelas, e enquanto isso as mãos buscam. Não precisamos de olhos para descobrir o zíper, adivinhar a intumescência.

Meu amor, escute até o fim: você não disse que me ama? Pois nessa hora vocês (ele tem que estar presente!) vão se tocar, e eu vou ajudar com meus dedos esse encontro. Talvez te beije, em sinal de gratidão, enquanto você machuca minha perna com apertos.

Temos de sufocar os gritos, e você se aproveita disso, sabe que sou frágil, não suporto dor; machuca então minha perna, belisca, morde com as mãos. Ele agora me toca, e você observa; eu deixo, pode fazer. Você aceita, mas não tanto assim: disfarça, olha o filme. Gemidos, não. Muito menos gritos. Agora sou eu quem te magoo, comprimo teu braço; quero deixar hematomas, para que você não esqueça durante uma semana. Todos os dias, no banho, você verá as marcas e, na hora de sair de casa, a escolha das mangas compridas será outra lembrança. Dor, nem tanto. Em você, não dói.

Mas o filme não rolou nem por vinte minutos; já estamos a ponto de perder o juízo, e esta agonia em certo instante faz mal. Concordamos: é preciso sair, terminar a diversão em outro lugar. Antes, porém, um tempinho para a gente se recompor. Ele vai fechar a calça com dificuldade, o volume extravasando — o músculo poderoso, assim como o braço dele, um braço que eu jamais machucaria, por mais que me esforçasse. Precisaria de marretadas, golpes com toda a violência sobre aquele bíceps acolchoado, para que o homem se virasse um pouco e perguntasse: "Hein? O que você está querendo?"

Foi exatamente por isso que o escolhi, meu anjo. Por essa aparência de durão, atleta imbatível na força e na resistência. Ninguém suspeita do coração puro que ele tem, a bondade natural que faz com que nos acompanhe numa fantasia de sexo proibido. A simplicidade de sua mente não questiona a qualidade do filme, como nós tendemos a fazer neste momento, embora a excitação refreada nos deixe tontos e com o raciocínio lento. Temos de levantar, trôpegos de desejo, esbarrando nas cadeiras pelo corredor escuro deste cinema.

Do lado de fora, a moça da bilheteria nos olha de um jeito estranho. Fingimos raiva com a mediocridade de um enredo que nos obriga a sair no meio da sessão.

Já na calçada, caminhamos até o carro dele. Sim, esta é outra razão para que eu o tenha escolhido — além de tudo, existe esse carro, com vidro fumê 100%. Basta agora uma esquina deserta, e o fato de ainda estar iluminado, neste entardecer, só atiça a aventura. Podemos fazer assim: um de nós no banco traseiro... você, que tal, meu amor? Sim, você no banco traseiro, desse jeito, as pernas abertas para que eu te descubra com línguas e lábios. Fico com a metade do corpo voltada na sua direção, enquanto ele me despe e passa as mãos sobre meu corpo, me manipula de todo jeito, e depois eu o deixo e vou inteiramente para você, mas só por uns minutos, que ele também tem direito. Quando volto a ele, você morre de excitação e ciúme, não é? Eu quero sentir isso, e agora mando que ele vá para você e faça o mesmo, te busque e te pegue, enquanto eu observo.

O jogo de sombras neste carro fechado faz parecer que estamos em outro filme, um pornô preto-e-branco. O brilho das tuas pupilas, dos teus dentes, amor, é tão intenso, que até esqueço o que virá depois. Sei que logo ficaremos num tremor de ressaca e suor. O único espontâneo da história será ele, que com a maior elegância vai limpar no lenço o esperma, enquanto contempla carinhoso aquele membro ainda ébrio que, aos poucos, começa a decair. Só então o guardará de volta na calça, para oferecer a nós, arriados e nus no banco traseiro, uma caixa com papéis higiênicos. Você recusará, numa espécie de pudor atrasado.

Adivinho que nas próximas horas ficarei sem falar contigo, engolindo o torpor de ter te visto nos braços daquele homem, e de também ter me atirado a ele. As nossas cenas no cinema e no carro ficarão em vaivém na cabeça, num remorso que dói, dói muito mais do que as marcas que você deixou na minha coxa, amor. Você ficará em silêncio por algum tempo, guardando talvez uma mágoa de ter sido eu a fazer a proposta. Mas isso passa; ao final, sei que sairemos do carro de mãos dadas e depois daremos um longo beijo. Ele terá sabor de saliva e sêmen.

DOIS EM UM

TALVEZ SEJA MELHOR EU FICAR esta quinta-feira, véspera de feriado, em casa — disse a ele: ando calada, sem vontade de sorrir. Nada grave. Não me fale em depressão que lembro minhas lições de psicologia, com os seus rótulos detestáveis. Mas Cássio (e ainda menos Scarlett) ignora o que seja um transtorno psíquico. Seu negócio é bom humor, shows de humor: há seis meses, incorpora um travesti que arranca as maiores gargalhadas — Scarlett é um sucesso em bares e churrascarias. Eu não estava interessada em travestis; acho que já vivi o suficiente para saber que a incorporação de personagens resulta, muitas vezes, na total identificação. Isso é psicanálise, não psiquiatria, ouviu? Cássio não deu bola ao que eu sugeria. E me arrastou para o show.

Durante hora e meia tentei ficar num local escuro da mesa, para não dar risada fingida a cada vez que ele virasse em minha direção. Com o restaurante cheio, foi fácil passar despercebida ao lado dos amigos dele, que vieram no carro — quatro espremidos no banco de trás, treinando um sorriso esportivo enquanto eu aproveitava a folga no banco do carona. Vantagens de posar como namorada de travesti, apesar de que naquela sucata não havia conforto em assento algum. No restaurante, como os amigos de Cássio mal me conheciam, não ficaram cobrando reações entusiastas: pude me recolher, incógnita, à sombra. Tomei o cuidado de fumar bastante, justificando a falta de riso numa boca em formato de canudo.

E, se eu não estivesse tão calada ultimamente, até diria que ele ficou engraçado. A peruca era bem alta e crespa, da mesma cor vermelha do vestido, que trazia seios falsos, espetando a seda. Falso também era o traseiro, em formato de coração. Havia ainda um coração nos lábios, um beijo de gueixa, borrado pela metade da cara. E cílios postiços, unhas longuíssimas. Sapatos de salto que eu nunca ousaria calçar — mas Scarlett se equilibrava perfeitamente.

Enquanto meu namorado dava requebros no palco, eu observava seus amigos engasgando de tanto rir. Via, através da fumaça, a plateia se dobrando nas cadeiras, homens e mulheres curvados com as mãos no estômago, ou batendo palmas enquanto lançavam a cabeça para trás. Eu tentava me concentrar nas piadas, todas narradas em falsete, mas nenhuma me parecia boa o suficiente. Ou talvez fossem boas, e eu é que estava séria demais. Depressiva, não; não suporto nem esta palavra, que parece um assobio triste.

À luz do refletor, pouca gente diria que Cássio incorporava Scarlett pelo puro prazer de se maquiar. Mas foi essa a impressão que tive, quando entrei no banheiro e tomei o susto de vê-lo pela primeira vez se arrumando. Já usava o vestido vermelho, esfregando com energia a esponja do *blush*. Fiquei parada, observando a minúcia com que ele aplicava o rímel e fazia o desenho do batom. Ao final, arregalou-me um sorriso pelo espelho, e foi quando percebi que a pele de Scarlett era completamente lisa. Bem diferente do rosto marcado por cicatrizes e espinhas, que eu me acostumara a ver em Cássio.

Estávamos saindo há três meses e, embora ninguém falasse em namoro, eu considerava a relação dessa maneira. Cássio passara por muitos empregos: trabalhara em circo, como palhaço, e depois animara festinhas infantis. Era habilidoso com os malabares, e às vezes arriscava *performances* no semáforo, para ganhar uns trocos. Eu o via sair com o monociclo e os cinco bastões que logo estariam rodopiando sobre sua cabeça, e pensava em como aquilo era bem mais elegante e artístico do que a Scarlett. Entretanto, não havia ganhos financeiros que compensassem o sacrifício de se exibir para motoristas distraídos, sob o sol a pino. A chance de viver um personagem humorístico era uma grande possibilidade, e até agora Cássio já tinha conseguido dois contratos temporários em restaurantes sempre lotados.

Quando o vi se arrumando no banheiro, deduzi o jogo de transferências e compensações que provavelmente rolava no seu inconsciente, mas comecei a sentir que a psicanálise me cansava. Enquanto ele aplicava unhas postiças e pedia que eu conferisse se a meia-calça estava desfiada, coloquei um jeans qualquer. Ainda passaríamos na casa dos amigos, os quatro espremidos que não podiam reclamar da carona.

Consultando o relógio com dificuldade neste lado tão escuro da mesa, percebo que o show deve estar no fim. Scarlett desceu do palco e caminha entre os clientes, dando tapinhas no ombro de um, coçando a cabeça de outro. E todos riem, convulsivamente. Riem para superar as piadas e trocadilhos constrangedores a que chamam humor, nesta cidade. Já perto do nosso grupo, a troça não podia ser diferente — Scarlett enrola as unhas no meu rabo-de-cavalo: "Minha filha, disseram que você namora um traveco. É verdade?" Toda a plateia está me olhando; eu não confirmo nada, estou branca de constrangimento. Scarlett continua, esganiçada: "Mas você parece tão tristinha! Tá depressiva, é? Olha que depressão se cura com paulada! E tome pau!"

Os amigos de Scarlett se retorcem nas cadeiras, e nesse momento ergo os olhos e percebo que a peruca vermelha se enroscou num dos postes decorativos do restaurante. Meu namorado se afasta, gesticulando na direção de outra mesa, e o cabelo fica preso, como um carrapicho gigante. Em segundos, o frio na cabeça e a sensação de leveza vão indicar algo, mas antes disso eu começo a rir, rio sozinha, porque todos pararam, espantados. Um silêncio profundo baixou feito uma capota, um toldo cinza puxado sobre as mesas, fazendo sombra em cada pessoa, exceto em mim. Sou a única a rir, agora com desespero e de olhos fechados pelas lágrimas. Não vejo Scarlett pegar de volta a peruca, nem colocá-la ao contrário (como disse depois um de seus amigos), e isso é um alívio, para que eu não ria ainda mais.

Um garçom trouxe um copo de água para me acalmar, mas apenas quando o show termina eu me sinto controlada — embora com ocasionais risinhos na forma de soluço. Os rapazes que vieram comprimidos no carro me olham de viés, sem me incluir na conversa sobre futebol. Esperam que o meu namorado volte do camarim, e eu tento me distrair com a música ambiente, para não explodir em novas risadas. O garçom, entretanto, retorna, dizendo que "o Sr. Cássio" solicita a minha presença. Eu o acompanho até o camarim, que na verdade é o banheiro dos funcionários, com algumas pilhas de caixas de bebida na porta de entrada.

Scarlett está se desmontando. Já tirou as meias, o cabelo e os saltos, mas conserva a maquiagem e o vestido. Olha-me com fúria: "Então a senhora me ridiculariza, hein?" — pergunta, em falsete. Respondo que o seu objetivo é justamente aquele, fazer rir. "Mas não com os meus erros" — diz agora Cássio, com a voz original, grossa. Ele me pega pela cintura e me beija com voracidade, borrando todo o meu rosto com batom. Está descendo o zíper da minha calça, quando pergunta se escutei o que ele falou antes, a respeito da cura para a depressão. Sinto-me confusa e afogueada; as mãos enormes de Cássio se enfiam pela minha calcinha. "Você precisa é de um pau", ele diz em meu ouvido, e nesse instante sinto o volume que ergue o seu vestido, projeta-o para a frente. Ajudo a suspendê-lo, estou encostada na pia; no espelho lateral vejo a figura híbrida de Scarlett que me lambe o pescoço. Consigo desvencilhar uma das pernas de dentro do jeans, afasto a calcinha e sinto o pênis de Cássio me ocupando inteira; levanto bem alto a coxa, que ele segura quase na altura do seu ombro. Se alguém entrasse agora me veria extremamente aberta, sendo comida por um travesti.

Depois que Cássio goza, eu ainda me sinto excitada — mas sei que não temos tempo para repetir. Ele precisa trocar de roupar e voltar à mesa em que estão os amigos. Subo o jeans e repasso mentalmente a fisionomia dos quatro rapazes que Cássio convidou. Qual deles seria o escolhido para o sexo? Ou haveria mais de um? Sim, porque não tenho dúvidas de que meu namorado é gay, embora tenha acabado de transar comigo. E creio que mesmo antes de Scarlett ele deve ter tido várias relações homossexuais. Talvez haja um componente fetichista nessa ideia, mas acredito que a experiência de ser penetrado faz um amante se tornar melhor, como se ele pudesse trocar de papel, saber o que se passa na posição de fêmea.

Vendo, porém, os adereços sobre a bancada da pia — unhas, pulseiras, cílios, estojo de maquiagem, pente — eu fico melancólica. O homem que está surgindo, por mais que seja bem humorado, não é atraente. Cássio tem o cabelo ressequido, a pele marcada por furos e cicatrizes. Como travesti, ele é esquisito e extravagante, mas não exatamente feio. Há um componente de mistério na sua figura de mulher, e ou pode ser o simples fato de que por baixo da saia existe um pênis, e todos sabem disso. Freud diria que o que eu sinto é uma típica inveja feminina: basta me lembrar desse chavão para me remoer de raiva. Tenho uma súbita necessidade de me livrar dessas vozes psicanalíticas, com suas verdades e fatalismos. Tenho o desejo de me libertar, nessa noite.

Quando Cássio se aproxima, já usando camiseta e calça, segurando na sacola os fragmentos de Scarlett, eu me viro bruscamente para o espelho. Falo para mim mesma, mas me querendo me comunicar com ele: "Não seria bom a gente sair com os quatro rapazes? Todos nós, juntos?" Encontro o olhar de Cássio num ângulo oblíquo, assustado mas querendo sorrir: "É uma boa ideia". Dou uma piscadela de luxúria, estendo minha mão para o meio de suas pernas e digo, sem deixar de fitar o meu rosto no reflexo: "Mas só se você se maquiar novamente..."

UM CASO FAMILIAR

Após um divórcio complicado, minha amiga Jéssica tornou-se "liberal", conforme dizia. Depravada talvez fosse o termo exato, mas eu não queria criticá-la. Durante algum tempo vivemos unidas como irmãs, dividindo um quarto na residência universitária; depois ela abandonou o Jornalismo e começou a viajar pelo país, gastando a herança repentina que tinha recebido do avô. Isso nos distanciou, é claro, mas agora, com o seu retorno, eu descobria que ainda tínhamos as afinidades de antes.

Jéssica passara por um casamento-relâmpago, que lhe trouxe desgastes financeiros e emotivos. Eu, ao contrário, estava bem casada e planejando engravidar. Nosso reencontro sofreu um pouco com essa atmosfera constrangida por estarmos em fases tão diferentes. A sensação, porém, desapareceu quando tocamos no assunto de nossa preferência: sexo.

Nunca deixamos de contar uma à outra sobre nossos namoros e fantasias carnais. Na época de calouras, inventamos gestos para indicar prováveis modelos de pênis, quando um garoto do nosso interesse passava por perto. Dividíamos as revistas pornôs que Jéssica conseguia com os meninos da Educação Física, e eu também fazia desenhos eróticos ou escrevia versos extremamente vulgares, que ela adorava ler, morrendo de rir. Éramos virgens então, e tudo não passava de brincadeira. A fase mais importante, com nossos primeiros parceiros, ocorreu em silêncio: foi justo no período em que estivemos afastadas. Com cinco anos de conversas suprimidas, eu e Jéssica tínhamos muito o que dizer.

Lógico que eu não esperava que todos os momentos curiosos e empolgantes da longa viagem de Jéssica pudessem ser narrados numa mesa de restaurante — assim, pedi que ela me contasse o episódio que considerava realmente inesquecível, em termos de experiência sexual. Vi como ela sorriu, quase enrubescida, e agitou os cabelos na graciosa negativa que sempre antecedeu suas histórias. De imediato, passou a me falar sobre Rubem.

Ela o conhecera em Porto Seguro, num daqueles dias que imitam o éden, simplesmente transferindo a paisagem florestal para uma praia de areia branquíssima. Dentre todas as pessoas que desfilavam corpos de vários estilos, Jéssica se ofuscou pela escultura à sua frente: Rubem estava parado, usando uma sunga clara que parecia uma tarja de censura no meio daquele homem moreno. "Cor de caldo de feijão", ela disse, e eu sorri com a ideia. Imaginei Jéssica, tão loura e frágil, enroscando-se num sujeito viril, animalesco — e a história confirma essa imagem, porque pouco depois Rubem se aproximou, já bastante à vontade, conversando com Jéssica e mais duas amigas dela que estavam na barraca de drinques. Todas ficaram atraídas por Rubem, e ele parecia disposto a seduzi-las em conjunto. Jéssica, recém-separada, foi desanimando, porque não tinha a intenção de participar de orgias. Ela achava que o sexo em grupo poderia desfavorecê-la e fazer com que sua autoestima piorasse.

Mas parece que o tal mulato, além dos atributos físicos, tinha igualmente aptidões de sensibilidade. Ele percebeu que Jéssica se retraía conforme as amigas se tornavam "atiradas", sugerindo carícias coletivas que em breve se ampliariam, dentro de um quarto. Rubem então disse, como se fosse um comentário trivial: "Eu não faço *ménage*". "Ahhh" — suspiraram as duas meninas, chocadas com o inesperado tabu. Rubem apressou-se em completar: "Não gosto de dividir atenções. Quando fico com uma mulher, dou a ela o máximo. Costumo me trancar por dias num motel, até que a mulher se esgote e fique tão satisfeita que não me suporte mais". "Como alguém poderia não te suportar?" — Jéssica arriscou, e Rubem a pegou pela palavra: "Você quer apostar? Todas as mulheres que receberam esse meu *tratamento* nunca mais quiseram me ver."

Eu logo imaginei que as relações fossem violentas ou torturantes, para que as parceiras saíssem traumatizadas. Jéssica, porém, assegurou que Rubem não batia nem gostava de agressividade, embora, sim, pudesse ser considerado uma espécie de torturador, em certa medida. Quando ela aceitou a proposta, que soava como um desafio sexual, deixou para trás as duas amigas na praia e acompanhou Rubem. Suas colegas ficaram bem decepcionadas pela exclusão — mas antes de se despedir Rubem entregou para elas um número de telefone, avisando: "Esperem uma semana, que estarei pronto para uma de vocês. E na outra semana, pronto para a outra."

Ele poderia ser apenas um homem convencido e arrogante, que passava a vida acreditando no próprio poder de sedução. Beleza e vigor físico ele tinha — mas nada garantia que soubesse agradar. "Muitos desses caras atléticos são ridículos na cama", disse Jéssica, e eu concordei, lembrando um caso que aconteceu comigo na única vez em que saí com um musculoso, o tipo de sujeito que tem montanhas nos braços e abdome com linhas que parecem marcas de navalha. O tal campeão gorou de um jeito tão vergonhoso que pensei em fugir, enrolada num lençol: era patético ver um homem daqueles, capaz de levantar halteres pesadíssimos, lutando contra um pênis minúsculo e flácido!

Pensei que Jéssica fosse me contar uma experiência semelhante, mas o seu rosto agora estava distraído, brilhando com um jeito apaixonado. Rubem a levou para um motel cinco estrelas, onde ele parecia ser conhecido. A recepcionista o cumprimentou pelo nome e perguntou: "Dois dias?" "Ou três", ele respondeu. Ela piscou para Jéssica com malícia, e minha amiga ficou aturdida, pensando no que a esperava. Seria um motel cúmplice, que fornecia alucinógenos na bebida ou soníferos que faziam uma mulher desmaiar e acordar pensando que tinha feito o melhor sexo da vida? Mas a troco de quê, um homem agiria dessa maneira? Simplesmente para ter fama de garanhão? Não, sem dúvida havia algo mais importante na jogada... Dinheiro! Jéssica entrou no quarto convencida de que seria vítima de um golpe. Enquanto dormisse, delirando com cenas de orgasmo, Rubem e a recepcionista roubariam todo o seu dinheiro. Devia ser por isso que ele não fazia *ménage*... talvez achasse difícil controlar o sono de três mulheres simultaneamente, enquanto as roubava.

Apenas um detalhe impediu Jéssica de cair em pânico: ela percebeu que não levava quase nada consigo. Tinha vindo diretamente da praia, e na sacola colocara uns trocados que não dariam sequer para pagar o pernoite no motel. Não estava com os seus cartões de crédito; então, mesmo que fosse hipnotizada e entregasse a senha, de pouco valeria. Rubem não conseguiria nem roubá-la em outro local, porque no máximo descobriria o endereço do seu hotel. E Jéssica confiava que o hotel não entregaria a chave de seu quarto a um homem desconhecido...

Eliminando as possibilidades de roubo, Jéssica relaxou e sentiu-se segura. Rubem, durante todo o tempo, vinha lhe falando da própria vida. Eles chegaram ao motel no carro importado que ele dirigia — e, embora Rubem declarasse não ter profissão, parecia instruído. "Durante a conversa, não cometeu nenhum erro de pronúncia ou concordância", ela disse, e eu novamente ri. Lembrei outro caso da época de faculdade, quando um rapaz lindo foi dispensado por mim, depois de soltar um "poblema" e um "bobage" durante uma conversa preliminar.

Rubem, então, era bonito, relativamente culto, rico (a julgar pelo carro e pelas noites que pagaria no motel) — mas não tinha emprego. Se não fosse outro exemplo de herança, e bem mais polpuda do que a recebida por Jéssica, só restavam hipóteses ilegais. Jéssica se preocupou com isso; fez questão de saber se saíra com um traficante. "Claro que não!", ele disse num sorriso que lhe pareceu sincero, com dentes brancos e perfeitos. "Você é um político?", ela insistiu, e novamente Rubem negou. "Só estou querendo uma explicação para tudo isso", ela resmungou — e deve ter feito aquela sua expressão de menina desamparada, tão comovente que sempre leva a bons resultados.

Rubem confessou a situação em poucas palavras: vivia às custas de uma velha, que não se importava que ele namorasse várias mulheres, desde que "voltasse para casa" ao menos uma vez por mês. Nessas ocasiões, ele tinha de fazer sexo com ela, o que considerava repugnante. Com a velha, Rubem era rápido e fechava os olhos. Por isso, gostava de manter a luz acesa para observar as mulheres jovens que possuía em todos os outros dias do mês — e também demorava o máximo possível com cada uma delas. Esse tratamento, conforme voltou a dizer, criava uma satisfação próxima da intolerância; nenhuma garota jamais quis se encontrar de novo com Rubem. Isso lhe era benéfico porque não atrapalhava o seu acordo com a velha. "Assim eu continuo com uma vida tranquila, sem companheiras possessivas", completou.

"Você é um prostituto!", Jéssica afirmou, e Rubem ainda sorria quando admitiu: "Acho que sim. Mas só uma pessoa me paga. As outras desfrutam." Concluiu a frase com um longo beijo, e Jéssica não soube mais o que dizer. Estava sentada na cama redonda. Havia um clássico espelho no teto, por onde observou os lábios do homem descendo pelo seu pescoço e chegando à região dos seios. As mordidas começaram por cima do biquíni, os mamilos se enrijecendo, pedindo língua, pedindo saliva, uma boca que engolisse o seio inteiro — mas Rubem apenas roçava por cima do tecido, sem tocar a pele.

O espelho mostrou o homem se ajoelhando diante do ventre de Jéssica, respirando forte antes de beijar cada pedaço, parecendo nunca chegar ao sul, ponto já umedecido e quente. A calcinha saía tão fácil, com dois laços laterais; bastava um puxão nas pontas! — mas Rubem era vagaroso como um torturador e demorou nos pelos das coxas, nos poros das pernas. Chegou aos pés, abocanhou cada um dos dedos; depois lambeu os calcanhares e os tornozelos. De repente, virou Jéssica na cama como se jogasse uma boneca; expôs suas costas. Percorreu a direção contrária, provando pernas e coxas pela parte de trás, e em seguida as polpas da bunda, que Rubem pressionou contra o próprio rosto. Mordeu tudo o que pôde das nádegas e afastou o biquíni para lamber o ânus. Jéssica gritava.

Finalmente vieram os dedos, preenchendo a súplica, o líquido convulso. Rubem não deixava Jéssica se mexer; deitada de bruços, ela não tinha acesso ao espelho e só podia adivinhar o volume do pênis, livre da sunga, roçando em suas pernas. Queria tocá-lo, experimentar o seu calibre com a mão, pensar na largura que colocaria dentro do corpo. Quando conseguiu alcançá-lo, sentiu uma textura macia, esticada e — se então pudesse vê-lo — diria que reluzente. Era um pênis feito para virar escultura, um instrumento para se acoplar numa reentrância de carne. Jéssica pensou que gostaria de um modelo daqueles, feito de borracha. Poderia passar um dia inteiro com o pênis em si; iria aos lugares, andaria na rua, sentindo o membro interno. Claro que ele não estaria completamente dentro; era grande demais para isso. Alguns centímetros, próximos da base, ficariam de fora — mas nada que uma calça folgada não disfarçasse. Jéssica passaria um dia tendo orgasmos secretos, apertando as coxas na hora de andar, ou fazendo pequenos movimentos quando estivesse sentada, para que o pênis tocasse mais fundo, saísse e entrasse, como faziam os dois dedos de Rubem.

Jéssica só foi penetrada na segunda noite, embora tenha implorado diversas vezes por aquilo. Rubem deixou que ela o lambesse e explorasse de modo semelhante ao que ele fez — mas não permitiu que Jéssica se masturbasse. Argumentava que o prazer tinha de ser levado ao máximo. Jéssica suspeitou que era essa técnica que tornava Rubem insuportável para as mulheres e decidiu que não enlouqueceria como uma refém do sexo. Em determinado momento, após um intervalo feito para o jantar, encomendado na própria cozinha do motel, ela disse que precisava ir ao banheiro. No chuveiro, aproveitou para se tocar, chegando ao clímax tão adiado. Precisou apenas de cinco minutos para isso, e voltou ao quarto fingindo que nada tinha acontecido. Algum tempo depois, Rubem a pegou para fazer sexo oral. De novo Jéssica ficou no limite da excitação, com o prazer sendo temperado até as fronteiras mais longínquas. Tentou se vingar fazendo o mesmo com Rubem — aplicou-se em chupar e friccionar seu pênis, na esperança de que ele gozasse e se desse por vencido. Mas, apesar de Rubem demonstrar grande satisfação com tudo aquilo, seu autocontrole era maior que a ânsia: ele sempre mandava que ela parasse antes.

Praticamente não dormiram; talvez tenham cochilado por quinze ou vinte minutos. Quando Jéssica acordou, viu que Rubem observava o seu corpo. Ele permanecia nu, sentado numa cadeira próxima. Levantou-se devagar e então abriu as pernas de Jéssica. Sabia que ela ainda estava úmida.

A fase da penetração durou mais um dia. Jéssica não calcula quantos orgasmos teve, nas múltiplas posições que usaram. Rubem também ejaculou bastante; inclusive, ela achava incrível um homem gozar tanto, sem descansar. Ele gozou em seus seios, banhou seu rosto com esperma, depois gozou em sua boca. Quando ela pediu que ele se masturbasse para ela ver, um borrifo grande respingou no espelho sobre a cama, e os dois riram muito. Jéssica não se cansava de ser preenchida pelo pênis de

Rubem e, mesmo quando sabia que já não teria orgasmos, continuava querendo transar.

No terceiro dia, sua vagina estava em carne viva. Rubem propôs sexo anal, provavelmente esperando que Jéssica estivesse farta e quisesse ir embora. Mas ela aceitou ser invadida, sentindo aquela dor fina na base da medula. Era como ser espetada por uma madeira, um bastão policial. No começo, Rubem a penetrou com delicadeza, mas logo começou a enfiar e tirar o pênis com toda a velocidade. Ele gozou em cima de sua bunda e disse a Jéssica que agora estava liquidado. Não conseguia continuar.

Ela achou que fosse uma piada, porque a sentença tinha sido tão inesperada e precisa como se existisse um marco, um ponto de chegada que afinal eles alcançaram. Havia uma média, uma quantidade de atos sexuais contínuos, reservada para cada mulher. Após aquele número, a cota ficava encerrada — e normalmente era o suficiente para que a parceira, exausta, desse graças a Deus pelo fim da maratona. Jéssica, entretanto, não estava naquele estágio de repúdio que Rubem previra. Aceitou o fim das atividades, mas não se sentia saciada a ponto de nunca mais desejá-lo. "Toparia outros três dias iguais, sem problema", ela me disse. "Eu me achava uma ninfomaníaca!"

O próprio Rubem estranhou, quando Jéssica quis encontrá-lo novamente. Na saída do motel, ela percebeu sua expressão de cansaço, enquanto esperava que se abrisse o portão da garagem. Ela, ao contrário, parecia muito bem, com um rosto corado e os cabelos macios, molhados do banho. Deu-lhe o seu número de telefone, dizendo que ele não precisava dar nenhum *tratamento* para as amigas dela; na semana seguinte, podia procurá-la, e na outra, também.

"Talvez ele tenha pensado que eu havia me apaixonado ou algo assim", Jéssica falou, girando um copo de cerveja na mão. "Na verdade, eu queria somente repetir a dose, que foi tão boa — embora um pouco dolorida", riu-se.

Conforme imaginava, Rubem não telefonou. Na última noite de Jéssica em Porto Seguro, ela reencontrou num barzinho uma das amigas da praia. A garota se aproximou para perguntar como tinha sido "com o moreno-máquina", e Jéssica não demonstrou grande entusiasmo, para não fazer propaganda. Em seguida, perguntou se a colega experimentara algo com ele, e a outra confessou que havia telefonado uns dias antes, mas Rubem iria viajar para Salvador.

Aquilo disparou um alerta em Jéssica. Na capital ficava o endereço de Rubem, que devia ser o mesmo de sua "protetora". Ela descobrira informações vasculhando sua carteira, enquanto ele usava o banheiro. Por algum motivo ele guardava vários boletos bancários, todos com comprovante de pagamento (Rubem seria também uma espécie de secretário da velha, encarregando-se dos assuntos financeiros dela?). Uma rua no Rio Vermelho era o destino de todas aquelas contas — e imediatamente Jéssica memorizou os dados, já que não podia anotá-los na ocasião. Naquele instante, no barzinho, lembrava até o código postal da casa; sabia que poderia encontrá-la sem erro.

Na noite seguinte, Jéssica pegou um ônibus para Salvador. Chegou de manhãzinha, e sentia-se tão apressada para averiguar a casa de Rubem que nem parou num hotel; deixou as malas guardadas na rodoviária e tomou um táxi. Em minutos estava diante do muro branco e baixo, com várias plantas extravasando folhas, bloqueando parcialmente a visão do jardim. Ela conferiu o número repetidas vezes; era a casa certa, apesar de ser esquisito imaginar Rubem num ambiente daqueles, clássico e padronizado. Havia uma atmosfera lenta, sugerindo pessoas entregues à calmaria da velhice: todos os dias iguais, com a comida em colheradas de sopa, a televisão na novela, a caminhada até a padaria... Nem com esforço se podia pensar que ali uma idosa recebia um jovem, para sustentar todos os seus gastos em troca de um sexo ressequido e mensal. Devia ser uma ex-cafetina ridícula, Jéssica então pensava — mas de repente adivinhou dois vultos andando pelo jardim. Um deles era Rubem; ela reconheceu seu físico, apesar da distância. Ele parecia vagaroso, com o corpo inclinado, como se ajudasse alguém a se locomover.

Jéssica abaixou-se por trás das folhas de espirradeira, encostada ao muro. Estava desesperada por confirmar a suspeita — mas o que viu foi algo bem diferente. A velha que Rubem conduzia não lembrava nenhuma libidinosa decadente. O vestido reto, com a magreza e o cabelo curto faziam pensar na Coco Chanel do fim da vida. Era de fato uma mulher alquebrada, e seus gestos no ar podiam indicar um delírio, enquanto caminhava. Rubem a levava pelo braço, concordando com a cabeça, e houve um momento em que ele a tocou no ombro, sinceramente carinhoso. Jéssica teve um estalo, recordando o nome feminino nos boletos guardados na carteira de Rubem: Carmem Santos de Oliveira. Um nome que não teria grande importância — mas ela sentia que precisava esclarecer algo.

Naquele dia na praia, Rubem entregara cartõezinhos de visita para as duas amigas de Jéssica, mas para ela mesma não dera nada, porque já iam sair juntos. Quando se despediram depois do motel, ele ficou de telefonar para ela, mas não lhe passou o próprio contato. Agora Jéssica recapitulava toda a história e encontrava uma possibilidade bizarra, que só poderia confirmar com a ajuda de alguém. Colada ao muro da casa, ela abriu a bolsa e tirou o celular. Discou o número de uma das garotas da praia, aquela que tinha encontrado no barzinho. "Escuta, você sabe o cartão de visita do Rubem?", ela perguntou. "Quem?", fez a amiga, em meio a um barulho incrível de buzinas e sirenes. "Rubem — o moreno-máquina", disse Jéssica, controlando-se para não gritar em frente à casa dele. "Ah, sim. Quer o número dele? Ficou apaixonada?", riu a garota. "Nada disso", falou Jéssica, "eu só preciso que você leia o sobrenome".

A garota estranhou, disse que ela era doida, mas depois falou para esperar, estava no trânsito e precisava abrir a bolsa, achar o cartão. Finalmente voltou, dizendo: "Aqui. Rubem de Oliveira. Tem certeza que não quer o número?"

Nessa altura da narrativa, Jéssica calou para dar um grande gole na cerveja. Eu gaguejava, atônita: "Quer dizer que... a velha era a mãe dele?" "Na verdade, avó", disse Jéssica, com total seriedade. "E você... acha que ele transa... *com ela?*" Minha amiga balançou a cabeça confirmando — e então revelou a parte mais inesquecível. Ela acabou pegando o número do telefone de Rubem e ligou, disse que estava em frente ao portão da casa. Enquanto falava, via a silhueta no jardim, segurando o telefone com uma das mãos e com a outra firmando o braço da velha. Inesperadamente, ele não se chateou com aquela perseguição; ao contrário, pareceu ficar feliz. Ainda do lado de fora do muro, Jéssica viu como ele comentava algo com a idosa e ela gesticulava animada; em segundos, Rubem se aproximou para abrir o portão.

Ele apresentou as duas mulheres com solenidade. Continuaram caminhando um tempo pelo jardim, e Jéssica pensava que a história do sexo não passava de mentira. Rubem devia ser um netinho paparicado, nada além disso. Recebera uma boa educação e nunca precisara trabalhar; passava a vida se divertindo e tinha o único compromisso de visitar a avó periodicamente, para quebrar sua solidão. Mas tudo devia ser inocente, como em qualquer família.

Quando entraram em casa, ela notou que estava errada. Rubem lhe disse que era a hora de irem para o quarto e perguntou se ela queria acompanhá-los. Jéssica hesitou, considerando a proposta um blefe — mas viu nos olhos dele a idêntica expressão do dia em que a chamou para o motel. Resolveu aceitar, "só para ver até onde a coisa ia". E então — disse Jéssica — tudo foi até onde ninguém imagina.

Ficaram os três despidos, num quarto absolutamente escuro, onde se pressentia a sombra de Rubem sobre a velha. Ele pediu que Jéssica participasse, e assim ela começou a explorar uma pele frágil como papel de arroz, com uma textura de linhas secas pela superfície dos braços e seios. Aos poucos, Rubem deixou de penetrar a velha para tocar Jéssica. Os corpos se confundiram e, quando ela sentiu o pênis entrando, ao mesmo tempo recebeu no pescoço as lambidas da velha, como uma cobra gelada e miúda.

A transa foi curta. Rubem depois lhe disse que tinha de ser assim, para que a avó não exigisse sexo demorado das outras vezes. Ele fingia ser apressado, para ela — revelou, rindo como se contasse uma anedota. Jéssica estava confusa com a experiência, mas Rubem lhe garantiu que ela fora ótima. E mais: pela primeira vez, sentira-se confortável naquela cama. Quando se despediram, no portão da casa (a velha ficara no quarto, dormindo após o êxtase), Rubem parecia outro homem. Perguntou se Jéssica ficaria em Salvador, se aceitaria voltar ali para dormirem juntos. Nos dias seguintes, o telefone dela não parou de tocar: era Rubem, insistindo.

"Ele estava fisgado", concluiu Jéssica, terminando a cerveja. "É natural; nunca pensou que encontraria uma mulher disposta a partilhar sexo com a avó dele. Esse tipo de *ménage* ele queria..." "Mas o que foi que você fez?", eu perguntei, e Jéssica sacudiu os cabelos, impaciente com a minha lerdeza: "Eu fugi para cá, não está vendo? Nos últimos dias, Rubem me deu uma aliança, e você sabe que não quero mais casamento. Sou uma mulher liberal e meu negócio agora é curtir..."

POSFÁCIO

E POR FALAR EM ANTOLOGIAS...

RECEBI DO EDITOR Luiz Fernando Emediato o convite para preparar a presente antologia. Já tinha organizado para a Geração Editorial duas outras, *Contos cruéis: as narrativas mais violentas da literatura brasileira contemporânea* (2006) e *Capitu mandou flores: contos para Machado de Assis nos cem anos de sua morte* (2008), que, além de várias reimpressões, viraram referência para professores e pesquisadores. Disse ao editor que topava a empreitada, desde que tivesse tempo para fazer uma seleção criteriosa dos contos, que primasse pela qualidade da coletânea, pois, acreditando como sempre acreditei no postulado de Cortázar de que em literatura "não há temas bons nem temas ruins, há somente um tratamento bom ou ruim do tema", não via nenhum problema em preparar um livro assim. Emediato acatou as minhas sugestões, juntos escolhemos as autoras — e ele batizou a antologia de *50 versões de amor e prazer*.

Nos últimos anos, várias coletâneas de contos foram lançadas no mercado editorial brasileiro. Esta, por exemplo, foi a quarta que preparei — além das duas que organizei anteriormente para a Geração Editorial, lancei uma (em 2006) de recriações de narrativas de Guimarães Rosa, intitulada *Quartas histórias*, pela editora carioca Garamond. Mas sempre me pautei por critérios rigorosos, responsáveis, pois entendo que não se trata apenas de reunir um conjunto de textos, empacotá-los numa edição chamativa e mandar pro leitor. Não, há que ter linhas orientadoras, uma temática agregadora e autores afinados com a proposta. Uma boa antologia reúne forças para dar respostas a um campo de sentido.

Vou aproveitar o espaço, antes de indicar como fiz a seleção dos relatos que integram esta *50 versões de amor e prazer*, e de abordar os contos das autoras, para imprimir uma reflexão sobre os critérios que têm norteado o preparo de antologias de contos já há várias décadas no Brasil.

O recuo no tempo será rápido — e prometo que não serei enfadonho.

Antologias de contos: Quem faz? Que critérios utiliza?

Uma faceta pouco comentada de Graciliano Ramos é a de antologista. A coletânea *Seleção de contos brasileiros*, em três volumes, preparada originalmente para a Casa do Estudante do Brasil pelo escritor alagoano, teve como propósito, além de apresentar narrativas expressivas produzidas do final do século XIX a meados do século XX, reunir escritores renomados e novos de várias regiões do país.

Dos 33 contos que integram o volume 1 da coletânea, 30 são de autores do Nordeste e 3 de autores do Norte, do estado do Pará, sendo eles H. Inglês de Sousa ("O baile do judeu"), José Veríssimo ("O serão") e Eneida de Morais ("O guarda-chuva"). Sergipe e Bahia não constam desse volume, pois integram o volume 2, juntamente com Minas Gerais, Espírito Santo, Rio de Janeiro e Distrito Federal. O volume 3 traz autores de São Paulo, Paraná, Santa Catarina, Rio Grande do Sul e Goiás.

No volume destinado aos autores nordestinos (apenas uma mulher, Rachel de Queiroz, consta dele), Graciliano discute no prefácio, primeiro, o seu processo de seleção: "Na obrigação de publicar um livro, antes expor coisa lida, mais ou menos julgada, que exibir composição nova. A dificuldade não seria grande: resignar-me-ia a colecionar, dócil, o que outros colecionaram — e numa quinzena a tarefa estaria concluída. Fiar-me-ia em juízos presumivelmente seguros; isto me livraria de esforços e complicações. Os contistas verdadeiros estão classificados, e temos na ponta da língua o que melhor nos deram". Os contistas brasileiros de renome já "classificados" e tidos como "verdadeiros" por Graciliano são os seguintes: Machado de Assis, Artur Azevedo, Lima Barreto, Medeiros e Albuquerque, Domício da Gama, João do Rio, João Alphonsus, Monteiro Lobato e Antônio de Alcântara Machado.

Da antologia constam, do Nordeste, para me reter um pouco mais no volume que abre a série, os seguintes estados, autores e contos: *Maranhão*: Artur Azevedo ("Útil inda brincando"), Aluízio Azevedo ("Demônios"), Coelho Neto ("Os pombos"), Viriato Correia ("Ladrão (Confissão de um assassino)") e Humberto de Campos ("O monstro"); *Piauí*: Francisco Pereira da Silva ("O espelho") e Humberto Teles ("Vento seco"); *Ceará*: Raimundo Magalhães ("O lobisomem"), Herman Lima ("Alma bárbara"), R. Magalhães Júnior ("Rio movido"), Cordeiro de Andrade ("Manhã triste"), Rachel de Queiroz ("Retrato de um brasileiro"), Melo Lima ("Pai e filho") e Moreira Campos ("Coração alado"); *Rio Grande do Norte*: Peregrino Júnior ("Ritinha"), Humberto Peregrino ("Pedro cobra") e Milton Pedrosa ("O último título"); *Paraíba*: José Maria dos Santos ("A volta dos cães"); *Pernambuco*: Medeiros e Albuquerque ("O ratinho tique-taque"), Alberto Rangel ("Bucho-de-piaba"), Mário Sette ("Um sereno de casamento"), Múcio Leão ("A última viagem do almirante Alcino Silva"), Luís Jardim ("O castigo") e José Carlos Cavalcante

Borges ("Felicidade"); *Alagoas*: Graciliano Ramos ("Minsk"), José de Morais Rocha ("O Major Fausto"), Carlos Paurílio ("Orfanato"), Luís Augusto de Medeiros ("Prelúdio em Si menor"), Aurélio Buarque de Holanda Ferreira ("Retrato de minha avó") e Breno Accioly ("João Urso").

Graciliano, para o preparo da antologia, e à cata de novos talentos, garante ter tido um bom trabalho, ter sido muito criterioso: "Gramei numerosos livros, folheei revistas e jornais velhos, encafuei-me dois meses na Academia de Letras [...], outros dois na Biblioteca Nacional [...]". Acrescenta: "Escrevi às academias de letras do país e às diretorias de instrução pública. Em geral não me responderam, ou deram respostas ásperas". Apesar dos esforços para obter informações nos vários estados, no final o antologista teve que utilizar basicamente material recolhido nas bibliotecas e na imprensa. O resultado, entretanto, foi bastante satisfatório: "Achei cinco ou seis contos magníficos, hoje esquecidos". Graciliano não indica, contudo, que contos são esses. Afirma ainda sobre seu método de antologista, aparentemente contrariando o que acabara de dizer: "Não fiz seleção rigorosa. Exibi o que julguei representativo de um lugar, de uma época, de uma escola. Não me detive em comparações absurdas". E, de algum modo, se trai, marcando com certo preconceito contra o escritor interiorano a afirmação: "Seria idiota exigir que a história narrada por um diletante do interior, impressa em jornaleco modesto, se arrumasse com o engenho e a técnica de Machado de Assis". Enfim, para Graciliano, e independente do lugar onde tenha sido publicado, é possível que um conto "admirável", tanto de um tempo remoto como de um recente, caia no esquecimento. Numa nota anterior, na mesma antologia, ao dizer que alguns modernos "envelheceram muito depressa", ele está justificando o fato de um conto contemporâneo "admirável" ser esquecido. E *não deixar esquecer* seria também uma função, e talvez a mais importante, do antologista.

Na coletânea *Obras-primas do conto brasileiro*, lançada em 1966 pela Livraria Martins Editora, com seleção, introdução e notas de Almiro Rolmes Barbosa e Edgard Cavalheiro, os organizadores se basearam em enquete realizada pela *Revista acadêmica*, do Rio de Janeiro, para escolher os dez "maiores" contos brasileiros. Ampliaram a enquete da revista e reuniram 28 contos na coletânea.

Os organizadores começam na "Introdução" discutindo o problema do que seja a identidade da literatura brasileira. Àquela altura — constatam — a nossa literatura já afastara "completamente" a influência portuguesa, e a influência francesa seguia "o mesmo caminho". O Brasil já podendo naquele momento, portanto, "apresentar ao mundo uma literatura que se ainda não é integralmente original, já é essencialmente brasileira". A literatura "essencialmente brasileira", segundo os organizadores da coletânea, é aquela que põe "em relevo aspectos não só sociais, como psicológicos, peculiarmente brasileiros". E ainda: esses aspectos são "vistos por olhos de brasileiros", que "se expressam num idioma que conta inúmeras singularidades — um idioma mais elástico e macio, que dispõe de sugestivo vocabulário e que de certo ponto de vista, já não é mais nem inteiramente português, nem tupi, nem de Angola". A nossa literatura, assim, já possuiria "todos os predicados que Voltaire exigia de uma literatura para esta se tornar a 'alma da raça'".

Por outro lado, o critério para a escolha das "obras-primas" do nosso conto parece frouxo, sem muita consistência. Primeiramente, o conto é tido como "um dos mais interessantes ramos de nossa literatura". Pode-se perfeitamente afirmar que o poema e o romance são também "ramos interessantes" de qualquer literatura. Em seguida, afirma-se que a coletânea busca "lançar um olhar sem nenhuma pretensão de balanço ou de revisão de valores, e sim, apenas, de constatação". Mas como não há "balanço" ou "revisão de valores", se a antologia indica, já no título, que é de "obras-primas"? Diz-se ainda que o principal objetivo da antologia é o de "ser uma janela aberta sobre o panorama do conto brasileiro". Para esse panorama, "não se deixaram impressionar pela fama dos autores cuja obra foi percorrida". Quanto a este aspecto, é de se perguntar: no mais das vezes, uma "obra-prima" não faz a "fama" de um autor? Dizem ainda os antologistas que evitaram "o erro de apresentar obras de uma única tendência ou de uma única escola". E, enfim, repõem novamente o problema da identidade da literatura nacional, ao afirmarem que na coletânea "encontram-se trabalhos de escritores de todas as correntes e de todas as regiões do Brasil, do extremo sul ao extremo norte, cada qual apresentando o 'seu Brasil', formando-se, assim, um conjunto bem expressivo — um verdadeiro retrato da nossa terra, da nossa gente e dos nossos costumes pintado de vários ângulos".

São os seguintes os autores e os 28 contos que integram a coletânea de Almiro Rolmes e Edgard Cavalheiro: Barbosa Rodrigues ("Cunha Etá Maloca"), Afonso Arinos ("Pedro Barqueiro"), Afonso Schmidt ("O santo"), Amadeu de Queiroz ("Chão de terra preta"), Aníbal M. Machado ("A morte da porta-estandarte"), Antonio de Alcântara Machado ("Gaetaninho"), Artur Azevedo ("Plebiscito"), Carvalho Ramos [Hugo de] ("Ninho de periquitos"), Coelho Neto ("Firmo, o vaqueiro"), Ernani Fornari ("Por que matei o violinista"), Gastão Cruls ("Meu sósia"), Graciliano Ramos ("O relógio do hospital"), João Alphonsus ("Galinha cega"), João do Rio ("O bebê da tarlatana rosa"), José Veríssimo ("O crime do Tapuio"), Júlia Lopes de Almeida ("A caolha"), Lima Barreto ("O homem que sabia javanês"), Luiz Jardim ("Os cegos"), Machado de Assis ("Missa do galo"), Mário de Andrade ("Nízia Figueira, sua criada"), Marques Rebelo ("Circo de coelhinhos"), Monteiro Lobato ("Colcha de retalhos"), Orígenes Lessa ("Shonosuké"), Peregrino Júnior ("Gapuiador"), Ribeiro Couto ("Uma noite de chuva, ou Simão, diletante de ambientes"), Simões Lopes Neto ("Contrabandista"), Valdomiro Silveira ("Truque") e Londolfo Gomes ("Aventuras de Pedro Malazarte").

Por sua vez, a coletânea *Os cem melhores contos brasileiros do século*, organizada em 2000 pelo professor e poeta Ítalo Moriconi para a Ed. Objetiva, parece se pautar mais abertamente por critérios editoriais. Critérios expostos também numa "Introdução". A partir de um "desafio" da editora, o organizador, e apesar de pertencer à Universidade, pautou a escolha dos contos da coletânea "não em critérios acadêmicos e sim em critérios de gosto e qualidade". No fim, embora pedindo o julgamento do próprio leitor, acredita que todos os contos que escolheu "são realmente excelentes". Ou seja, antes mesmo da apreciação do leitor, o organizador já tem "todos" os cem contos como excelentes, como verdadeiras obras-primas. Sempre operando a partir de uma proposta editorial, o organizador, ao descobrir o que realmente eram os critérios "não-acadêmicos" da editora, chega a afirmar: "Tratava-se de fazer uma leitura com olhos livres, uma leitura desprovida de pré-conceitos doutrinários ou teóricos. Tratava-se de não colocar um conto porque fosse representativo de alguma ideia abstrata, mas sim porque podia agradar ao leitor qualquer, aquele leitor ou leitora interessado/a apenas numa boa história, bem contada e bem escrita". Talvez seja problemático, e embora com o reconhecimento de que no começo do século XX se publicaram no Brasil "grandes obras-primas da ficção curta", o argumento do organizador de que "a arte do conto brasileiro moderno [...] não parou de melhorar e aperfeiçoar-se à medida que o tempo passava". Fica difícil saber, no caso, o que é "aperfeiçoamento" na arte do conto (ou em qualquer arte). Talvez esse tipo de juízo de valor, que aposta mais no contemporâneo, que nele vê o "aperfeiçoamento" de um gênero literário que, entre nós, deu, ainda no século XIX, um Machado de Assis como senhor de técnica e de temas insuperáveis, decorra de um apego excessivo a um olhar contemporâneo (Ítalo Moriconi, em certo momento da "Introdução", afirma: "aqui estão os melhores contos do século tal como vistos por um olhar do final dos anos 90, pertencente a alguém cuja cabeça foi feita já depois dos anos 60"). Nesse sentido, Moriconi se distancia dos citados Almiro Rolmes Barbosa e Edgard Cavalheiro, que, nas *Obras-primas do conto brasileiro*, chegam a dizer, com acerto, sobre Machado: "...ainda não apareceu nenhum contista que reúna as condições necessárias para arrebatar ao autor [...] o título de maior contista brasileiro". Moriconi também não terá levado em conta a lição de Graciliano Ramos, quando este diz que, assim como há os antigos que foram esquecidos, há os modernos que "envelheceram muito depressa".

De todo modo, há os acertos indiscutíveis, *Os cem melhores contos brasileiros do século* traz vários contos primorosos — e sua leitura é recomendada.

Uma antologia de contos eróticos

Em "O conto brasileiro do século 21", que abre o meu livro *Vargas Llosa: um Prêmio Nobel em Canudos — ensaios de literatura brasileira e hispano-americana* (Ed. Garamond, 2012), mostro, a partir de uma leitura meticulosa de quase uma centena e meia de narrativas breves, que o nosso conto recente se divide basicamente em:

1) a vertente da violência ou brutalidade no espaço público e urbano;
2) a vertente das relações privadas, na família ou no trabalho, em que aparecem indivíduos com valores degradados, com perversões e não raro em situações também de extrema violência, física ou psicológica;
3) a vertente das narrativas fantásticas, na melhor tradição do realismo fantástico hispano-americano, às quais se podem juntar as de ficção científica e as de teor místico/macabro;
4) a vertente dos relatos rurais, ainda em diálogo com a tradição regionalista;

5) a vertente das obras metaficcionais ou de inspiração pós-
-moderna.

Após a leitura atenta, anotada, dos contos que integram a presente coletânea, já me curvo à ideia de que as narrativas eróticas constituem mais uma vertente — e das mais fecundas — da nossa contística atual. E como nessa vertente é elaborado o erotismo? Ora romântico, refinado, implícito, ora obsceno, pervertido, bizarro. Reflete de algum modo, e criticamente, nos momentos mais crus, a cultura da pornografia, a indústria do sexo e seus incontáveis produtos.

Hoje, em poucas obras literárias há "um tratamento bom" do tema do erotismo. Esta 50 versões de amor e prazer vai de encontro a uma série de outras obras justamente por trazer peças de grande qualidade.

Para a escolha dos contos, utilizei os seguintes critérios (claro, como qualquer antologista, correndo o risco de erros, mas buscando acertar):

1) que as autoras pertencessem às gerações 70, 80, 90 e 00 de nossa literatura, levando em conta que essa variedade pode representar diferenças de linguagem e mesmo de enfoque do tema do erotismo;
2) que os contos propusessem uma crítica à visão de erotismo hegemônica na sociedade contemporânea, desestabilizando, de algum modo, a percepção das formas/conteúdos do erótico padronizados e impostos pela indústria do sexo;
3) que as narrativas, na medida do possível, pudessem romper com a forma tradicional do conto, trazendo também formas fragmentárias; que pudessem ainda ser elaboradas a partir da noção de intertextualidade (paródia, pastiche, alusão, etc.) ou mesmo de metaficção;
4) que as autoras fossem de vários estados brasileiros.

50 versões de amor e prazer, certamente, é representativa da literatura feita por mulheres hoje no Brasil.

E, afinal, há em literatura "gênero erótico"? Existe diferença entre erotismo e pornografia? Eliane Robert Moraes observa, no artigo "O efeito obsceno" (*Cadernos Pagu*, n° 20 — Campinas: Unicamp, 2003), que dialoga com as coletâneas de ensaios *A invenção da pornografia: a obscenidade e as origens da modernidade, 1500-1800* (org. Lynn Hunt) e *Submundos do sexo no Iluminismo* (org. G. S. Rousseau e Roy Porter):

> A rigor, um "gênero erótico" teria que se definir pela reprodução de certos critérios formais, o que suporia, necessariamente, a obediência a determinadas normas de composição literária. Contudo, salvo algumas exceções como os modelos renascentistas, normalmente as obras pornográficas participam do movimento geral da literatura, sem apresentarem um conjunto próprio de convenções. Para representar o erotismo, esses livros quase sempre se valem das convenções dos gêneros constituídos — como é o caso [...] de Aretino que, além dos diálogos, compôs sonetos — ou de formas narrativas inclassificáveis, como testemunham as *120 Journées* de Sade.
>
> Por certo, a dificuldade de se estabelecer as diferenças entre o que seria "erótico" ou "pornográfico" — reafirmada pelos historiadores, que preferem empregar os dois termos indistintamente — também decorre da mesma indeterminação formal que impede o reconhecimento de um gênero literário. A questão é enfrentada por Henry Miller, num ensaio escrito por ocasião da proibição de seu *Trópico de Câncer*, em meados dos anos 30. Nele, o escritor observa que "não é possível encontrar a obscenidade em qualquer livro, em qualquer quadro, pois ela é tão somente uma

qualidade do espírito daquele que lê, ou daquele que olha". Para o autor, essa "qualidade do espírito" estaria intimamente relacionada à "manifestação de forças profundas e insuspeitas, que encontram expressão, de um período a outro, na agitação e nas ideias perturbadoras".

A tese de Henry Miller vem reforçar a impossibilidade de se fixar o estatuto literário da pornografia, na medida em que, para ele, nada existe que seja obsceno "em si". A se crer no escritor, a obscenidade seria fundamentalmente um "efeito". Daí a dificuldade de delimitá-la neste ou naquele livro, nesta ou naquela convenção literária, o que seria confirmado não só pela diversidade de obras consideradas pornográficas em tal ou qual época, mas ainda pelas divergências individuais acerca do que seria efetivamente imoral.

Por outro lado, nenhuma obra erótica é importante se não agregar a si outras configurações do humano (sadismo, sofrimento; amor, morte, ódio, etc.). E isto se faz notar na tradição da literatura erótica, em nomes como Safo, Boccaccio, Aretino, Nicolas Chorier, Crébillon Fils, John Cleland, Restif de La Bretonne, Sade, Choderlos de Laclos, D. H. Lawrence, Henry Miller, Nabokov, Anaïs Nin, Pauline Réage, Nelson Rodrigues, Hilda Hilst, entre outros. E é também o que os contos desta coletânea atestam. As autoras aqui reunidas constituem um conjunto primoroso de talentos. Fazem ver que a nossa literatura não perde para nenhuma outra no enfoque do erotismo.

As autoras

Állex Leilla sabe dosar rigor narrativo com uma linguagem direta, descolada, fluida. "Hot dog" flagra uma mulher no trânsito que de repente se depara com um "ex-amigo" — e aí lhe ocorrem imagens intensas, de instantes que ela passou com o rapaz; ela revive ao volante cenas de sexo bizarro. "Epiceno" é lírico — narrativa da paixão e do temor da perda, abordando ainda a situação do poeta no mundo atual, a sua dificuldade de afirmação. "Souvenir" é um relato angustiado de uma jovem abandonada e ainda apaixonada por outra, tendo como pano de fundo a cidade de São Paulo. "Três elefantes" é de um erotismo explícito, aberto, repassando temas como o da AIDS.

Ana Ferreira é versátil, envolvente — estabelece intertextos interessantes (com Nabokov, Shekespeare, Tennessee Williams, etc.), que enriquecem seus contos. "Enquanto seu lobo não vem" é elaborado em forma de carta, da mulher para o marido pedófilo. "A dona da casa", cuja trama flerta com o fantástico, gira em torno de uma tentadora estátua. "Julieta prateada", tomando o universo do teatro, tem uma protagonista forte, incisiva, sendo que a cena de sexo na coxia é muito bem composta, um contraponto, de efeito inesperado, ao que está sendo explorado na narrativa — a competição entre duas atrizes.

Ana Miranda aplica-se em textos que atropelam os pontos e, por vezes, as vírgulas, tornando-os torrentes que bem expressam a lubricidade de suas protagonistas. "A sesta" é um conto notável — ativa o apetite do leitor ao associar os campos semânticos do sexo e do paladar. "Estátuas" trata do desejo de posse, transfigurado em verdadeira tara. "Instrumentos", trecho do romance *Amrik*, tem força pela pesquisa linguística, pelo caráter experimental. E a personagem de "As joias de Jeanne" é impetuosa, incontida no seu desejo.

Ana Paula Maia é implacável, aposta no bizarro. A autora resume o enredo de seus relatos aqui publicados: "'Danado' é sobre um funcionário público cujo fetiche é ser maltratado pelo patrão, pelas mulheres e pelos colegas de trabalho; 'Perversão' é a história de um homem casado cujo prazer erótico está em seduzir outras mulheres e dispensá-las após um jantar romântico, deixando-as arrasadas; 'Fome' tem como protagonista uma crítica gastronômica que avalia a refeição de acordo com os orgasmos que sente enquanto come; e 'Tarantino' traz dois soldados que conversam enquanto aguardam a ordem para realizarem uma invasão".

Andréa del Fuego tem um texto admirável. "O amante de mamãe" é demolidor — a mãe e o pai, as aparências preservadas, optam pela traição; a filha almeja um amante como o da mãe. "Trama apertada", em que o narrador é um unicórnio de uma tapeçaria medieval exposta num museu, é um conto muito criativo — nele é evocada a figura de Tamara de Lempicka, a extravagante pintora polonesa.

Cecilia Prada, em "Insólita flor do sexo", de um erotismo requintado, relata as descobertas de uma menina de 13 anos num colégio de freiras (tem o desejo despertado por uma das freiras que parece "um homem" e que a menina, retocando-lhe a figura, imagina ser seu "namorado"). O primoroso "A chave na fechadura", flertando com a metalinguagem, e com uma protagonista dilacerada pela solidão, teve três edições em alemão e foi estudado num trabalho de mestrado na UnB. "Sílvia" narra o encontro, em São Paulo, de um publicitário com uma linda mulher — desejo e rememoração infantil se intercalam no conto, e com um desfecho inusitado na mata da Cantareira. Há ainda a personagem teatral e desejosa de *"Nuit d'amour* (ou "Noite de amor")", conto que retrata a solidão e as relações frias na grande metrópole (no caso, São Paulo).

Juliana Frank desponta como uma das grandes promessas da nossa literatura. O sugestivo "A viúva de quatro" foi publicado primeiro na "Ilustríssima", da *Folha de S. Paulo*. "Romance de calçada" é magistral — trata-se de uma pequena obra-prima da narrativa sadomasoquista. Em "Você é tão simples e eu gozei", a protagonista é uma espécie de Bruna Surfistinha às avessas.

Enquanto a literatura *redime* a Surfistinha, a protagonista de Juliana, de algum modo, e embora profundamente solitária, é redimida pela prostituição. O texto de Juliana é solto e até sujo para os padrões da literatura bem comportada: "...você gozava na minha boca sem prometer o impossível. Inclusive, nunca soube seus predicados além da pica febril e a grande vontade de foder. Fodíamos até minha boceta ressecar e seu pau sangrar. E eu gozava porque você era simples. Um pau sem fabricação. Pra que começar as formulações?".

Heloisa Seixas é engenhosa. "As moscas" é um conto fantástico — a imagem dos insetos nos corpos dos amantes, após a noite de sexo intenso, aguça a imaginação, é inquietante. "Viagem a Armac", cuja ação principal se passa em Florença, tem muita força, com a protagonista apaixonada pelo David — seu "amante de pedra" — de Michelangelo. Em "A porta", Pedro e Helena transam loucamente numa galeria de esgoto de Paris. "Pérolas absolutas" traz como protagonista uma mulher que circula de carro na noite e se depara com um travesti — a narrativa expõe os subterrâneos, as sombras por onde os seres, solitários e sequiosos, deslizam na grande cidade.

Leila Guenther tem uma prosa apurada, atraente. "Avalanche" registra o encontro entre um sádico e uma masoquista. "Romã" é a história de Lia e sua relação com um professor de psicologia. Conto de erotismo tênue (um incesto é insinuado) e de final trágico. "Viagem a um lugar comum" narra um encontro em Varanasi, na Índia — dois amantes sussurrando palavras "em duas línguas". O sugestivo "Contra a natureza", como a própria autora assinala, é um conto "decadentista, meio dândi", ambientado na Paris do século XIX.

Luisa Geisler tem apenas 21 anos e é uma das revelações da literatura brasileira. "Penugem", com um narrador-personagem astuto, aparentando não ser o que de fato é (um pedófilo, "espectador" de sua própria filha), é um conto estupendo. "Você vai me ver", outro conto bem armado, narra o caso entre a dona de um restaurante e uma garota de programa. Aqui, marca forte da autora, a linguagem é direta, desimpedida: "Ela tinha o melhor (e mais fácil de reconhecer) cheiro. Eu era apaixonada pelo cheiro da buceta dela. Era lisa, quente, doce. Cheirava tão bem que eu queria perguntar qual era o sabonete secreto dela". "Foi assim que começou" não deixa de ser hilário, com a obsessão de Cássio por fazer sexo anal com Gio(vanna). Em "A melhor amiga (ou "White Lies")" há um movimento metalinguístico — o diálogo dos protagonistas, reunidos numa praia, recai de repente sobre textos de autoras iniciantes.

As protagonistas de **Márcia Denser** são irônicas, liberadas, permissivas — "caçam" parceiros. Caçam e depois desdenham os seus "amores proibidos", entre eles "bancários, escriturários, balconistas e picaretas", como registra a personagem-narradora de "Relatório final", conto extraordinário, de fluxo galopante — a cena na praça da igreja é forte, mesclando desejo e asco. Uma das melhores cenas de sexo de nossa literatura talvez seja aquela do desfecho de "O animal dos motéis".

Marilia Arnaud é uma contista impiedosa. "Os inocentes" aborda a crueldade juvenil. O premiado "Senhorita Bruna" é sobre ciúme e vingança (traz a frenética cena de masturbação: "... então se sentaram e se beijaram longamente na boca, e ele foi abrindo o zíper da calça, e de dentro dela saltou algo surpreendente, um pássaro sem plumas que oscilava pra lá e pra cá, em sobressaltos, e Julinho falou alguma coisa, e Naíla sentou-se sobre suas pernas e segurou-lhe o pássaro, e apertou-o na palma da mão fechada em anel, e a mão foi se movendo num ritmo compassado, para cima e para baixo, e depois, com mais ânimo, freneticamente, até que Julinho foi ficando meio vesgo e começou a estremecer e a caretear"). "A passageira" é incisivo e de final inesperado — o protagonista vive uma situação inusitada ao lado de uma desconhecida que lhe invade o carro na hora do *rush*.

Tércia Montenegro tem uma escrita portentosa. "Curiosidade", com a protagonista numa varanda, "nua e indefesa", induzida pelo parceiro, explora o tema do exibicionismo. A personagem-narradora de "Sessão das seis" tem uma fantasia sexual com dois homens. "Dois em um" traz um (ambíguo) ator que representa num restaurante um travesti — bem tramada a cena de sexo dele com a namorada no camarim improvisado. "Um caso familiar" é um conto imaginativo e impactante — Jéssica, a amiga da narradora, pratica sexo (*ménage*) com Rubem e a avó deste.

Agradeço às autoras — foram todas muito gentis comigo. Agradeço a Luiz Fernando Emediato pelo convite e pela confiança.

Rinaldo de Fernandes
Escritor, professor de literatura
e doutor em Teoria e História Literária.
Autor do romance **Rita no Pomar**
(finalista do Prêmio São Paulo de Literatura/2009).

SOBRE O ORGANIZADOR

RINALDO DE FERNANDES é escritor premiado, doutor em Teoria e História Literária pela UNICAMP e professor de literatura da UFPB. Publicou os livros de contos *O Caçador* (EDUFPB, 1997), *O perfume de Roberta* (Rio de Janeiro: Garamond, 2005) e *O professor de piano* (Rio de Janeiro: 7Letras, 2010) e o romance *Rita no Pomar* (Rio de Janeiro: 7Letras, 2008 — finalista do Prêmio São Paulo de Literatura e do Prêmio Passo Fundo Zaffari & Bourbon). É autor ainda de *Vargas Llosa: um Prêmio Nobel em Canudos — ensaios de literatura brasileira e hispano-americana* (Rio de Janeiro: Garamond, 2012). Organizou as coletâneas *O Clarim e a Oração: cem anos de* **Os sertões** (São Paulo: Geração Editorial, 2002), *Chico Buarque do Brasil: textos sobre as canções, o teatro e a ficção de um artista brasileiro* (Rio de Janeiro: Garamond/Fundação Biblioteca Nacional, 2004), *Contos cruéis: as narrativas mais violentas da literatura brasileira contemporânea* (São Paulo: Geração Editorial, 2006), *Quartas histórias: contos baseados em narrativas de Guimarães Rosa* (Rio de Janeiro: Garamond, 2006) e *Capitu mandou flores: contos para Machado de Assis nos cem anos de sua morte* (São Paulo: Geração Editorial,

2008). Já participou de antologias de contos como *Futuro presente: dezoito ficções sobre o futuro* (Rio de Janeiro: Record, 2009 — org. Nelson de Oliveira), *90-00: cuentos brasileños contemporáneos* (Lima: PetroPeru/Ediciones Cope, 2009 — org. Maria Alzira Brum Lemos e Nelson de Oliveira), *Tempo bom* (São Paulo: Iluminuras, 2010 — org. Sidney Rocha e Cristhiano Aguiar), entre outras. Seu conto "Beleza", concorrendo com cerca de 1.200 textos de todo o país, obteve o primeiro lugar no **Prêmio Nacional de Contos do Paraná** (2006), um dos mais tradicionais de nossa literatura. Entre os ensaístas e pesquisadores que já abordaram a sua ficção, podem ser destacados Silviano Santiago, Silvia Marianecci (Itália) e Regina Zilberman. Atualmente é colunista do jornal de literatura *Rascunho*, de Curitiba, e do *Correio das Artes*, de João Pessoa.

E-mail: **rinaldofernandes@uol.com.br**
Twitter: **@Ufernandes**